# EL PROCEDIMIENTO LEGISLATIVO
# DE LA CODECISIÓN

# EL PROCEDIMIENTO LEGISLATIVO DE LA CODECISIÓN

JOSÉ MANUEL MARTÍNEZ SIERRA

*Catedrático Jean Monnet de Derecho Constitucional Europeo*

**Polo Europeo Jean Monnet**

**tirant lo blanch**

Valencia, 2008

El presente estudio ha sido realizado y financiado en el marco del proyecto
de investigación "La reforma de los estatutos de autonomía y de la Constitu-
ción española en el marzo del proceso de constitucionalización de la Unión
Europea", dirigido por el Prof. Dr. Carlos de Cabo Martín y financiado por el
Ministerio de Educación y Ciencia (SEJ2005-07735/ JURI) y en marco de la
Cátedra Jean Monnet de Derecho Constitucional Europeo de la Universidad
Complutense del Prof. Dr. José Manuel Martínez Sierra, financiada por la
Comisión Europea.

© TIRANT LO BLANCH
    EDITA: TIRANT LO BLANCH
    C/ Artes Gráficas, 14 - 46010 - Valencia
    TELFS.: 96/361 00 48 - 50
    FAX: 96/369 41 51
    Email:tlb@tirant.com
    http://www.tirant.com
    Librería virtual: http://www.tirant.es
    DEPOSITO LEGAL: V -
    I.S.B.N.: 978 - 84 - 9876 - 011 - 8
    IMPRIME: GUADA IMPRESORES, S.L. - PMc Media, S.L.

*A Carlos de Cabo*

# ÍNDICE DE CONTENIDOS

# JUSTIFICACIÓN DEL ESTUDIO E INTRODUCCIÓN*

La firma en Roma, el 29 de octubre de 2004, del Tratado por el que se establece una Constitución para Europa (en adelante Tratado Constitucional o TCEu) y el posterior impás al que se ha visto sometido su proceso de ratificación, sitúan a la Unión y a sus Estados miembros en una trascendente encrucijada constitucional, sin parangón ni precedentes.

La predicha encrucijada repercute con virulencia en el menos trascendente mundo de la academia: ¿Qué hacer? Dos parecen ser las posiciones. Continuar trabajando, o esperar a que se resuelva la encrucijada a través de la (no) ratificación para retomar el trabajo: bien sobre un texto aprobado y formalizado; bien sobre la realidad alcanzada con el Tratado de la Unión Europea (TUE). Esta realidad parece que se ha impuesto en nuestro país si atendemos al frenazo que ha sufrido la orgía de manifestaciones académicas (publicaciones, actos, proyectos, etc.) que jalonaron el proceso de referéndum español sobre el TCEu.

Esta parada en seco, que tiene su manifestación más gráfica en la retirada de algunas luces de neón con la palabra Constitución Europea, se ha producido porque nuestra academia, mayoritariamente, y en mayor medida que la sociedad y la clase política, se posicionó a favor del Sí. No solamente del Sí al nuevo salto en el proceso de integración; Sí también al reconocimiento de este salto como un salto constituyente con cualidades y fortaleza para meter a Europa en la época constitucional. Y si uno cree que el TCEu es la Constitución para Europa, con la carga positiva que esa norma tiene, es difícil entender por qué no la quieren los ciudadanos, por qué fue tan irrisorio el apoyo popular español y por qué se le negó el apoyo allí donde hubo referéndum fuera de España (salvedad hecha de Luxemburgo S.L.). Y esta incomprensión bien puede provocar la parálisis.

---

*   El presente estudio ha sido realizado en el marco del proyecto de investigación: "La reforma de los estatutos de autonomía y de la Constitución española en el marco del proceso de constitucionalización de la Unión Europea", dirigido por el Prof. Carlos de Cabo y financiado por el Ministerio de Educación y Ciencia (SEJ2005-07735/JURI).

Optar por continuar trabajando también ofrece dos escenarios: la opción autista, seguir como si nada hubiese pasado, no descolgando las luces de neón; por otro lado, desarrollar los aspectos que puedan aportar más al momento de la encrucijada y, en un ideal, los aspectos que más aporten a cualquiera de los dos desenlaces posibles.

Nosotros nos ubicamos en este último escenario, el cual, como todos los barajados, necesita justificación, particularmente en relación con el tema elegido.

El TCEu no es una Constitución[1]: ni por su génesis/validez formal, que no fue a través de un poder constituyente; ni por su contenido/validez material, que no constitucionaliza un sistema político plenamente democrático, ni una Carta de derechos plenamente constitucional; y porque constitucionaliza, en su parte tercera, lo que no es Constitución. Y tampoco parece que pueda serlo por su ratificación, si se produce, pues las constituciones, particularmente las que adolecen de sustancia constitucional, demandan ratificación popular total y no parcial, independientemente de que la ratificación popular parcial saliera adelante, que tampoco parece que pueda ser el caso a estas alturas[2].

Dentro de todas las carencias constitucionales de este Tratado, las presentes en el sistema político que instituye se nos antojan medulares, y en entre ellas destaca el déficit de Parlamento. El déficit de Parlamento tiene igualmente una plétora de manifestaciones: las de su marginación en el poder constituyente; las derivadas de su relación con la sociología electoral, el sistema electoral y el sistema de partidos; por supuesto, las ínsitas en su débil institucionalización dentro del poder constituido europeo. Esta última, la que más de cerca nos atañe, tiene su más explícita expresión en el plano del control político[3], que

---

[1]    La justificación de las afirmaciones aquí expuestas en: Martínez Sierra, J. M.: "La Constitución Europea ¿Qué papel cumple en este momento? Una lectura crítica", *Documentación Social*, nº 134, 2004; Martínez Sierra, J. M.: "La Carta de Derechos Fundamentales", en *La Constitución destituyente de Europa. Razones para otro debate constitucional*, Ed. Libros de la Catarata, 2005.

[2]    Aunque no queremos pecar de ingenuos, parece impensable que se pueda volver a repetir la historia del TUE (con Dinamarca) o del Tratado de Niza (con Irlanda). Sobre aquellos dos casos y las decisiones adoptadas ver Martínez Sierra, J. M.: "La reforma constitucional y el referéndum en Irlanda: a propósito de Niza", *Teoría y Realidad Constitucional*, nº 7, 2001.

[3]    Sobre el particular, véase nuestro trabajo, "Del control y la responsabilidad en la Unión Europea", *Revista Universitaria Europea*, nº 3, 2002.

es gregario de un sistema de mínimos contrapoderes y de la *sui generis* e aprehensible naturaleza constitucional de sus contrapartes: Comisión, Consejo y Consejo Europeo[4].

Todos los elementos citados necesitan un giro constitucional que debería resolverse con otro momento y modelo constituyente. No cumplen, debido a su alejamiento del paradigma constitucional, la premisa de la compatibilidad anteriormente formulada. Contrariamente, las dimensiones presupuestaria y legislativa, curiosamente las de mayor desarrollo histórico, gozan de mayor compatibilidad. Al haber sido espoleta del diseño de la reducción de lo que la jerga iuseuropea denomina déficit democrático, permiten ser estudiadas desde los aledaños al método constitucional, y extraer enseñanzas utilizables en los dos escenarios futuros: el de la época "constitucional" tras la hipotética ratificación del TCEu; o el de la vuelta al acervo del TUE y emprender el camino que asuma los errores cometidos, también los constitucionales.

La codecisión es, en el TCEu, el procedimiento legislativo ordinario y el procedimiento legislativo común del Parlamento Europeo (PE), aunque no pueda legislar, al igual que el Consejo, en solitario. En consecuencia, de ratificarse el TCEu, el juicio sobre la constitucionalidad del poder constituido debe pasar por el juicio sobre la codecisión. Pero de no ratificarse, no puede olvidarse que la transformación del procedimiento legislativo en el procedimiento ordinario simboliza un consenso político respecto del diseño procedimental y del contenido material del mismo. Por ello, no habrá reflexión posible sobre un proceso constituyente futuro, ni sobre la consolidación o reforma de un TCEu ratificado, sin que la codecisión sea un elemento esencial, con o sin la reconsideración de la naturaleza jurídica y constitucional de los colegisladores.

Por ello la codecisión, lugar común de citas pero no de estudios en nuestra doctrina, debe ser estudiada, y debe serlo, cuando menos, para exponer su realidad y sus implicaciones, ofreciendo a los operadores académicos y políticos elementos de análisis que les permitan tener la visión de conjunto del procedimiento legislativo, la única posible de cara a la evolución en cualquier escenario. Con base en dichos objetivos distribuimos los cuatro capítulos del libro: el primero para exponer sus implicaciones; los tres siguientes para exponer su realidad histórica y presente.

---

[4]    En detalle, Martínez Sierra, J. M.: "La gobernanza en la Constitución Europea", *Ágora*, nº 12, 2005.

El primer capítulo pretende exponer las dimensiones básicas para considerar la codecisión y el Parlamento como objeto de desarrollo constitucional, presente y futuro. Sin duda, los aspectos legitimatorios del proceso de integración, que no comienzan ni acaban con el denominado eufemísticamente "déficit democrático". Los Parlamentos nacionales, el sistema institucional o la cooperación reforzada como elemento rupturista del sistema, son aspectos esenciales.

A partir de ese primer capítulo, nuestro trabajo se dividirá en tres momentos. En primer lugar, el momento histórico, que se desarrollará en el segundo capítulo del trabajo bajo el siguiente epígrafe: "el procedimiento de codecisión en los Tratados". Como no podría ser de otra forma, abordamos allí la configuración progresiva del procedimiento desde su génesis en Mastrique hasta el TCEu, pasando por Ámsterdam y Niza.

En segundo lugar, el tercer capítulo del trabajo ocupará el momento descriptivo-analítico, y se desarrollará bajo el siguiente epígrafe: "el procedimiento de codecisión paso a paso". En él abordaremos todas las piezas del puzle, a través de cada una de las tres lecturas que jalonan el procedimiento legislativo.

El tercer momento será el conclusivo y ocupará el cuarto y último capítulo. En él se introducirán elementos cualitativos para posibilitar la visión de conjunto del procedimiento así, las cifras de la codecisión genéricas o las específicas sobre el tiempo de duración de la tramitación de los actos legislativos. Para de ahí, hacer balance sobre el estado de la cuestión y acercarnos a los futuros previsibles.

# I. LAS DIMENSIONES CONSTITUCIONALES AFECTADAS

## 1. LA DOBLE LEGITIMIDAD DEL PROCESO DE INTEGRACIÓN

Aunque las sombras existentes sobre la conformación del Derecho Comunitario permitieran iniciar el tema de la legitimidad de la Unión Europea desde la primigenia confrontación schmidtiana, legalidad frente a legitimidad, no es ése nuestro camino. Pretendemos aquí algo mucho menos ambicioso. Tratamos de mostrar la implicación que para la legitimidad de la Unión Europea tiene cualquier aproximación al sistema institucional de la UE y a su procedimiento de toma de decisiones, especialmente en el ámbito legislativo.

El estudio del problema de la legitimidad a nivel de la Unión está aún bastante falto de análisis, esencialmente por un acotamiento y circunscripción del mismo al nexo establecido por la doctrina entre legitimidad y democracia. La clásica distinción weberiana entre legitimidad tradicional, legitimidad carismática y legitimidad racional se aparca, como si anduviésemos sobrados de referentes dogmáticos y metodológicos. Quizás, en el mejor de los casos, se habla de doble legitimidad como último estadio en la evolución de la legitimidad racional. Resumamos brevemente este proceso.

La legitimidad racional weberiana no es cosa evidente por sí misma, dado que su existencia no reside en la pura razón. La escuela de Frankfurt, a través de su crítica, consideró que la legitimidad racional precisaba una fundamentación sustantiva. Lo racional no puede ser tan sólo una tarea exclusivamente instrumental sino que ha de aplicarse a una finalidad de destino.

El fracaso de la fundamentación sustantiva de la racionalidad por vía ordinaria provocó, como indica Cotarelo, que se acudiera a "buscar la fundamentación sustantiva de lo racional en otra norma de procedimiento. En otros términos, legitimidad racional es evidentemente legitimidad de la mayoría. Porque la democracia presupone el criterio de que es racional aquéllo que es mayoritariamente percibido como tal. La legitimidad es sobre todo un asunto de percepciones subjetivas"[1].

---

[1]    Cotarelo, R.: "La Legitimidad", dentro de la obra compilada por Pastor, M.: *Ciencia Política*, McGraw-Hill, 1989, p. 13.

La doctrina se suma al clamor bastante fundamentado de que la legitimidad actualmente aceptada es la democrática, y el principal principio legitimatorio es el democrático.

En esa lógica, los Parlamentos nacionales son desde la génesis de las Comunidades hasta nuestros días, quizá sólo hasta el Tratado Constitucional, la fuente de legitimidad preeminente de la UE. Independientemente de las diferencias constitucionales, la propia existencia de la democracia representativa en los EEMM convierte a los Parlamentos nacionales en fuente de legitimidad para el sistema político[2]. Las instituciones de la CE, léase: Consejo de la Unión, Comisión y el Tribunal de Justicia de las Comunidades Europeas, deben a los Parlamentos nacionales su existencia vía Tratados Fundacionales. El Consejo de la Unión además se compone de Ministros elegidos exclusivamente en clave nacional. La Comisión y el Tribunal de Justicia también se nutren parcialmente de esa legitimidad proveniente de los Parlamentos nacionales, en tanto son formalmente ellos, con sus mayorías, los baluartes de las propuestas de comisarios y miembros del Tribunal realizadas por los gobiernos.

Desde la primera elección popular del PE, la institución parlamentaria comparte con los Parlamentos nacionales la recepción de la legitimidad "democrática-electiva" de primer grado. De ella y del Derecho originario emanan las razones de su actual consideración como la institución comunitaria poseedora de mayor legitimidad. Ésta se irradia a la Comisión tras las modificaciones sufridas en su proceso de elección en el TUE y en el Tratado Constitucional. Claramente en Ámsterdam, tras la intensificación dada a su participación en la elección de la Comisión, donde se le otorga el poder de vetar el nombramiento de una Comisión indeseada. También, aunque de forma matizada en Niza, pues la institucionalización del "método Prodi" incide en las funciones de control y renovación del PE sobre el ejecutivo comunitario. Y, por último, el Tratado Constitucional que culmina residenciando el mayor peso de la elección de la institución en el Parlamento.

---

[2]     Para una visión de la ubicación de los Parlamentos nacionales en los distintos sistemas políticos de la UE ver: Sánchez González, S. y Mellado Prado, P.: *Sistemas Políticos actuales*, Centro de Estudios Ramón Areces, Madrid, 2000; Cotarelo, R., Maldonado, J., y Román, P.: *Los Sistemas políticos de la Unión Europea, con inclusión de los Estados Unidos y Japón*, Editorial Universitas, S.A. Madrid, 1993; Cavero, I. y Zamora, T.: *Los Sistemas Políticos*, Universitas S.A., 1996.

La Unión tiene, pues lo que podríamos denominar dos niveles de legitimidad, o dos fuentes con distinta intensidad legitimadora. Neunreither habla de la más usual visión de la doble legitimidad: la directa representada por el PE y la derivada por el resto de instituciones[3]. La distinción cualitativa entre ambos no parte de un distinto valor apriorístico de los espacios políticos nacionales con respecto al europeo. Surge del distinto valor otorgado por los ciudadanos a dichos parlamentos.

La existencia, pues, de dos fuentes de legitimidad no significa necesariamente mayor legitimidad, aun en *caeteris paribus*. Tampoco implica automáticamente que la legitimidad insuflada desde el nivel nacional quede debilitada. En el estudio de la UE, algunos autores son propensos a confundir; así, en su análisis mezclan constantemente el déficit democrático con la legitimidad, dando muchas reflexiones por superadas y dificultando por ello la aportación de otras perspectivas muy importantes de la legitimidad *strictu sensu*.

Neunreither converge fundamentalmente con lo expuesto. Tras considerar que el sistema institucional de la Comunidad está basado en principios democráticos, dista de considerarlo plenamente legitimado, pues ello implicaría la existencia de una identificación de los ciudadanos con el sistema político no alcanzado[4].

La distinción legitimidad formal-legitimidad social en la Unión puede resultar clarificadora[5]. La legitimidad social vendría a significar que los ciudadanos se sientan parte de la entidad política en la cual son tomadas las decisiones políticas. Sin necesidad de acudir a los eurobarómetros, ni a las causas de la crisis de ratificación del Tratado Constitucional, podemos afirmar que los

---

[3]  Ver en concreto "The dual legitimacy of the European Union and the democratic deficit" en Neunreither, K.: "The democratic deficit of the European Union: Towards closer cooperation between the European Parliament and the National Parliaments", Goverment and Opposition, vol. 29, n° 3, 1994, pp. 311-314.

[4]  Afirma Neunreither, K.: "But if it can be mantained that the Community institutional system is based on democratic principles, we can still ask whether this implies full legitimation. Legitimacy also depends on the consent of the citizen, not necessarily on individual political decisions taken, but on the system itself. There must exist some kind of identification between the citizen and the political system", en su trabajo: "The democratic deficit of the European Union: Towards closer cooperation between the European Parliament and the National Parliaments", *cit.*, p. 312.

[5]  Weiler, J.H.H.: "Parlement européen, intégration européene et légitimite" en Louis, J-V. y Waelbroeck, D.: *Le Parlement européen dans l'évollution institutionelle*, Bryges-Editions de l'Université de Bruxelles, 1988.

ciudadanos en Europa se sienten mucho más identificados con sus naciones o regiones que con el conjunto de la UE[6]. Por ello, aunque la legitimidad formal muestra dos niveles parlamentarios como una misma fuente, la legitimidad social indicaría una consciente discriminación en detrimento del PE.

Sin *demos* europeo, la identificación con el sistema político europeo se complica. La ciudadanía europea, sostenida tras el TUE como base de la superación del "ciudadano de los Estados" no disimula la existencia de "25 ciudadanías", 25 pueblos, 25 soberanías base para el ejercicio del poder desde las instituciones de la UE[7]. Pero aun considerando que son veinticinco las ciudadanías existentes, el fiel de la balanza legitimadora no está tanto en la identificación con el sistema político como en la percepción de legitimidad o legitimación.

Si partimos de la distinción legitimidad-percepción de la legitimidad, veremos superada la visión de Neunreither y Weiler. Por legitimidad entendemos el esquema cerrado de acuerdo con el cual los padres fundadores y/o los dirigentes de la UE ubican la legitimidad del proceso de integración. Por el contrario, la percepción de legitimidad nos remite, no a la identificación del *demos* con las instituciones de la UE, sino a la culminación de las expectativas de los ciudadanos de la Unión. Según nuestra opinión, la distinción entre legitimidad de origen y legitimidad de ejercicio puede aportarnos alguna luz a la hora de discernir la percepción de legitimidad.

Independientemente de las posibles debilidades en nuestro hilo argumental y de la fuerza de la tesis defensora de la génesis de las Comunidades como punto final a la Europa enfrentada (lo que nos remitiría a la legitimidad de origen), la CE surge, y sobre todo se mantiene, por una razón de efectividad[8]. Y mientras el Tratado de Ámsterdam amordazó los apuntes del TUE, referentes a otros valores, no lo hace así con el camino del EURO. Niza por su

---

[6]    Sobre la realidad regional y la UE ver: "La Europa de las Regiones", *Boletín de Derecho de las Comunidades Europeas*, Cortes Generales, nº 5, 1990.

[7]    Holland, M.: "European Community Integration", Printer Publishers, 1993, espec. el capítulo "A people's Europe: representation, attitudes, citizenship and social charter", pp. 144-158.

[8]    La visión economicista del proceso de integración está bastante asentada en la historiografía moderna, sirva como ejemplo, MacWillians, W.C. y Piotroski, H.: *The world since 1945: a history of international relations*, Linne Reiner Publisher (Boulder)-Adamantine Press Limited (London), 1993, espec. "The new economic superpowers", pp. 119 y ss.

parte, reparte el poder en el Consejo para mantener o mejorar la eficacia del sistema ante la inminente ampliación; ni siquiera incluyó primigeniamente al PE en su agenda. El Tratado Constitucional constitucionaliza al Consejo Europeo, marginando al PE como poder constituido en los aspectos de mayor relevancia constitucional. La Europa de los mercaderes no resurge, siempre ha estado ahí: ¿es el principio de subsidiariedad una exclusiva imposición británica?, o ¿es la plasmación de la duda sobrevenida a la capacidad de la UE de seguir siendo más eficaz que los EEMM en los campos competenciales no residenciados aún en Bruselas? Y tras el Tratado Constitucional: ¿residenciar en los Parlamentos nacionales, a través del mecanismo de alerta temprana, la capacidad de vetar la activación de la subsidiariedad no es una apuesta por la democratización frente a la eficacia?

La efectividad de la UE ante unos Estados demasiado pequeños para resolver grandes problemas es, guste o no, fuente primigenia de la legitimidad del proceso de integración europeo. No faltan autores que consideran la relación entre efectividad y aumento de la autoridad supranacional de la UE[9]. La legitimidad de ejercicio de la UE se irradia, pues, por su dedicación y mayor efectividad en los ámbitos competenciales donde los EEMM se ven superados por los procesos de globalización. Afirma Eivind Smith que "la cuestión debe formularse del siguiente modo: la mayor parte de los Estados en Europa son demasiado pequeños para enfrentarse a la anarquía de los movimientos internacionalizados de capital, o para asegurar las necesidades vitales del medioambiente, etc".[10] Los ciudadanos de la Unión parecen no necesitar un análisis estricto sobre las limitaciones del Estado nación, en palabras de Nicole Notat, la llave de la popularidad de la UE está en la consecución del progreso social[11].

Podríamos citar otras opiniones reafirmadoras de la misma idea: la percepción de legitimidad radica en el éxito de la tercera fase de la Unión Económica

---

[9]   Andersen, S.S. y Eliassen, K.A.: "Introduction: Dilemas, Contradictions and the future of the European Democracy", en Andersen, S.S. y Eliassen, K.A. (Ed.): *The EU: How democratic is it?*, SAGE Publications, 1996, p. 7.

[10]  Smith, E.: "Introduction: Sovereignty-National and Popular", en Smith, E.: *National Parliaments as cornerstone in European Integration*, Kluwer Law International, 1996, p. 11.

[11]  Nodat, N.: "Social progress holds the key to the EU's popularity", en *How much popular support is there for the EU?*, Phillip Morris Institute for Public Policy Research, Abril, 1997, espec., pp. 60 y ss.

y Monetaria, no en la reforma institucional democratizadora, entendida en su dimensión legitimadora, no en su dimensión de eficacia. Como señalan Eliassen y Andersen, "una fuerza motriz detrás del desarrollo de la UE ha sido la promesa de soluciones más efectivas de las que los Estados miembros pueden realizar por sí mismos" y ello sitúa a la UE ante el "particular reto de mejorar tanto la efectividad como la democracia"[12].

La correcta percepción teórica de los autores no pareció ser la que los dirigentes de Europa transmiten como idea central de la legitimidad en Europa. Si tenemos en cuenta cómo se concibió la CIG 96 en relación con la reforma institucional y la ampliación, y cómo se culminó el Tratado de Ámsterdam, parece que los dirigentes de nuestra Europa siguieron el peligroso razonamiento de acuerdo con el cual demasiada democracia es peligrosa para la democracia, por la sencilla razón de que puede perjudicar a la efectividad del sistema. La agenda de Niza, no lo olvidemos, debió esencialmente haberse abordado y resuelto en Ámsterdam, y si se abordó finalmente en Niza no fue para crear la piedra angular de la legitimidad del sistema, sino por la necesidad de desbrozar el camino a la ampliación mejorando la eficacia de éste. Sin embargo, paradójicamente, el giro in-tergubernamental hacia el Consejo Europeo del Tratado Constitucional también puede ser entendido en este sentido.

De acuerdo con lo dicho, la percepción de legitimidad de los europeos comulgaría con la legitimidad querida por alguno de los padres de la Europa unida, pues dependería del éxito de la "Europa de los mercaderes". *Sensu contrario*, su fracaso sería el de la legitimidad de la UE, independientemente de que la Unión se hubiese configurado como un sistema político plenamente democrático vía reforma institucional profunda.

Tengamos por lo tanto cuidado con procesar legitimidad, democracia y soberanía en el mismo nivel, pues, pese a que la legitimidad democrática, derivación de la racional weberiana, tenga un gran sostén teórico, quizá no lo tenga en el sentir de los europeos, y no sea por ello fuente de legitimación principal de la Unión.

Durante la historia de la integración, la aparición de la eficacia y eficiencia del sistema como fuentes significadas de legitimación del mismo ha jugado contra una mayor relevancia del PE en la UE, por considerarse que la misma

---

[12]    Andersen, S.S. y Eliassen, K.A, *cit.*, p. 10.

repercutirá negativamente en el ágil funcionamiento de los mecanismos de toma de decisiones de la UE. Lo apuntado es cierto, independientemente de que el motivo político principal opuesto a la promoción del PE en el sistema político de la UE ha sido y es la fiebre euroescéptica de algunos EEMM. De acuerdo con ésta los Parlamentos nacionales son y deben ser la única fuente posible y deseable de legitimación del sistema.

Desde esta perspectiva, la importancia del estudio de la codecisión se muestra clara. El procedimiento legislativo, siendo la mayor y más intensa participación del PE en la toma de decisiones europea, es, por lógica, la prueba de fuego de la institución en su *test* de eficacia; es, quiérase o no, el laboratorio idóneo para saber si la presunción "más parlamento-menos eficacia" es un prejuicio o un aserto fundado en hechos. *Sensu contrario*, si la codecisión supera el *test* de la efectividad, las posiciones dentro de la dialéctica "más o menos parlamento" deberían cambiar, y las posiciones contra la mayor participación del PE deberían desplazarse del plano objetivo del funcionamiento y su derivación legitimadora al plano más subjetivo del modelo político y a otra dimensión legitimadora.

## 2. EL DÉFICIT DEMOCRÁTICO Y LA SOBERANÍA

En segundo lugar, el estudio de la participación intensa del PE en el sistema institucional de la UE nos sitúa en la necesaria obligación de reflexionar sobre el estado de la democracia en Europa.

Los sistemas políticos de los EEMM de la UE siguen siendo, a grandes rasgos, los mismos existentes antes de las sucesivas incorporaciones de los EEMM en la Unión; sin embargo, el caudal político residenciado en dichos sistemas dista de ser el mismo, dado que muchas competencias constitucionalmente radicadas en los sistemas nacionales han pasado a ser parte del ámbito de las competencias desarrolladas por las instituciones europeas. En Europa, independientemente de la hipotética plenitud de la cobertura constitucional nacional de la transferencia, dichas competencias se desarrollan sin las garantías constitucionales queridas por el constituyente[13].

---

[13]   Sobre los límites constitucionales a la cesión y ejercicio de competencias ver nuestras reflexiones en el libro *Constitucionalismo, mundialización y crisis del concepto de soberanía:*

No puede ignorarse a aquéllos integrantes de la doctrina que, con la sana intención de descargar las muchas veces interesadas tintas del proselitismo pro-democracia en Europa, nos remiten al iusinternacionalismo[14]. Dichos enfoques señalan que la soberanía nacional no sólo se ve afectada por el proceso de integración europeo; de hecho, la propia esencia del Derecho de los Tratados y la existencia del Derecho Internacional Público muestran las constantes limitaciones que la soberanía estatal sufre desde el citado campo. Las relaciones internacionales, desde la Sociedad de Naciones al final del siglo pasado, han sufrido una aceleración sin precedentes históricos en tal sentido. El Tratado de Libre Comercio, el Mercosur o la Organización Mundial del Comercio son diversos y claros soportes a dicha tesis.

Al respecto consideramos necesario hacer dos puntualizaciones. En primer lugar, la lógica de análisis iusinternacionalista no limita sustancialmente la posibilidad de crítica al déficit constitucional en la UE. Y no lo hace porque la crítica no viene referida originalmente a la existencia de limitaciones a la soberanía nacional, sino a la intensidad de las mismas. Intensidad otorgada por la propia naturaleza jurídica de la UE, la cual, si bien nunca ha estado del todo clara, hace tiempo que dejó de encontrarse en el nivel del iusinternacionalismo[15]. El giro constitucional que pretende dar el Tratado Constitucional parece aquí definitivo.

En segundo lugar, los argumentos citados pueden alentar las críticas que pretenden acallar. La función del Consejo Europeo, más intergubernamental que supranacional, bien merece una visión crítica, antes incluso de sus "singulares decisiones" en los Consejos Europeos de Edimburgo 92 y Bruselas 93[16]; de su configuración en el 109 J y 109 K TCE para la UEM (actuales artículos 121 y 122 TCE); o de su nueva mutación en poder constituido y de reforma en el Tratado Constitucional.

---

*algunos efectos en América Latina y en Europa*, Monografías-Publicaciones de la Universidad de Alicante, 2000, pp. 109 y ss.

[14]   Un ejemplo de esta visión en Andretch, A.A.: *Supervision in European Community Law. Observance by the Member States of their Treaty Obligations*, North Holland, 1986.

[15]   Baste recordar la jurisprudencia del TJCE: Van Gend en Loos, Simmenthal, etc. Un buen manual recopilatorio y de comentario sobre dicha jurisprudencia es a nuestro entender el de Usher, J.: *Cases and materials on the Law of the European Communities*, Butterworths, 1994.

[16]   En detalle sobre la naturaleza jurídica de las decisiones, ver el punto 4 de nuestro trabajo "La reforma constitucional y el referéndum en Irlanda: a propósito de Niza", *Teoría y Realidad Constitucional*, n° 7, 2001.

El déficit constitucional y democrático no es una bandera inventada por los euroescépticos. Su realidad es tan patente como discutida, de ahí que su enarbolamiento, venga de donde venga, cause estupor. Su razón surge de la interrelación de las nociones de soberanía y de modelo democrático de los EEMM. De la soberanía de los EEMM, porque la génesis de la misma está, como ya apuntábamos, en el traspaso de competencias de los sistemas político-constitucionales nacionales al europeo. Del modelo democrático de los EEMM, al ser éste el único admisible por la mayoría de la opinión doctrinal y popular para determinar la existencia o inexistencia de la democracia.

El citado discurso conlleva una doble implicación. Determina la inexistencia de democracia, en tanto no hay un control pleno de los Parlamentos nacionales sobre las competencias transferidas a la Unión y del ejercicio hecho sobre las mismas. Influye en la consideración de la inexistencia de un sistema político a nivel europeo, ello por la simple razón de que sólo es democrático el modelo desarrollado en el Estado Nación occidental y éste no es el configurado en Europa[17].

Llegados a este punto, la connatural vinculación entre el déficit democrático y el papel jugado por los Parlamentos nacionales en la UE resulta claro. Si las competencias emanadas de la soberanía popular son residenciadas en Europa, pero controladas de forma directa o indirecta por los Parlamentos nacionales, el problema simplemente no existirá. En caso de no producirse tal control, debemos acudir al nivel europeo para sustanciar el estado de la cuestión, entrando a sopesar la conveniencia e idoneidad de suplirlos en tal labor por el PE.

Para que la UE ejerza las citadas competencias sin dañar la soberanía de los EEMM se deberían dar al menos dos premisas: la instauración de un sistema político europeo emanante de un poder constituyente constitucional, y la configuración del mismo como democrático. Para la consecución de esto último, y siguiendo la transmisión del modelo nacional a nivel europeo, deberíamos estar ante un PE constituido en piedra angular del sistema.

Desde esta perspectiva, el estudio de la codecisión resulta altamente conveniente. Se parta desde el enfoque que se parta, la participación más intensa del PE en el desarrollo de las competencias constitucionales residenciadas en Europa únicamente puede incidir positivamente el juicio final sobre el

---

[17]    Una visión profunda sobre lo apuntado en, Schmitter, P.C.: "If the nation State were to wither away in Europe, what might replace it?", en *The Future of the Nation-State*, Uppsala University, 1995.

carácter democrático del sistema institucional de la Unión, por ser la única con legitimación democrática de origen de primer nivel.

El PE es elegido por sufragio universal y directo, y ello le dota de un plus no gozado por el resto de instituciones. Es cierto que no hay un sistema electoral común, que no hay un sistema de partidos europeos, y que, aun habiéndolos, no hay un *demos* europeo que articular. El propio Tratado Constitucional así lo reconoce, y se cuida muy mucho de hablar de pueblo europeo. No hay más que "pueblos de Europa", que ni es lo mismo ni es igual[18]. Podemos sumar y seguir, podemos ubicar al PE en el peldaño más bajo posible, pero sin olvidar que, en el contexto estudiado, el resto de instituciones se sitúan aún por debajo de él.

El Consejo, como institución europea, no tiene una base oponible a la única elección democrática a nivel europeo: la parlamentaria. La suma de legitimidades de origen nacional de los Ministros no irradia al órgano colegiado Consejo una inyección legitimadora a nivel europeo. Por ello, los euroescépticos deben ser conscientes de que las supuestas sombras en el *status* democrático del PE no refuerzan al Consejo ni al Consejo Europeo, más bien juegan contra el enfoque intergubernamental.

Estudiemos, pues, la codecisión, conscientes de estudiar el buque insignia de la vía más clara para legitimar la toma de decisiones en la Unión Europea. Al tiempo, seamos conscientes de que el PE, en su participación legislativa, debe ser sometido a la crítica desde el prisma de la representatividad democrática, pues el déficit constitucional no se palia por tener un parlamento, sino por tener un "parlamento" democrático constituido en piedra angular del poder constituido. Aquí, si bien no abordaremos todas las dimensiones implícitas en la mencionada tesis, sí lo haremos con una básica: saber si el Parlamento Europeo es la piedra angular del poder legislativo europeo.

## 3. EL PROCESO DE INTEGRACIÓN Y EL PRESENTE DE LA UE

El proceso de integración europeo tiende a conformar un espacio político virgen; por ello, puede defenderse que no debemos someter su

---

[18]   Léase el Artículo 1, Título I del Tratado de la Unión Europea.

sistema político al prisma inflexible de los modelos políticos formalmente cerrados.

Los EEMM son modelos formalmente cerrados, pues la evolución de sus sistemas políticos se desarrolla dentro de un marco constitucional conocido y limitado. Ni las democracias más jóvenes, ni las resistentes a las guerras mundiales inquietan dicho marco. Así lo muestra cualquier visión de los acontecimientos mayúsculos acaecidos en los sistemas políticos europeos en la segunda mitad del agotado siglo.

Los modelos democráticos de la UE se desarrollan dentro del mismo marco, a medida que se aleja la Segunda Guerra Mundial para los más y las dictaduras para los menos. Pero en ningún caso dichos desarrollos afectan a los pilares de la democracia representativa. La instauración de la República Helena, la articulación político-constitucional de las "regiones" belgas o españolas o la reunificación alemana, no por su indudable importancia mutan la esencia de los sistemas políticos democráticos "reinantes" en occidente.

El modelo, tras la caída del muro de Berlín y el enquistamiento o transformación de los neofascismos[19], atravesó la línea del fin de siglo como si el final de la historia de los modelos políticos también hubiese llegado[20].

El sistema institucional de la UE ha sido claramente, al menos hasta el Tratado Constitucional, un proceso. De dicha afirmación dimana su desvinculación con la idea de modelo cerrado. Mal puede finiquitarse un sistema político cuando sus instituciones toman cuerpo para articular una realidad cambiante.

El sistema institucional de la UE sirve pues, en esencia, para facilitar un fin, a saber: una unión cada vez más estrecha entre los pueblos de Europa[21]. Para alcanzar tal fin, la UE se configura como un continuo cambio hacia una construcción política cada vez más compleja. La Unión ha sido, de hecho, una crisálida sobre la cual ni las más aguzadas visiones ven la hora o forma de su culminación.

---

[19]   La afirmación dista en nuestra opinión de estar carente de interrogantes, en cualquier caso su complejidad hace imposible su tratamiento en este trabajo.

[20]   Nos permitimos parafrasear y evocar la polémica abierta por Fukuyama, F.: El final de la historia y el último hombre, Planeta, 1992.

[21]   TUE, artículo 1: "El presente Tratado constituye una nueva etapa en el proceso creador de una Unión cada vez más estrecha entre los pueblos de Europa".

Acercarnos al sistema político de la UE era hacerlo a un proceso viviente y a una culminación potencial. Pese a ello, los teóricos de la integración, en particular la escuela federalista, han estado más preocupados de la posibilidad de crear en última instancia un modelo plenamente democrático y cerrado de corte federal que en el sinuoso camino por recorrer hasta llegar a alcanzarlo[22].

La importancia de aportar ideas al proceso es contribuir a la estructuración presente de la Unión. Como han demostrado los turbulentos procesos de ratificación de los Tratados de Mastrique, Niza y del Constitucional[23], el mañana puede ser inalcanzable si no se destierran de la Europa unida sus principales carencias.

En el plano político, no debemos dudar en afirmar que el denominado déficit democrático es blanco legítimo de críticas para todo euroescéptico demócrata. La cuestión, pese a ser compleja, puede resumirse en la insuficiencia de la legitimidad de las instituciones europeas. La génesis de dicha realidad es obvia: el PE, en contraposición a los Parlamentos nacionales, no es el centro de autoridad en el sistema institucional, mientras el resto de instituciones de la CE tienen una legitimidad de segundo o tercer grado proveniente de los Parlamentos nacionales.

No necesitamos en el presente análisis saber si el PE podría suplantar la legitimidad de los Parlamentos nacionales, a saber: si hay *demos* que articular, partidos políticos europeos, etc. Nos basta con afirmar que los Parlamentos nacionales han sido históricamente la fuente más clara de legitimidad de la UE.

## 4. LOS PARLAMENTOS NACIONALES

La doble legitimidad de la Unión, la de los Estados y la de los ciudadanos, puede verse satisfecha, como cree el TCEu, a través de la constitucionalización

---

[22]　Compartimos la afirmación de Andersen y Eliassen, *cit.*: "*integration theorist and in particular the funcionalist school which has been more concerned with the possibility of a fully fleged democracy in a federal Europe than the bumpy road towards it*", p. 3.

[23]　Sobre el fallido referéndum de ratificación del Tratado de Niza en Irlanda, teniendo en cuenta el pasaje de la rarificación danesa sobre Mastrique, Martínez Sierra, J. M.: "La reforma constitucional y el referéndum en Irlanda: a propósito de Niza", *cit.*, pp. 245-259.

del Consejo (los Consejos) y el PE. Dicha afirmación asume la marginación de los Parlamentos nacionales en el poder constituido europeo, marginación efectivamente producida, pese a que la Declaración sobre el futuro de la Unión le otorgó *ab initio* un papel protagónico.

En la lógica preconstitucional se podía defender la siguiente tesis: si los Parlamentos nacionales participasen en la Unión Europea con la intensidad y saber hacer demandados, el sistema institucional se vería descargado de buena parte de las demandas de desarrollo autónomo que hoy le acucian. De no hacerlo o hacerlo parcialmente, el sistema deberá administrar plenamente sus deficiencias y contradicciones, entre ellas el giro intergubernamental.

Los poderes de la institución principal del sistema político europeo, el Consejo de Ministros, se legitimaron siempre vía vinculación con los sistemas nacionales, en particular con el control que dichos sistemas realizan sobre los representantes en el Consejo a través de sus Parlamentos nacionales. De ahí la supuesta innecesariedad y ausencia de su control político en el sistema institucional europeo.

Pero la predicha base lógica dista de cumplirse de forma satisfactoria como demuestra el insuficiente papel jugado por los Parlamentos nacionales, incluso si su estudio discrimina positivamente eligiendo a los modelos más acabados. Así lo hemos puesto de manifiesto en nuestro estudio de la participación en asuntos europeos de los Parlamentos nacionales más rigurosos en tal labor, a saber, el danés y el británico[24].

Conclusiones determinantes se obtienen igualmente del estudio de control político, en general y en particular PE-Consejos[25]. Intentar que el control del Parlamento a la labor de un Ministro en sede europea se realizase de la forma más acabada posible se toparía con obstáculos infranqueables. La dejación o mal hacer del Ministro en sus responsabilidades no podrá, como en el caso nacional, llevar a la derogación de la normativa objeto de la actitud negligente, con lo cual el control pierde su objetivo primordial. La generalización de la mayoría cualificada en sede del Consejo torna, en cualquier caso, inoperativa pro futuro la remoción de un Ministro cada vez que las cuotas lácteas no se ajustan a la voluntad de la Cortes, y hacerlo no hará al resto de Ministros de la

---

[24]     "Los Parlamentos nacionales y la Unión Europea", *Revista de la Facultad de Derecho de la Universidad Complutense*, anuario 90, 1998.

[25]     Martínez Sierra, J.M. y Martínez, J.M: "Del control y la responsabilidad en la Unión Europea", *Revista Universitaria Europea*, n° 3, 2002.

Unión derogar el instrumento de Derecho derivado al caso, no consiguiéndose así el fin perseguido por el Parlamento.

Por último, incrementar y perfeccionar la participación directa o indirecta de los Parlamentos nacionales en la Unión promete incrementar las tensiones del procedimiento de toma de decisiones europeo. Un *Folketing* reproducido paralizaría el Consejo[26], y las vías de participación colectivas o directas se muestran absolutamente alejadas de suponer una aportación trascendente al sistema institucional. La Conferencia de Órganos Especializados en Asuntos Comunitarios (COSAC), la Conferencia de Parlamentos (Assises) y la Conferencia de Presidentes, son poco más que órganos deliberantes, cuyas posibilidades de crecimiento están impedidas por la ausencia de voluntad política y por las limitaciones constitucionales y de diversidad de cultura parlamentaria de los distintos Parlamentos nacionales[27].

Así, nos encontramos con que otra vuelta de tuerca buscando la aportación potencial de los Parlamentos nacionales, sin satisfacer plenamente las demandas democráticas del sistema, repercutiría negativamente en el funcionamiento del proceso de toma de decisiones. A ello añadir que ambas variables pueden encontrar salida a nivel europeo.

Todo ello sugiere que una mayor participación de los Parlamentos nacionales, en el peor de los casos, repercutiría negativamente en el funcionamiento del sistema institucional; y en el mejor de los casos, no resolvería los problemas que sólo pueden solventarse a nivel de la Unión. En conclusión, el estudio de la participación de los Parlamentos nacionales no exime del estudio de la problemática del sistema institucional de la Unión: los déficits constitucionales del sistema institucional de la Unión deben ser identificados y resueltos a nivel europeo.

---

[26]    Laursen, F.: "Parliamentary Bodies Specializing in European Union Affairs: Denmark and European Political Union", en Laursen, F. y Vanhoonacker, S.: *The Intergovernmental Conference on Political Union*, European Institute of Public Administration/Institut Européen d'Administración Publique, 1995, p. 63 y ss.

[27]    En genneral, sobre la participación de los Parlamentos nacionales en la Unión: Norton, P. (Ed.): *National Parliaments and the EU*, Frank Kass-London, 1996; Smith, E.: *National Parliaments as cornerstones of European Integration*, Kluwer Law International, 1996; y sobre la participación indirecta o colectiva Gil-Robles, L.:"Las Relaciones entre el Parlamento Europeo, los Parlamentos Nacionales y los Parlamentos Regionales", en Gil-Robles, J.M. (Dir.): "Los Parlamentos de Europa y el Parlamento Europeo", Parlamento Europeo-Partido Popular Europeo, 1997.

El TCEu, en buena medida, asume parte de esta construcción con la constitucionalización del mecanismo de alerta temprana. Efectivamente, a pesar de las grandes expectativas que se auguraban con la inclusión de los Parlamentos nacionales en la agenda de la reforma desde el comienzo, la constitucionalización del mencionado mecanismo cierra la vía de la participación colectiva de los Parlamentos nacionales y se decanta por una participación individual o indirecta muy reducida.

## 5. EL SISTEMA INSTITUCIONAL

Como recién concluimos, el estudio de la participación de los Parlamentos nacionales, lejos de eximir exige que los problemas del sistema institucional de la Unión deban ser identificados y resueltos a nivel europeo. Vayamos a él específicamete tal y como queda configurado en su presunta forma más acabada, en el TCEu.

En el artículo 1 de la Constitución se sentencia que "La presente Constitución (...) nace de los ciudadanos y de los Estados de Europa". Posteriormente, en su artículo I-46, que sienta el principio de la democracia representativa en la Unión, se articula esta doble fuente de legitimidad como inspiradora del sistema político: "Los ciudadanos estarán directamente representados en la Unión a través del Parlamento Europeo"; "Los Estados miembros estarán representados en el Consejo Europeo por su Jefe de Estado o de Gobierno y en el Consejo por sus Gobiernos". Se establece así un aparente equilibrio entre las dos fuentes de legitimidad de la Unión dentro de su sistema político que otorga a la Unión el marchamo de democracia representativa. Llegados aquí, sabedores de que dicha tesis, válida en un sistema federal cerrado, no lo es en una forma de poder tan *sui generis* como la Unión, la asumimos como instrumento de trabajo. Y la asumimos para decir que, incluso desde la lógica europeísta que no constitucional, el sistema no se basa en un equilibrio sino en un desequilibrio favorable a los Estados.

Los Estados son, en primer lugar, los señores de los Tratados, son *de iure* el poder constituyente y el poder de reforma de la Unión Europea. Es cierto que por primera vez en la historia del proceso de integración europea, la Convención Europea fue introducida por la Declaración de Laeken como parte del proceso constituyente europeo. Pero no podemos olvidar que la predicha Declaración, al introducir la Convención Europea en el proceso constituyente europeo, ni podía ni pretendió alterar el monopolio esencial que el Derecho originario Comunitario otorga a los Jefes de Estado y Gobierno a través de las Conferencias Intergubernamentales, a saber: la toma de decisión final sobre los tratados conformadores del Derecho originario. Dicho *status* se mantiene en el procedimiento de revisión ordinario del artículo IV-403 de la Constitución: por un lado, el Consejo Europeo podrá decidir por mayoría simple, previa aprobación del Parlamento Europeo, no convocar una Convención cuando la importancia de las modificaciones no lo justifique; por otro lado, el Consejo Europeo convocará a la Convención, le otorgará su mandato, recibirá de la Convención una mera "recomendación", y finalmente, determinará el contenido de la reforma a través de la Conferencia de los representantes de los Gobiernos de los Estados miembros.

En segundo lugar, los Estados son el poder constituido más importante del sistema político de la Unión Europea. Lo son en el plano de la toma de decisiones políticas a través del Consejo Europeo (art. I-21). Pero el Consejo Europeo nunca se ha limitado al plano político, y aunque el Derecho originario —antes y en la Constitución analizada— estipula simplemente que la institución dará a la Unión los "impulsos" necesarios para el desarrollo de la Unión y que "definirá" sus orientaciones y prioridades políticas generales, la incidencia real de la institución es *erga omnes*: desde la iniciativa legislativa de la Comisión —por mediación de las conclusiones de la Presidencia— a la decisión final en sede del Consejo —por mediación de la filiación política nacional entre sus miembros—.

Además, el Consejo Europeo, con el disfraz del "Consejo en su formación de Jefes de Estado y Gobierno" que le otorgó el TUE, ha ido monopolizado progresivamente algunas de las decisiones clave dentro del pilar comunitario, como el acceso a la tercera fase de la Unión Económica y Monetaria. La Constitución refuerza el papel de la institución: incluyéndola por primera vez junto con las cuatro instituciones clásicas (art. I-19); creando la figura del Presidente del Consejo Europeo (art. I-22) que, junto con la indiscutible dimensión exterior, tendrá una dimensión negativa interna en el sistema político, al aumentar la intensidad y diversificar los problemas que hasta la fecha generó la mera cohabitación de Mister PESC con la Comisión, y que han provocado la fusión de la competencias de exteriores en una sola persona.

Además, la Constitución pone en sede del Consejo Europeo prácticamente todas las decisiones cruciales del poder constituido: fija la composición del Parlamento Europeo (art. I-20.2); define las líneas estratégicas de la acción exterior de la Unión que vinculan al Consejo de Asuntos Exteriores (art. I-24.3; art. I-40); adopta por mayoría cualificada una "decisión europea" por la que se establece la lista de formaciones del Consejo no incluidas en la Constitución (art. I-24.4); establece por una "decisión europea" las condiciones del sistema de rotación de la presidencia del Consejo (art. I-24.7); modifica el número de miembros de la Comisión (art. I-26.6); establece el sistema de elección de los miembros de la Comisión (art. I-26.6); nombra en última instancia a la Comisión (I-27.2); por mayoría cualificada, con la aprobación del Presidente de la Comisión, nombra y pone fin al mandato del Ministro de Asuntos Exteriores de la Unión (I-28.1); tiene la llave del paso de la unanimidad a la mayoría cualificada pues, podrá adoptar por unanimidad una decisión europea que establezca que el Consejo se pronuncie por mayoría cualificada en casos distintos de los contemplados en la Parte III (art. I-40); tiene la llave del paso de la política común de seguridad y defensa a la defensa común (art. I-41.2); tiene igualmente el control sobre la suspensión de determinados derechos derivados de la pertenencia a la Unión, en caso de violación grave y persistente de los valores enunciados en el artículo I-2 por parte de un Estado miembro (art. I-59.2); determina las recomendaciones que realiza el Consejo ordinario sobre las orientaciones generales de las políticas económicas de los Estados miembros y de la Unión (art. III-179.2); tiene el control de cierre sobre el mantenimiento de excepciones en el contexto del cumplimiento de sus obligaciones en relación con la realización de la unión económica y monetaria (art. III-198); realiza los exámenes sobre la situación del empleo en la Unión (III-206); mediante decisión europea, amplía las competencias de la Fiscalía Europea (III-274); determina los intereses y objetivos estratégicos de la Unión (III-293); define las orientaciones generales de la política exterior y de seguridad común, también respecto de los asuntos que tengan repercusiones en el ámbito de la defensa (III-293); nombra al Presidente, al Vicepresidente y los demás miembros del Comité Ejecutivo del Banco Central Europeo (III-382).

No cabe duda de que lo que está residenciado en sede del Consejo Europeo no lo está en sede parlamentaria. Aunque, ciertamente, el equilibrio en el estado democrático no sólo se desenvuelve en el plano de las decisiones políticas, también lo hace a través de un sistema de contrapoder, de control y de asunción de responsabilidades políticas. De dichas medidas el Consejo siempre estuvo y sigue estando exento[28]. El apartado 2 del artículo I-46, que

---

[28]   En detalle sobre la cuestión véase nuestro trabajo: "Del control y la responsabilidad en la Unión Europea", *Revista Universitaria Europea*, 2002, n° 3, 129-164.

sienta el principio de la democracia representativa en la Unión, establece que el Consejo Europeo y el Consejo "serán democráticamente responsables, bien ante sus Parlamentos nacionales, bien ante sus ciudadanos." Salvo error u omisión, éste es el primer sistema constitucional en el que un poder constituido no responde ante el Parlamento constituido en el mismo sistema, sino en otro; además, no responde colegiadamente como el poder constituido que es y con base en cuyas competencias adopta las decisiones objeto de control indefectiblemente, sino que lo hacen sus miembros a título individual. Esto último, que siempre sería un dislate en relación con el Consejo, con la Constitución también lo es en relación con el Consejo Europeo, dado que no tiene en el consenso su única norma de procedimiento. En fin, sin necesidad de penetrar en el sin sentido constitucional del mecanismo, lo cierto es que la Constitución constitucionaliza el no control de los órganos de representación estatal, convierte en una escenificación sus eventuales comparecencias ante el Parlamento e imposibilita hablar de equilibrio institucional[29].

Pero el Parlamento también resulta mal parado en el plano político. El desequilibrio que se produce entre el Parlamento y los Consejos no cierra el círculo. Un aspecto esencial para el Parlamento, aparte de sus competencias legislativas y políticas, es la propia naturaleza política de la institución que sin duda repercute en la calidad democrática del sistema constitucional. El Parlamento siempre ha sido considerado un "menor político", de ahí que tenga asumido con carácter perenne un papel constituyente, en muchas ocasiones más relevante que el constituido como recuerdan las crisis de las comisiones Santer y Barroso. De ahí que constitucionalmente sea necesario dejar crecer al menor toda vez que el sistema y el órgano han alcanzado la talla y la musculatura adecuada.

La Declaración de Laeken, al plantear los temas del debate constitucional, generó esperanzas en el sentido indicado: "La primera pregunta que hay que plantearse es la de cómo podemos aumentar la legitimidad democrática y la transparencia de las instituciones actuales, una pregunta que se aplica a las tres Instituciones. [...] ¿Debe reforzarse el papel del Parlamento Europeo? ¿Debemos o no ampliar el derecho de codecisión? ¿Debe replantearse el modo en que se eligen los diputados del Parlamento Europeo? ¿Conviene crear una circunscripción

---

[29]    Según el apartado 1 del artículo III-337, "El Consejo Europeo y el Consejo comparecerán ante el Parlamento Europeo en las condiciones fijadas por el Reglamento Interno del Consejo Europeo y por el del Consejo."

electoral europea, o mantener unas circunscripciones electorales establecidas a nivel nacional? ¿Pueden combinarse ambos sistemas?"[30] Pues bien, todos estos temas planteados, salvo el de la codecisión, fueron ignorados en el proceso constituyente que vuelve a dejarlos en manos de los Consejos, principales enemigos del fortalecimiento político del Parlamento y del sistema político de la Unión (I-20; III-330). En conexión con esto último, cabe mencionar y criticar que el sistema de partidos europeo quede en el mismo callejón sin salida (III-331). La Constitución, por tanto, no avanza hacia un sistema político y parlamentario constitucional[31]; y sigue tratando al Parlamento como un menor político. Como botón de muestra sirva la composición constitucional del Parlamento que no fijó su número según criterios de operatividad parlamentaria sino con base en el mercadeo del reparto del poder en el Consejo.

Por último, aunque sea una cuestión transversal y no exclusivamente circunscrita a este epígrafe, hemos de destacar que el principio de democracia participativa incluido en la Constitución es un fiasco, otro espejismo constitucional, deslumbrador en su enunciado pero vacío de contenido constitucional. "La redacción de todos los artículos relativos al Principio de democracia participativa utiliza términos deliberadamente vagos [...] que hacen difícil su invocación directa. Tampoco se insertan como derechos individuales en el patrimonio jurídico de los particulares porque no se adscriben al estatuto de ciudadanía de la Unión. Su naturaleza se asemeja a la de los anacrónicos derechos 'otorgados' de los administrados."[32]

En este contexto, la codecisión es un elemento crucial en el estudio del desequilibrio institucional, o si se prefiere, en el estudio de un sistema constitucional de contrapoderes. El desequilibrio en el poder legislativo es el más burdo alejamiento del modelo constitucional parlamentario. Alejamiento que,

---

[30]  El documento se puede encontrar en la página Europa: http://europa.eu.int/futurum/documents/offtext/doc151201 _es.htm

[31]  En un sentido similar Paz Andrés Sáenz de Santa María afirma: "Hay que concluir que el incremento de poderes del PE no va acompañado de una profundización en los elementos que son imprescindibles para configurar una auténtica cámara de representación popular a nivel europeo, pieza esencial en cualquier proyecto riguroso de constitucionalización". "El sistema institucional en la Constitución Europea". En: *El proyecto de nueva Constitución europea. Balance de los trabajos de la Convención sobre el futuro de Europa*. Valencia: Tirant lo Blanch, 2004, p. 194.

[32]  Moreiro González, C. J.: "El principio de democracia participativa en el Proyecto de Tratado de la Constitución Europea", *Cuadernos Europeos de Deusto*, 2004, nº 30, p. 158.

atendiendo a lo visto en este epígrafe, se dirije hacia un sistema nada presidencial en términos constitucionales materiales ni formales; y dudosamente bicameral desde las predichas perspectivas atendiendo a la naturaleza del Consejo.

## 6. LA COOPERACIÓN REFORZADA

La necesidad de reforzar el papel del PE en el sistema político de la Unión deriva de las repercusiones institucionales vinculadas a la inclusión de un modelo de integración diferenciador en la Unión. Su estudio nos lleva a concluir determinando la necesidad de activar la participación "real" del Parlamento Europeo en la cooperación reforzada por mor de evitar la fractura del principio de unidad institucional vinculada a ella, así como para corregir el giro intergubernamental aparejado a la cooperación[33].

La institucionalización de la cooperación reforzada rompe con la premisa del avance conjunto e implica la división entre los EEMM en una o varias dimensiones de integración, unos con plenos derechos y deberes, otros sin ellos. Siendo el derecho a la participación en las instituciones el contrapeso fundamental a la asunción de las obligaciones emanadas de los actos producidos por las mismas, la cooperación reforzada demandaba la ruptura de la unidad institucional. No es necesario entrar en las repercusiones que la cooperación reforzada contiene con respecto al futuro del sistema político de la Unión para saber que estamos ante la demanda presente de bidimensionalidad de las instituciones según los EEMM tomen o no parte en aspectos de cooperación reforzada.

La fractura institucional, siendo inevitable, se intentó mitigar reduciendo sus efectos al Consejo de Ministros, dándose erróneamente por supuesto que ésta, frente al Parlamento, es la única institución que lo demanda.

Limitar la afectación institucional al Consejo no es coherente, menos haciéndolo en la forma difusa realizada. El Parlamento no es una institución privada del interés nacional justificador de la fractura[34]; tampoco está exenta de incidir en la toma de decisiones afectadas por la cooperación reforzada.

---

[33] Hemos estudiado con profundidad la problemática aquí apuntada en nuestro estudio "La Cooperación Reforzada tras Niza", *Revista de las Cortes Generales*, nº 50, 2001.

[34] No desconocemos la redacción del apartado segundo del artículo I-20: "El Parlamento Europeo estará compuesto por representantes de los ciudadanos de la Unión"., frente

Pese a ello, se ha desechado una fórmula similar a la aplicada con el Consejo, limitando el derecho de votación de los parlamentarios de las naciones no partícipes en la política afectada por la cooperación.

La solución institucional, en definitiva, es tremendamente insatisfactoria, no sólo por incompleta y contraria a la denostada claridad, sino por romper el principio general del sistema institucional común. Este principio, como sabemos, no es sólo esencial en el pilar comunitario. Según versa el artículo 3 del TUE (y el I-19 TCEu), "la Unión tendrá un marco institucional único que garantizará la coherencia y la continuidad de las acciones llevadas a cabo para alcanzar sus objetivos, dentro del respeto y del desarrollo del acervo comunitario". Este principio general, de la Unión y de la Comunidad Europea, no existe en ninguno de los dos ámbitos cuando rige la cooperación reforzada. De ahí que Wessels, acertadamente, afirme que tras la institucionalización de la cooperación reforzada "es imposible seguir hablando de un sistema institucional único" tal como se desprende de dicho precepto[35]. Dicha realidad demanda la reflexión que a continuación realizamos.

Si los principios básicos del Derecho Comunitario tienen razón de ser, su modificación o supresión deben llevar consigo una reflexión sobre la conveniencia de dicha evolución, teniendo en cuenta los costes de tal acción. Por mejor decir, no se puede prescindir o vulnerar un principio lleno de contenido por acuciante que sea la necesidad de tomar medidas que compliquen tal desenlace, tampoco por la ausencia de voluntad política para afrontar las alternativas a su vulneración. Para nosotros, es obvio que el principio derrumbado por la cooperación reforzada es crucial en el sistema institucional así como en el desarrollo del Derecho Comunitario.

La primera dimensión del principio deja claro que el "sistema institucional único" es causa de la coherencia del mismo, y *sensu contrario*, su vulneración la pone en peligro[36]. Un mecanismo que, se quiera o no, provocará el enfrentamiento permanente entre "bloques" de Estados no es coherente con el sistema, ello por no existir la participación o no-participación "neutral"

---

a la del artículo 189 del TCE, que afirma que el Parlamento Europeo está "compuesto por los representantes de los pueblos de los Estados reunidos en la Comunidad".

[35] Wessels, W.: "Flexibility, differentiation and closer cooperation: the Ámsterdam provision in the light of the Tindemans Report", en Westlake, M.: *The European Union beyond Ámsterdam: New Concepts of European Integration*, Roudledge, 1998, p. 92.

[36] Artículo 3 del TUE.

en una política. Tal realidad se fomenta de forma intensa ubicando la toma de decisiones exclusivamente en un Consejo formalmente dividido desde la activación de la cooperación reforzada.

Otra vertiente de la coherencia del sistema, aquélla vinculada al ámbito de aplicación, estuvo presente durante la CIG 2000, tanto en el Cónclave Ministerial de la misma como en las reflexiones de la Presidencia. Según las orientaciones de estudio de la Presidencia, "el hecho de que tanto el interés de las cooperaciones reforzadas como el *posible riesgo que pueden entrañar para la coherencia de la actuación* varían en gran medida según los ámbitos, y que conviene tenerlo en cuenta en la identificación de las condiciones para recurrir a dichas cooperaciones"[37]. De ahí la Presidencia dedujo "la conveniencia [...] de descartar en la práctica el recurso a las cooperaciones reforzadas en determinados ámbitos, e inversamente, facilitar su aplicación en los demás ámbitos"[38]. En cualquier caso, esta posible vía de solución no haría frente a las externalidades provenientes de la dimensión institucional de la misma.

En una segunda dimensión, el marco institucional único es en la Unión garante de "continuidad de las acciones llevadas a cabo para alcanzar sus objetivos"[39]. Tal dimensión podrá verse afectada por la cooperación reforzada en la medida en que los Estados activadores de una cooperación se aparten de desarrollos previos realizados por los EEMM en las mismas áreas ahora afectas a la cooperación reforzada. Dicha posibilidad se dará con frecuencia, pues de coincidir todos los Estados en la continuidad de una política dada, no procederá la activación de la cooperación.

En tercer lugar, el artículo 3 del TUE vincula la unidad institucional al "respeto y al desarrollo del acervo comunitario". Tal objetivo puede considerarse excluyente de la cooperación reforzada. La concepción institucional unitaria se pierde en las materias afectadas, perdiéndose igualmente la visión institucional de conjunto y la creación normativa al servicio del mismo, como se entiende en el acervo comunitario. La debilitada representación del interés común en sede del Consejo, opuesto al de la suma de intereses nacionales, resulta aun menos creíble si se promueve desde un "Consejo en cooperación reforzada" tomado sólo por parte de los Estados.

---

[37]    Ver NOTA de la Presidencia sobre las cooperaciones reforzadas de 30 de agosto del 2000, *cit.*, punto I. ii); y NOTA de la Presidencia dirigida al Cónclave Ministerial de la CIG, punto I. ii). Énfasis añadido.

[38]    Ibídem, punto I. iii) de ambas.

[39]    Artículo 3 del TUE.

Este "Consejo reforzado" supone una acentuación hasta límites insospechados de la deriva intergubernamental también opuesta a la esencia del acervo comunitario. Como vimos, el papel del Parlamento es reducido, el de la Comisión limitadísimo, al igual que el del Tribunal de Justicia. Al final, el límite real del "Consejo reforzado" vendrá por el "Consejo de excluidos", gobiernos frente a gobiernos, nada podría estar más lejos del espíritu comunitario.

Todo ello presenta una ecuación no resuelta en Ámsterdam ni en Niza: el Consejo debe fragmentarse pero el sistema institucional en su conjunto no puede desvincularse del principio de unidad institucional, ni siquiera en la esfera estudiada. Las garantías que para la evolución del sistema supone la unidad institucional solamente pueden intentar mantenerse a través del Parlamento. Dicha institución, a diferencia de la Comisión, es la única legitimada para compartir el poder decisorio con el Consejo. Frente al Consejo, el PE podría llegar a encarnar la representación del conjunto de la Unión y no de los pueblos de Europa como realiza hoy.

La solución a la ecuación planteada por la introducción de la cooperación reforzada en el plano institucional puede favorecerse con un mayor protagonismo del Parlamento, permitiéndole compartir la toma de decisiones en los ámbitos activados por la cooperación reforzada.

Antes de proceder a tal cambio de concepción, debe recordarse una vez más que el Parlamento no es hoy el representante del pueblo europeo, ni siquiera goza para su articulación de un sistema de partidos o electoral europeo; por ello, no está en condiciones de subsanar plenamente la merma producida en el contexto analizado. Este último argumento abogaría por la necesidad de fomentar una reforma profunda del Parlamento antes de equiparle con el Consejo en el orden competencial.

Otra línea argumental defendería la compatibilidad de otorgar la equiparación del Parlamento con respecto al Consejo de principio. Tal posición se apoya en una doble base. Primeramente, el Parlamento, pese a no ser un Parlamento al uso, goza de mayor representatividad europea que el Consejo, lo cual transformaría su participación en alivio para el problema generado en la unidad del sistema institucional[40]. En segundo lugar, la reforma anticipada del PE es incompatible con la inminente activación de la cooperación reforzada, activación ligada a posibles secuelas dañinas en el sistema institucional.

---

[40]   Sobre dicha problemática ver nuestro artículo "La cooperación reforzada tras Niza", *Revista de las Cortes Generales*, cit.

Finalmente, y, como derivación de lo anterior, las cuotas de poder más amplias del Parlamento, como la presupuestaria, demuestran que la evolución última de la institución ha subvertido el orden ortodoxo de integración de forma exitosa. En lugar de consolidar la reforma plena antes de proceder al reparto de poderes, se residencian poderes progresivamente en el Parlamento buscando el arrastre político, especialmente sobre el sistema de partidos. La ortodoxia debe dar paso al posibilismo, la ausencia de voluntad política no permite lo contrario, y aunque lo permitiese, no existe el concepto "reforma plena" a que remitirse, como no existe fin conocido al proceso de integración.

## 7. LA JUSTIFICACIÓN DEL ESTUDIO DE LA CODECISIÓN

Desde fuera del sistema institucional propiamente dicho, como apuntamos, el estudio de los Parlamentos nacionales muestra la incapacidad de solventar los problemas del sistema europeo desde niveles inferiores de participación parlamentaria. Tampoco parece gozar de mucha viabilidad la incorporación de los Parlamentos nacionales a un plano superior al que les es propio, por comprometer el funcionamiento futuro del sistema comunitario y por llevar tal operación inoculada una impronta renacionalizadora *contra natura* del proyecto al que pretendería servir. A ello añadir las limitaciones propias de los Parlamentos nacionales a la hora de abordar proyecciones metanacionales: por sus limitaciones constitucionales; por las limitaciones connaturales a las culturas parlamentarias europeas y, sobre todo, por la dificultad de articular una respuesta parlamentaria colectiva en un plano distinto y superior al nacional debido a la diversidad de su configuración e interés. Además, el Tratado Constitucional ha dado por zanjada esta cuestión, constitucionalizando una limitada participación indirecta de los Parlamentos nacionales en el sistema de alerta temprana vinculada a la subsidiariedad.

Los límites de dichas vías parecen ponernos ante la siguiente tesitura de evolución: o se reconoce la defunción de los principios que legitimaban el sistema en el juego Parlamentos nacionales-Consejo; o se redobla el énfasis en el juego PE-Consejo; o se avanza hacia un sistema parlamentario, pasando la institución parlamentaria a ser referente esencial del sistema. Pero el TCEu no avanza en una dirección de forma definitiva, ciertamente no hacia la constitucionalización de un sistema parlamentario, los Parlamentos nacionales, de hecho, ven constitucionalizada su participación por primera vez; exactamente igual que el Consejo Europeo, que en el TUE había sido esencialmente constitucionalizado a nivel europeo.

La necesidad de protagonismo del Parlamento Europeo se redobla desde dentro del sistema institucional, básicamente debido a las limitaciones futuras del papel constitucional del Tribunal de Justicia, y sobre todo, por el exceso de Consejo Europeo en el poder constituido. El PE es la única institución capaz de contrapesar el pernicioso protagonismo adquirido por el Consejo Europeo. Para llevar a cabo tal tarea, no teniendo mecanismos establecidos, deberá desarrollar vías políticas cuya generación no puede depender de la Corte europea.

La cooperación reforzada supone un cambio con respecto al modelo de integración y la tradicional neutralidad del modelo funcionalista, inocuo para el sistema institucional. La cooperación reforzada tiene un componente agresor para con el sistema institucional único y por ello aporta un argumento a favor de nuestra tesis. El PE, quiérase o no, es la salida natural al fraccionamiento del sistema institucional connatural al modelo, y optar por desarrollar la cooperación reforzada sin atender a la dimensión institucional del modelo de integración, encierra una erosión segura del sistema.

Las realidades estudiadas demandan intensificar la evolución institucional del PE. Contra dicha evolución encontramos dos posiciones. La antifederal, alimentada por importantes razones del parlamentarismo, entiende que el desarrollo del PE ha de realizarse forzosamente por una vía que le es vedada, la del proceso constituyente gozado por los sistemas políticos nacionales. No existe un sistema electoral europeo, y aun en tal caso no hay un sistema de partidos europeos y, de existir, estaríamos ante un callejón sin salida por no existir un *demos* europeo que articular; en resumen, no hay base sobre la que construir una democracia parlamentaria europea.

Esta primera crítica no es objeto del presente estudio; pese a ello, permítasenos apuntar que su indudable fortaleza no juega precisamente a favor del *statu quo* institucional. La crítica cualitativa democrática recuerda que el resto de las instituciones europeas también carecen del sustrato gozado en los sistemas nacionales por los órganos nacionales homologables, en términos de ámbito competencial, a las instituciones europeas. Es decir, las instituciones ejercen desde Europa competencias residenciadas en Europa, con ningún o escaso vínculo con las instituciones nacionales. Aunque los Ministros tuviesen una gran dependencia con sus parlamentos en asuntos europeos (situación inexistente en la mayoría de los Parlamentos nacionales), tal realidad conviviría con la ausencia de cobertura equivalente a la institución Consejo, como órgano colegiado a nivel europeo.

Extendiendo esta perspectiva en todas sus dimensiones y *erga omnes*, ninguna institución podría proclamar superioridad manifiesta. En su caso, el PE podría, perdiendo el plus del rol parlamentario, ejecutar su rol político institucional.

La segunda crítica se realiza desde el sistema y es la formulada sobre el incremento de la participación del PE en el sistema institucional. Según ella, la complejidad intrínseca al sistema político comunitario y el deficiente funcionamiento del PE aseguran el fracaso de dicha vía. En otras palabras, la participación intensa del PE en el sistema institucional repercutiría negativamente en el funcionamiento del sistema como un todo. Esta crítica, no podemos olvidarlo, fue realizada intensamente desde posiciones euroescépticas cuando se discutió la creación de la codecisión en Mastrique.

No es el objeto de este estudio abordar todas las dimensiones que otorgan a un sistema político el marchamo de parlamentario. Ni siquiera abordar todas las que realiza (o realizaría con el TCEu en vigor) el PE dentro del sistema institucional. Nos ocupará una sola de esas dimensiones, bien es cierto que la que le otorga su carácter constitucional desde la teoría clásica de la separación de poderes, a saber: la legislativa.

# II. EL PROCEDIMIENTO DE CODECISIÓN EN LOS TRATADOS

## 1. EL TRATADO DE MASTRIQUE

La firma en Roma, el 29 de octubre de 2004, del TCEu, culminó con la cuarta reforma del Derecho originario en menos de quince años. Las cuatro reformas han sido las únicas reformas con la codecisión en su agenda. Tras prácticamente cuatro décadas de consolidación de los Tratados Fundacionales con la única modificación del Acta Única Europea, el proyecto de integración intenta hoy, con el mencionado Tratado Constitucional, salir de su naturaleza evolutiva-etapista. Al menos así lo quiso ver Giscard D'Estaing cuando auguró que esta "Constitución" sería para los próximos cincuenta años.

Las tres reformas anteriores del Derecho originario (Mastrique, Ámsterdam y Niza) fueron, tanto en su convocatoria como en sus resultados, fiel reflejo de fuerzas y razones contrapuestas de la Unión Europea en cada momento. Por un lado, en cuanto a su convocatoria, el proyecto funcionalista, con más o menos vigencia, sigue teniendo la fuerza de servir a un proceso evolutivo, una crisálida que por serlo no permite el *statu quo*: la casa está siempre por terminar. La palmaria realidad se confabula a veces con las concepciones más europeístas de los Estados miembros, así como con los ciclos de bonanza esenciales a la hora de ponderar la dialéctica euforia-eurofobia. En otras ocasiones, se alía con sus antípodas.

Los resultados de las Conferencias Intergubernamentales, por otro lado, son fruto de cuestiones mucho más tangibles: los intereses de los EEMM, tamizados por la situación política nacional de los Jefes de Estado y de Gobierno, quienes con seguridad aspiran a afrontar la ratificación del Tratado que negocian. Así, los Jefes de Europa se ven en muchas ocasiones obligados a encarar una Conferencia Intergubernamental (en adelante CIG) sin desearla, sin haberla convocado siquiera. Pese a ello, sabiéndose responsables de cara a sus respectivas opiniones públicas, se afanan en conseguir el justo medio, el mejor de los acuerdos posibles.

Las negociaciones sólo culminan cuando "todas" las cartas están sobre la mesa, lo cual viene ocurriendo irremediablemente en los pocos días que dura una cumbre, así ocurrió también con el Tratado Constitucional. Todos los preparativos, todas las aportaciones, más o menos conocidas, pueden palidecer y palidecen ante los intereses nacionales parapetados tras un derecho de veto. Tan simple realidad, además del efecto crisálida citado, ha provocado que cuatro de las tres últimas CIG (a excepción de la "constituyente") se cerrasen en gran medida por ser la génesis de una CIG posterior.

En Mastrique, la decidida voluntad profundizadora del eje franco-alemán se vio amortiguada por el último mandato de John Major y por el nacionalismo danés. Miterrand y Köhl sacaron adelante la estructura de pilares y la tercera fase de la Unión Económica y Monetaria, lo cual fue demasiado para británicos y daneses e insuficiente para otros. En compensación, unos sacaron los *opt in-out* y la milagrosa neblina del principio de subsidiariedad; y otros, la convocatoria desde Mastrique de una próxima CIG que abordaría esencialmente las cuestiones institucionales.

Pero la introducción de dos nuevos pilares intergubernamentales creaba una Unión Europea amenazante para el proyecto supranacional guiado de la mano del modelo comunitario. A ello se unió el hecho de que la tercera fase de la Unión Económica y Monetaria dejase la decisión crucial en manos del "Consejo, reunido en su formación de Jefes de Estado o de Gobierno"[41]. Junto a ello, no se debe olvidar la institucionalización de la independencia del Banco Central Europeo, gozada tanto con respecto a instituciones intergubernamentales como a las más comunitarias.

En fin, el giro intergubernamental descrito no pasó desapercibido para los EEMM defensores del modelo tradicional de integración tendente a una unión más estrecha entre los pueblos que no entre los Estados, llevada a cabo por instituciones supranacionales y no intergubernamentales; y, consecuentemente, centrada en una evolución ligada al desarrollo de las instituciones comunitarias frente a la creación de nuevas formas de intergubermentalismo. Dichos Estados, y las propias contradicciones del objetivo último del eje franco-alemán, convirtieron el procedimiento de codecisión en la moneda de cambio frente al giro intergubernamental.

El hecho de que la codecisión surgiera entre las mareas constantes del europeísmo y la eurofobia, determinó sus limitaciones iniciales. Formalmente, los

---

[41] Ver los puntos 2, 3 y 4 del artículo 109 J y el punto 2 del artículo 109 K del TUE en su redacción de acuerdo con el Tratado de Mastrique.

británicos, enemigos de que ningún derecho se introduzca en su sistema legal sin pasar exclusivamente por la vía del *Foreing Office*, vetaron la denominación de codecisión para el procedimiento, refiriéndose, en toda base jurídica que lo incluía al procedimiento del artículo 189 B. En cuanto al fondo, dos fueron las carencias esenciales de su configuración inicial:

La primera, en relación al ámbito de aplicación, se aplicó a 15 bases jurídicas habilitantes, pocas y de relativa importancia (*Vid.* tabla nº 1). Además, dichas bases jurídicas provenían en su mayor parte del procedimiento de cooperación tal y como se culminó en el Acta Única Europea, con lo cual, no habilitando nuevas bases a la codecisión, mantenían el ámbito de participación del Parlamento en la toma de decisiones desde una perspectiva cuantitativa. Esta estrategia seguiría aplicándose en posteriores modificaciones del Derecho originario y persigue el mantenimiento de buena parte de las bases jurídicas más transcendentes fuera del alcance del Parlamento. Claro ejemplo de lo dicho es la Política Agrícola Común, la cual ocupa, aún hoy, más de la mitad del total de la legislación emanada de la Comunidad.

Entre las bases jurídicas incluidas en Mastrique, la más importante sin duda fue la del artículo 100 A (actual artículo 95 TCE), legislación sobre el mercado interior, que acapara hoy en día el 33% de la legislación afectada por el procedimiento. Junto con él, dando muestra de la ambivalencia en el reparto de las bases jurídicas, el artículo 100 B relativo al reconocimiento mutuo en el contexto del mercado interior, cuya transcendencia era nula como demostró el hecho de que fuese eliminado en el Tratado de Ámsterdam del Derecho originario sin llegar a activar la codecisión.

El segundo límite, junto con el alcance de la codecisión, se plasmó en el propio mecanismo de funcionamiento del procedimiento. En concreto, el procedimiento establecido no trataba como colegisladores, con iguales derechos y capacidades, a las dos instituciones implicadas en el mismo. El Parlamento no tenía estrictamente un poder directo de veto dado que, aun en el caso de que el Comité de Conciliación no llegase a un acuerdo, el Consejo siempre tendría la posibilidad de reavivar su posición común. Una vez allí, el Parlamento podría vetar la posición común evitando su aprobación. Tal posibilidad situaba al Consejo en una situación ventajosa de partida, pues siempre podría subvertir al Parlamento la pesada carga de la elección entre el *statu quo* legislativo, o la aprobación de un acto que, sin ser el deseado por la institución parlamentaria, podría en muchas ocasiones resultarle más atractivo que el *statu quo*. Dicha posibilidad, en teoría, podría haber provocado el agotamiento del Parlamento y derivadamente una reducción sistemática de su agenda.

## 2. EL TRATADO DE ÁMSTERDAM

Tras Mastrique vendría el Tratado de Ámsterdam, el cual se gestó en un contexto mucho menos propicio a saltos cualitativos integracionistas que Mastrique. El hecho de que la convocatoria de la CIG viniese determinada desde Mastrique impidió el estado de maduración gozado en la convocatoria de aquél, al menos en lo referente al clima político de los EEMM motores de la UE. Para suavizar la situación, sólo se pudo dilatar el comienzo de la CIG y rezar para que los *tories* dejasen Downing Street. Desafortunadamente, la llegada de Blair no supuso el final de la diferencia británica; la llegada a la sazón de Jospin a la Jefatura del Gobierno galo introdujo en dos países grandes la inseguridad del recién llegado, lo cual se mostró como una rémora a la hora de afrontar la empresa del reparto del poder. Además impulsaron la CIG allí donde no estaba llamada a entrar: empleo y política social. Junto a éstas, la agenda recogió otras cuestiones, también importantes, pero menos transcendentes que la reforma institucional: medio ambiente, salud pública, etc.

Para acabar de despistar la CIG de los aspectos institucionales, la cooperación reforzada copó el epicentro de las negociaciones, por cierto, sin prestar mayor atención a su dimensión institucional, es decir, no se planteó como posible vía de alivio a la carga del Consejo a 25 (27 pensados en aquel momento), sino como amenaza a los abusadores del veto y el no pasarán.

Como interesaba a la Presidencia holandesa (país mediano), el debate de la reforma institucional: el debate del reparto del poder entre grandes y pequeños-medianos, se ubicó al final de la agenda de la Cumbre de Ámsterdam. Allí la cuestión se dilató, y el eje franco-alemán no terminó de asumir el papel que le correspondía. El canciller Helmut Köhl, agobiado por el regodeo de los "pequeños" en el inmovilismo retórico, propuso postergar a una próxima CIG el reparto de votos en el Consejo y la composición de la Comisión. No se sabrá si Kohl preveía no tener que encarar tal CIG desde Berlín, o no quiso enfrentarse durante las duras negociaciones al pacto de equilibrio renovado para posibilitar la incorporación encubierta de la República Democrática Alemana en las entonces Comunidades. Lo cierto es que su propuesta situó a todos los pequeños tras el sesgado Protocolo sobre las instituciones presentado *ipso facto* por la Presidencia holandesa.

En dicho contexto de repliegue de velas sobre las decisiones consideradas más delicadas, la codecisión resultó parcialmente favorecida por ocupar parte de la agenda abordada sin presión. En su tratamiento, también ayudó el hecho de venir sus demandas claramente definidas. En relación con el mecanismo de codecisión, el nuevo artículo 235 TCE eliminó el efecto negativo más claro de su configuración primigenia, cual era la vía de salida autónoma del Consejo tras la conciliación fallida. A partir de Ámsterdam, la falta de acuerdo entre los dos legisladores en el Comité de Conciliación implicaría la imposibilidad de aprobar el acto, salvo que se iniciase todo el procedimiento desde el comienzo, es decir, con una nueva iniciativa de la Comisión. En definitiva, la codecisión por primera vez otorgaba un poder real de veto al Parlamento, por lo que ambos colegisladores se equiparaban formalmente como decisores en la agenda comunitaria en los ámbitos objeto del procedimiento.

Ámsterdam amplió sustancialmente el alcance de la codecisión y eliminó la posibilidad ostentada por el Consejo de reintroducir su posición común. Estos dos cambios aumentaron el trabajo de ambas instituciones y pusieron al colegislador bajo la misma presión a la hora de encontrar acuerdos en conciliación.

La realidad de un mayor número de procedimientos dio a ambas instituciones un nuevo ímpetu a la hora de iniciar contactos más tempranos a fin de encontrar una manera de evitar la conciliación, o por lo menos de reducir su activación. En principio, parecía improbable que la posibilidad proporcionada por el Tratado de Ámsterdam de alcanzar un acuerdo en la primera lectura se explotara frecuentemente. La práctica, como veremos, hizo que tal posibilidad se utilizara por primera vez en mayo de 1999, cuando el Parlamento adoptó la propuesta sobre la nueva agencia anti-fraude conocida con las siglas OLAF. Con posterioridad a la aprobación de dicha Directiva, han sido muchos los actos aprobados en codecisión sin llegar a la segunda lectura (*Vid.* tabla nº 6). Ello demuestra el cambio de actitud de ambas instituciones.

Por otro lado, Ámsterdam disciplinó la nueva obligación para ambas instituciones de abrir el procedimiento de la conciliación dentro de un máximo de ocho semanas desde que el Consejo finaliza su segunda lectura, lo cual demandaba a las instituciones ajustar notablemente la manera de relacionarse, al fomentar la planificación de sus respectivas agendas más cuidadosamente que en el pasado.

Precisamente, la gran demanda de presencia y esfuerzo intrínseca a la conciliación ha determinado que ninguno de los colegisladores pueda estar implicado
constantemente en conciliaciones; lo que conllevaría, con el paso del tiempo,
un cambio de actitud en el colegislador que no ve ya la conciliación como una
parada obligada ante cualquier dificultad: la conciliación es una medida de
último recurso que hay que evitar siempre que sea posible.

Como ya mencionamos, el ámbito del procedimiento fue el segundo aspecto en el que Ámsterdam mejoró la situación parlamentaria con respecto a
Mastrique. Con la entrada en vigor del Tratado de Ámsterdam el 1 de mayo
de 1999, el procedimiento se expandió de 15 a 38 áreas, repartidas en treinta
y una bases jurídicas (*Vid.* tabla nº 1). Por ello, así como por la dimensión
cualitativa de las nuevas materias adscritas al procedimiento, el aumento del
número de procedimientos de codecisión se dobló desde el período de Mastrique al primer año del período de Ámsterdam. Durante el mismo período,
el número de conciliaciones pasó de 12 a 17.

**Tabla nº 1: Ámbito de la codecisión en Mastrique y Ámsterdam**

| FUNDAMENTOS JURÍDICOS SOMETIDOS AL PROCEDIMIENTO DE CODECISIÓN AL AMPARO DEL TRATADO DE ÁMSTERDAM | | | |
|---|---|---|---|
| Art. TCE | Contenido de la base jurídica habilitante | Historia/activación como codecisión/peculiaridades | Consejo antes/ Ámsterdam |
| Art. 12.2 | Prohibición de toda discriminación por razón de la nacionalidad | Anteriormente cooperación/codecisión desde Mastrique | VMC |
| Art. 18.2 | Ciudadanía: derecho de los ciudadanos a circular y residir libremente en el territorio de los EEMM | Anteriormente cooperación/codecisión desde Mastrique | Unanimidad |
| Art. 40 | Libre circulación de los trabajadores | Codecisión desde Mastrique | VMC |
| Art. 42 | Libre circulación de los trabajadores: seguridad social de los trabajadores inmigrantes en la Comunidad | Anteriormente cooperación/codecisión desde Mastrique | Unanimidad |
| Art. 44 | Derecho de establecimiento | Codecisión desde Mastrique | VMC |
| Art. 46 | Derecho de establecimiento: régimen especial para los extranjeros | Codecisión desde Mastrique | VMC |

| FUNDAMENTOS JURÍDICOS SOMETIDOS AL PROCEDIMIENTO DE CODECISIÓN AL AMPARO DEL TRATADO DE ÁMSTERDAM | | | |
|---|---|---|---|
| Art. TCE | Contenido de la base jurídica habilitante | Historia/activación como codecisión/peculiaridades | Consejo antes/ Ámsterdam |
| Art. 47.1 | Acceso y continuación de las actividades no asalariadas, formación y condiciones de acceso a las profesiones: reconocimiento mutuo de diplomas | Codecisión desde Mastrique | VMC |
| Art. 47.2 | Medidas relativas a las actividades no asalariadas: modificación de las disposiciones legales de los EEMM | Codecisión desde Mastrique | Unanimidad |
| Art. 55 | Derecho de establecimiento: servicios | Codecisión desde Mastrique | VMC |
| Art. 71.1 | Transportes: normas comunes aplicables a los transportes internacionales, condiciones con arreglo a las cuales los transportistas no residentes podrán prestar servicios de transportes en un Estado miembro, medidas que permitan mejorar la seguridad en los transportes | Anteriormente cooperación/codecisión desde Mastrique | VMC |
| Art. 80.2 | Transportes: navegación marítima y aérea | Anteriormente cooperación/codecisión desde Mastrique | VMC |
| Art. 95.1 | Armonización del mercado interior | Codecisión desde Mastrique | VMC |
| Art. 129 | Empleo: medidas de fomento | Nuevo/codecisión desde Mastrique | VMC |
| Art. 135 | Cooperación aduanera | Nuevo/codecisión desde Mastrique | VMC |
| Art. 137.1/ 137.2 | Política social: salud y seguridad de los trabajadores, condiciones de trabajo, información y consulta a los trabajadores, igualdad entre hombres y mujeres, medidas destinadas a fomentar la cooperación con el fin de luchar contra la exclusión social | Anteriormente cooperación/codecisión desde Mastrique | VMC |
| Art. 141 | Política social: igualdad de oportunidades y de retribución | Nuevo/codecisión desde Mastrique | VMC |

| FUNDAMENTOS JURÍDICOS SOMETIDOS AL PROCEDIMIENTO DE CODECISIÓN AL AMPARO DEL TRATADO DE ÁMSTERDAM | | | |
|---|---|---|---|
| Art. TCE | Contenido de la base jurídica habilitante | Historia/activación como codecisión/peculiaridades | Consejo antes/ Ámsterdam |
| Art. 148 | Fondo Social: decisiones de aplicación | Anteriormente cooperación/codecisión desde Mastrique | VMC |
| Art. 149.4. | Educación : medidas de fomento | Codecisión desde Mastrique | VMC |
| Art. 150 | Formación profesional: medidas para contribuir a la realización de los objetivos | Anteriormente cooperación/codecisión desde Mastrique | VMC |
| Art. 151.5 | Medidas de fomento de la cultura | Codecisión desde Mastrique | Unanimidad |
| Art. 152.4 | Salud pública: medidas que establezcan altos niveles de calidad y seguridad de los órganos y sustancias de origen humano, asi como de la sangre y derivados de la sangre; medidas en los ámbitos veterinario y fitosanitario que tengan como objetivo directo la protección de la salud pública; medidas de fomento destinadas a proteger y mejorar la salud humana | Codecisión desde Mastrique | VMC |
| Art. 153.4 | Protección de los consumidores | Codecisión desde Mastrique | VMC |
| Art. 156 | Redes transeuropeas: elaboración y financiación | Anteriormente cooperación/codecisión desde Mastrique | VMC |
| Art. 162 | Fondo Europeo de Desarrollo Regional (decisiones de aplicación) | Anteriormente cooperación/codecisión desde Mastrique | VMC |
| Art. 166 | Programa marco de investigación y desarrollo tecnológico | Codecisión desde Mastrique | VMC |
| Art. 172.2 | Investigación : adopción de programas | Anteriormente cooperación/codecisión desde Mastrique | VMC |
| Art. 175.1/ 175.3 | Medio ambiente: medidas, adopción y ejecución de programas | Codecisión desde Mastrique | VMC |
| Art. 179 | Cooperación al desarrollo | Anteriormente cooperación/codecisión desde Mastrique | VMC |

| FUNDAMENTOS JURÍDICOS SOMETIDOS AL PROCEDIMIENTO DE CODECISIÓN AL AMPARO DEL TRATADO DE ÁMSTERDAM | | | |
|---|---|---|---|
| Art. TCE | Contenido de la base jurídica habilitante | Historia/activación como codecisión/pecu- liaridades | Consejo antes/ Ámsterdam |
| Art. 255 | Transparencia: principios generales y limites del acceso a documentos | Nuevo/codecisión desde Mastrique | VMC |
| Art. 280 | Medidas para combatir el fraude | Nuevo/codecisión desde Mastrique | VMC |
| Art. 285 | Estadísticas | Nuevo/codecisión desde Mastrique | VMC |
| Art. 286 | Protección de los datos: esta- blecimiento de un organismo de vigilancia independiente | Nuevo/codecisión desde Mastrique | VMC |
| Art. 62.2. b)ii | Procedimientos y las condi- ciones para la expedición de visados por los EEMM | Nuevo/codecisión trans- curridos 5 años desde la entrada en vigor del Tratado de Ámsterdam | Unanimidad/ VMC tras paso a codecisión |
| Art. 62.2. b)iv | Normas para un visado uniforme | Nuevo/codecisión trans- curridos 5 años desde la entrada en vigor del Tratado de Ámsterdam | Unanimidad/ VMC tras paso a codecisión |

# 3. EL TRATADO DE NIZA

## 3.1. Lo aportado en Niza

Niza supone, hasta lo visto, el Tratado que menos aportó a la codecisión, por venir su esencia configurada en lo procedimental en los Tratados anterior- mente estudiados, así como por estar sus posibilidades de crecimiento limitadas por la voluntad política reinante en la CIG 2000. A dichas realidades hay que añadir, desde un plano funcional, la continuación del monopolio ejercido en la agenda de la CIG por parte de los EEMM, lo cual jugó en contra de un mejor posicionamiento de la codecisión y en general de los intereses del PE.

El Tratado de Niza estaba llamado a ser eminentemente el reparto del poder en el Consejo[42]. El resto de instituciones, incluida la Comisión, jugaron un

---

[42]  En detalle, nuestro artículo "El Tratado de Niza", *Revista Española de Derecho Consti- tucional*, nº 59, 2001.

papel accesorio. El PE no pudo esquivar tal fuerza. Para cerciorarse de que lo *importarte* en esta CIG era seguir la agenda de los EEMM y no tanto la de las instituciones, baste recordar cómo en el último momento de la Cumbre se elevó su umbral límite de composición por encima de los 700 eurodiputados, pese a que el PE (incluso los EEMM hasta ese momento) se había opuesto siempre a tal medida. Una vez cerciorados, empezamos nuestro repaso desde el lanzamiento de la CIG.

Dos eran básicamente las posibilidades de lanzar la CIG: seguir el modelo de Ámsterdam, iniciado con un grupo de reflexión como el capitaneado por nuestro entonces Secretario de Estado para las Comunidades, Carlos Westendorp, y con un documento como el entonces generado, "Bases para una Reflexión"; o dejar todo en manos de los actores primarios, los EEMM y el Consejo Europeo, o quizás los secundarios, las instituciones europeas.

El Consejo Europeo, en su Cumbre de Cardiff de junio de 1998, zanjó el primer asalto sobre la cuestión. Allí, el Presidente francés Jaques Chirac, con apoyo de la Comisión, presidida por Jaques Santer, promovió la creación de un "grupo de sabios", el cual afrontaría un proyecto de propuesta global de reforma de cara a la CIG. La oposición a dicha opción fue mayoritaria; en aquel momento los EEMM asumían para sí tan delicada materia[43], privando así al PE de la participación cualitativa gozada en el grupo de sabios activado en la CIG de Ámsterdam. Tal hecho ayudó a que la agenda de Niza, tanto dentro como fuera del interés del Parlamento, se configurara de forma cuasi-monopólica por los EEMM. La participación de los eurodiputados (Elmar Brok y Dimitros Tsatsos) a nivel de representantes del Parlamento en la CIG, no dejó de ser un gesto de cortesía que no alteró la agenda de la CIG. Como dejan constancia las comunicaciones que sobre la CIG dichos representantes enviaron al PE, tanto la Presidencia portuguesa como la francesa se negaron sistemáticamente a incluir en la agenda de la CIG cualquier aspecto prioritario para el Parlamento que no coincidiese *a priori* con el interés directo de los EEMM[44]. Se demanda,

---

[43]   Baste recordar las Conclusiones de la Presidencia del Consejo Europeo de Cardiff, 15 y 16 de junio de 1998, punto 61: "Como primera medida, el Presidente del Consejo Europeo convocará una reunión informal de los Jefes de Estado y de Gobierno y del Presidente de la Comisión para profundizar su debate y analizar la mejor forma de preparar la consideración de dichos asuntos en el Consejo Europeo de Viena con miras a proseguir su debate sobre el futuro de Europa".

[44]   A título ilustrativo, véanse: Comunicación a los miembros del PE de los representantes del Parlamento en la CIG (Elmar Brok y Dimitros Tsatsos) sobre la "Situación

pues, seguir la evolución de la agenda a través de los EEMM y las instituciones que les sirven.

En el Consejo Europeo de Colonia, la fijación de la agenda de la CIG sirvió para que las posiciones de Colonia resurgieran. Finalmente se remachó la solución pro-gubernamental, dejando a cargo de la Presidencia finlandesa (segundo semestre de 1999) la elaboración de un informe que tendría por objeto la aclaración y descripción de las distintas opciones para afrontar la reforma institucional requerida[45], quedando bajo su responsabilidad el contenido, así como la permeabilidad del informe a las opiniones de otros EEMM e instituciones.

El Consejo Europeo de Helsinki recibió la aportación de la Presidencia finlandesa tal y como se determinó en Colonia[46]. Se trataba del informe titulado "Instituciones eficaces después de la ampliación: informe de la Presidencia sobre las opciones para la Conferencia Intergubernamental"[47], el cual abordaba todos los asuntos considerados objeto de reforma en Niza. El informe de la Presidencia, según Colonia, tenía por objeto la aclaración y descripción de las distintas opciones a afrontar en la reforma institucional requerida[48].

---

de la Conferencia Intergubernamental del 14 de febrero al 6 de julio del 2000 en la perspectiva del Consejo Europeo de Feria de los días 19 y 20 de junio", Bruselas, 7 de junio de 2000, CM\413752ES.doc, PE 286.924, p. 6; Comunicación a los miembros del PE de los representantes del Parlamento en la CIG (Elmar Brok y Dimitros Tsatsos) sobre el "Estado de los trabajos de la Conferencia Intergubernamental antes de la sesión del Consejo Europeo de Feria de los días 7 a 9 de diciembre en Niza", Bruselas, 29 de noviembre de 2000, CM\423959.ES.doc, PE 294718, p. 3.

[45] Conclusiones de la Presidencia Consejo Europeo de Colonia de 3 y 4 de Junio de 1999, punto 54: "El Consejo Europeo ha pedido a la futura Presidencia que elabore, bajo su propia responsabilidad, para el Consejo Europeo de Helsinki, un informe completo que esclarezca y describa las opciones que se presentan para resolver dichas cuestiones. Al hacerlo, la Presidencia tendrá en cuenta las propuestas presentadas por los Estados miembros, por la Comisión Europea y por el Parlamento Europeo. Además, la Presidencia podrá ponderar la conveniencia de consultas adicionales. En los foros actualmente existentes deberá llevarse a cabo un adecuado cambio de impresiones con los países candidatos a la adhesión".

[46] Conclusiones de la Presidencia del Consejo Europeo de Helsinki 10 y 11 de Diciembre de 1999, de las Conclusiones de la Presidencia del Consejo Europeo de Helsinki, *cit.*

[47] "Efficient Institutions After Enlargement Options for the Intergovernmental", Conference, 7 December 1999, 13636/99, LIMITE POLGEN 4.

[48] Ver el punto 54 de las Conclusiones de la Presidencia Consejo Europeo de Colonia, *cit.*

La primera parte del informe se dedicó a los asuntos incorporados por Colonia en la agenda de Niza, para continuar abordando lo que el informe consideró modificaciones del Tratado necesarias y conexas con las determinadas en Colonia. En este segundo grupo se incluyen los apuntes en relación con el Parlamento y la codecisión. De forma principal, se constata el supuesto consenso en torno al respeto del límite de los 700 escaños y se subraya la necesidad de afrontar la redistribución de los escaños para respetar tal umbral. Junto con dicho aspecto, y de forma subsidiaria, se recogen los otros dos caballos de batalla del Parlamento: por otro lado, se cerciora el apoyo a favor de la cohabitación del procedimiento de codecisión con la VMC (votación por mayoría cualificada) en el Consejo; por un lado, solamente se menciona la posibilidad de eliminar el procedimiento de dictamen conforme a favor del colegislador[49].

La siguiente aportación transcendente, ya iniciada oficialmente por la CIG, sería el informe de 14 de junio de la Presidencia portuguesa al Consejo Europeo de Feria relativo al progreso, de la Conferencia Intergubernamental sobre la Reforma Institucional[50]. En él se dedica un apartado al "papel legislativo del Parlamento Europeo", que apunta la opinión de los EEMM miembros con respecto a las dos variables esenciales de la codecisión: la reflexión sobre el mantenimiento del procedimiento, y la reflexión sobre la posible extensión de su alcance.

En cuanto al procedimiento, la Presidencia portuguesa se limita a constatar la existencia de un acuerdo de los EEMM a favor de no modificar la redacción del artículo 251 TCE, por considerarse que la modificación de la tercera lectura realizada en Ámsterdam culmina el procedimiento[51].

En cuanto al ámbito de aplicación de la codecisión, la Presidencia constató la predisposición de la mayor parte de las delegaciones a considerar su ampliación en Niza, así como la necesidad de realizar dicho estudio en el contexto de la ampliación de la VMC. En cualquier caso, el nexo entre ambos aspectos se perfilaba ya asimétrico: si bien se aceptaba que la codecisión podía venir vinculada a la necesidad del voto por mayoría cualificada, se puntualizaba que no tendría por qué existir vínculo a la inversa; es decir, que el voto por mayoría

---

[49]    *Ibid.* punto 4, Other Necessary Treaty Amendments in Connection with the Above Issues and in Implementing the Treaty of Ámsterdam.

[50]    "Conferencia Intergubernamental sobre la Reforma Institucional - informe de la Presidencia al Consejo Europeo de Feria", de 14 de junio de 2000, CONFER 4750/00.

[51]    *Ibid.*, Parte I, Capítulo 4, letra C, punto 8.

cualificada en el Consejo supusiera automáticamente un procedimiento de codecisión[52]. Conviene aquí recordar que la Resolución del PE en relación a la CIG de Niza solicitó la extensión de la codecisión a todas las bases jurídicas en las que el Consejo actúa por mayoría cualificada[53].

De forma conexa al procedimiento de codecisión se abordó el procedimiento de cooperación del artículo 252 TCE. De forma genérica, la búsqueda de racionalización y simplificación de la toma de decisiones comunitarias generó que una amplia mayoría de Delegaciones se pronunciase a favor de la supresión del procedimiento de cooperación[54]. La discrepancia surgió a la hora de determinar la evolución a seguir por las bases jurídicas sujetas al procedimiento: parte de los EEMM, y así lo reflejó la Presidencia portuguesa, consideraba que el procedimiento de cooperación debía dejar paso al procedimiento de consulta; otros, por el contrario, se posicionaron a favor del procedimiento de codecisión.

Como puede entenderse, el tan traído y llevado trípode: democracia, eficacia y transparencia, podía jugar tanto a favor como en contra del Parlamento. Para algunas delegaciones, las externalidades negativas de la proliferación de procedimientos en la transparencia y eficacia de la toma de decisiones comunitarias era la coartada perfecta para compensar, en el cómputo total, el peso ganado con la codecisión, disminuyendo la participación del Parlamento desde su segundo nivel (cooperación) al último (consulta). Para otras delegaciones, la democracia vinculada a la codecisión no podía entenderse contraria a la eficacia. Además, la evolución de la cooperación en Ámsterdam con respecto a Mastrique fue la de ceder paso a la codecisión, lo cual se entiende como el compromiso de reducir el déficit democrático del proceso de toma de decisiones pese a que tal evolución, al no generarse nuevas bases jurídicas para la codecisión, disminuyó la participación de la institución parlamentaria.

Este último discurso lógico evolutivo no tuvo ninguna relevancia en la CIG 2000. La relación entre los procedimientos legislativos (codecisión, cooperación

---

[52]   *Ibid.*, 9.

[53]   Ver el punto 19 de la "Resolución del Parlamento sobre la preparación de la reforma de los Tratados y la próxima Conferencia Intergubernamental", C-5-0143/199-1999/2135 (COS); y el punto 30 de la "Resolución del Parlamento Europeo que contiene sus propuestas para la Conferencia Intergubernamental", (14094/1999-C5-0341/1999-1999/0825(CNS)).

[54]   Así lo reflejó el informe de la Presidencia portuguesa, *Ibid.*, Parte I, Capítulo 4, letra C., punto 10.

y dictamen conforme) y la VMC se vinculó a la hipotética definición del acto legislativo, así como, subsidiariamente, a la reducción y simplificación del proceso de toma de decisiones comunitario. Como veremos, la definición del "acto legislativo" se basaba en la distinción entre la esencia del acto normativo (líneas generales, definición de objetivos, alcance, etc.), que sería objeto de participación intensa del PE (mantenimiento de la codecisión en las bases existentes o estudio de evolución hacia ella en las restantes), y los actos de ejecución, que quedarían en manos exclusivas del Consejo. Dicha lógica, como pasamos a ver, tenía y tiene unas repercusiones claras para cada procedimiento legislativo.

Con respecto al dictamen conforme, la CIG partía del plano conceptual considerando que la aplicación del Tratado de la Unión Europea había mostrado que dicho procedimiento podía no adaptarse a la adopción de textos legislativos. Por eso, podría convenir el estudio de la sustitución de las bases con dimensión legislativa, bien por el procedimiento de consulta simple, bien por el procedimiento de codecisión[55].

Con base en lo dicho, se asumía la permanencia del procedimiento de dictamen conforme, al menos para dos de las seis bases jurídicas todavía afectas al procedimiento tras Ámsterdam pasa a ser: aquéllas que según la Presidencia portuguesa no se aplican a la adopción de textos legislativos (artículos 49 y 300 TCE). Por el contrario, se excitó la consideración de reducir el debate a las cuatro bases jurídicas aplicables a la adopción de textos legislativos (artículos: 105, 107, 161 y 190 TCE)[56]. Además de lo apuntado con respecto al ámbito tradicional del PE, la asunción de la permanencia del procedimiento de dictamen conforme venía vinculada a la modificación del alcance del procedimiento de cooperación.

El procedimiento de cooperación, como adelantamos, también se veía afectado por la definición del acto legislativo. En un principio la CIG planteó la reflexión con respecto al procedimiento en los siguientes términos: "La Conferencia debería estudiar la posibilidad de sustituir el procedimiento de cooperación por otros procedimientos que se consideren adecuados, sin apartarnos del objetivo de racionalizar y simplificar el proceso de decisión"[57].

---

[55]    En dichos términos se expresa la Nota de reflexión de la Presidencia portuguesa sobre "Otras modificaciones que deberán efectuarse en las Tratados respecto de las instituciones europeas", Bruselas, 24 de febrero de 2000, CONFER 4713/00, p. 3.

[56]    *Ibid.*

[57]    *Ibid.*

La Presidencia portuguesa, en su lanzamiento de la CIG, planteó la problemática de forma abierta en cuanto a su realización, pero vinculada a la racionalización del conjunto de los procedimientos legislativos en caso de realizarse: "La Conferencia podría estudiar la posibilidad de sustituir el procedimiento de cooperación por otros procedimientos que se consideren adecuados, *sin apartarse del objetivo de simplificar y racionalizar el proceso de decisión*"[58]. Con posterioridad, dicha Presidencia basaría su visión racionalizadora en dos pilares: la posible desaparición del procedimiento; o su sustitución por los procedimientos restantes: codecisión, dictamen conforme y consulta[59].

Una vez aquí, la lógica del equilibrio institucional, vinculada a la evolución en positivo del PE en el procedimiento de toma de decisiones, parecía inclinar la balanza a favor de la codecisión. No en vano, eliminar el segundo procedimiento en intensidad participativa parlamentaria (la cooperación) por aquellos procedimientos con menor transcendencia para el PE podía considerarse un ataque a la evolución de la institución parlamentaria, lo cual, de pretenderse evitar, demandaría un salto cualitativo de la codecisión en bases mucho más sensibles para los EEMM que las sometidas a codecisión. Como adelantamos, la lógica impuesta fue la novedosa y conflictiva del acto legislativo.

Para la Presidencia francesa de la CIG 2000, las cuatro bases jurídicas todavía afectas al procedimiento de cooperación tras Ámsterdam (artículos: 99, 102, 103 y 106 TCE, *Vid.* tabla nº 2) no tenían carácter legislativo, y "habida cuenta del carácter no legislativo de estas disposiciones, el procedimiento de cooperación sería sustituido por una votación por mayoría cualificada en el Consejo, a propuesta de la Comisión y previa consulta al Parlamento Europeo"[60]. La lógica de este reparto se basaba en la inclusión en el Tratado de la definición de un nuevo acto legislativo, de ahí que la consideración de las bases jurídicas como "no legislativas" primara al dictamen conforme, frente a la codecisión.

Lo transcendente para parte de los EEMM no era el procedimiento a elegir[61], sino el procedimiento a rechazar, a saber, la codecisión. Pero la creación

---

58  *Ibid.* Énfasis añadido.

59  Nota de reflexión de la Presidencia portuguesa sobre "Otras modificaciones que deberán efectuarse en las Tratados respecto de las instituciones europeas", Bruselas, 10 de mayo de 2000, CONFER 4740/00, p. 5.

60  Nota de reflexión de la Presidencia francesa sobre "La CIG 2000-Parlamento Europeo", Bruselas, 20 de septiembre de 2000, CONFER 4771/00, p. 9.

61  De hecho la Presidencia portuguesa propuso la sustitución de las mismas bases por el procedimiento de consulta, CONFER 4740/00, *cit.*, p. 5.

del procedimiento de cooperación, independientemente de la opinión de las Presidencias francesa y portuguesa, vino vinculada a la participación más intensa del PE en el procedimiento de toma de decisiones. Su mantenimiento en Mastrique y Ámsterdam fue el fruto de la falta de voluntad política para incluir sus bases en la codecisión, y también del convencimiento generalizado de que el PE no podía pasar a jugar un papel accesorio en bases sometidas a cooperación; por mejor decir, que la evolución del PE no podía ser regresiva. Estas realidades contrapuestas se mantuvieron en Niza no pudiendo ser camufladas en un sesgado interés por la simplificación y racionalización de los procedimientos. Al final, pues, tablas y *statu quo*.

Como veremos, la definición del acto legislativo propuesta por algunos EEMM fracasó. Y siendo este aspecto mucho más transcendente que el supuesto interés en la racionalización de los procedimientos legislativos comunitarios, los dos procedimientos alternativos a la codecisión no experimentaron modificaciones. Como muestra la tabla nº 2 (A), todas las bases jurídicas sometidas a cooperación y dictamen conforme se mantuvieron inalteradas.

El hecho de que al menos parte de las bases jurídicas sometidas a cooperación y dictamen conforme no fuesen sometidas a codecisión en Niza, pese al buen funcionamiento de la codecisión hasta el año 2000, era significativo de la voluntad política de los EEMM con respecto al procedimiento. En teoría, dichas bases jurídicas, por ser objeto de una participación intensa del PE, se presuponían las más adecuadas para evolucionar hacia la codecisión. Ello por demandar un esfuerzo de adaptación menor al Consejo, y por presuponerse que, frente al resto de artículos más apartados del PE, las bases estudiadas no eran tan sensibles políticamente.

Tal discurso se dinamitó en la CIG 2000, demostrando, en primer lugar, que el reparto de aquellas bases fue altamente aleatorio y dispar en lo referido a la sensibilidad política. Parece que Ámsterdam agotó el trasvase de ámbitos de la cooperación a la codecisión (tabla nº 3), determinando tácitamente que el resto de bases habilitantes disciplinadas por el procedimiento son demasiado sensibles a los intereses nacionales como para hacerlas objeto de codecisión.

En segundo lugar, la lógica del acto legislativo no distingue derechos adquiridos por basarse en un nuevo reparto legislativo; tan es así que, como veremos, sirvió de base a quienes propusieron, en la CIG 2000, la reducción del ámbito de la codecisión, en concreto de las bases jurídicas incluidas en Mastrique y Ámsterdam consideradas de carácter no legislativo.

Esta nueva lógica eliminaba una hipotética bipolaridad de bases jurídicas entre aquéllas afectas a codecisión y las mantenidas en exclusiva por el Consejo. Dicha lógica, no puede olvidarse, se perfilaba como estandarte de la racionalización de los procedimientos legislativos.

Como observamos en la tabla nº 2 (B), nuevas bases se incorporaron a la consulta y al dictamen conforme, demostrando que la racionalización del procedimiento legislativo no pasa por la reducción de procedimientos. Tampoco por la vinculación de la Votación por Mayoría Cualificada (VMC) en sede del Consejo y la codecisión, pues de los 26 artículos que incorporan la mayoría cualificada, sólo 6 incorporan la codecisión. Por ello, no se entiende que, salvo el artículo 181 bis, la participación del PE en los nuevos ámbitos distintos de la codecisión (consulta y dictamen conforme), se pospusiera hasta el 2007 para activarse junto a la VMC, tal hecho no dejaba de ser una arbitrariedad simuladora de cierta relación entre la VMC y la participación del PE.

La supuesta racionalización de los procedimientos sucumbió en Niza frente a la determinación política imperante en la CIG, contraria a la ampliación sensible de la codecisión de forma genérica, e igualmente opuesta a cualquier tipo de ampliación de la codecisión en ámbitos no legislativos. Independientemente del fracaso del debate sobre la inclusión del acto legislativo en el Derecho originario, Niza parecía haber vetado (¿para siempre?) el incremento de la codecisión en ámbitos no legislativos; así lo demuestra el hecho de que en los mismos se haya optado por la consulta y el dictamen conforme en bases de poca transcendencia [*Vid.* tabla nº 2 (B)], en comparación con las ya sometidas al procedimiento.

**Tabla nº 2: Procedimientos legislativos distintos a la codecisón en Niza**

| FUNDAMENTOS JURÍDICOS SOMETIDOS A PARTICIPACIÓN LEGISLATIVA DEL PARLAMENTO EUROPEO DISTINTA A LA CODECISIÓN | | | |
|---|---|---|---|
| (A) FUNDAMENTOS JURÍDICOS ESTUDIADOS Y NEGADOS A LA CODECISIÓN EN NIZA (CONTEXTO DEL ACTO LEGISLATIVO) | | | |
| Art. TCE | Contenido de la base jurídica habilitante | Extensión de su consideración en Niza | Procedimiento antes/ tras Niza |
| Art. 99.5 | Adopción de normas relativas al procedimiento de supervisión multilateral | Estudio de su paso al procedimiento de consulta previa | Cooperación/ cooperación |
| Art. 102.2 | Prohibición del acceso privilegiado a las entidades financieras | Estudio de su paso al procedimiento de consulta previa | Cooperación/ cooperación |

| (A) FUNDAMENTOS JURÍDICOS ESTUDIADOS Y NEGADOS A LA CODECISIÓN EN NIZA (CONTEXTO DEL ACTO LEGISLATIVO) | | | |
|---|---|---|---|
| Art. TCE | Contenido de la base jurídica habilitante | Extensión de su consideración en Niza | Procedimiento antes/ tras Niza |
| Art. 103.2 | Especificación de las definiciones para la aplicación de las prohibiciones mencionadas en el artículo 101 y en el apartado 1 del artículo 103 TCE | Estudio de su paso al procedimiento de consulta previa | Cooperación/ cooperación |
| Art. 106.2 | Armonización de los valores nominales y las especificaciones técnicas de la monedas destinadas a la circulación | Estudio de su paso al procedimiento de consulta previa | Cooperación/ cooperación |
| Art. 49 | Adhesión de nuevos Estados miembros | Statu quo | Dictamen conforme/dictamen conforme |
| Art. 105 | Misiones específicas del Banco Central Europeo | Estudio de su paso al procedimiento de consulta o codecisión | Dictamen conforme/dictamen conforme |
| Art. 107 | Modificación de los estatutos del Sistema Europeo de Bancos Centrales | Estudio de su paso al procedimiento de consulta o codecisión | Dictamen conforme/ dictamen conforme |
| Art. 161 | Fondos estructurales y fondo de cohesisón | Estudio de su paso al procedimiento de consulta o codecisión | Dictamen conforme/dictamen conforme |
| Art. 190 | Procedimiento electoral uniforme para el Parlamento Europeo | Estudio de su paso al procedimiento de consulta o codecisión | Dictamen conforme/dictamen conforme |
| Art. 300 | Celebración de determinados acuerdos internacionales | Statu quo | Dictamen conforme/dictamen conforme |
| (B) NUEVOS FUNDAMENTOS JURÍDICOS EN VMC EN SEDE DEL CONSEJO CON VINCULO PARLAMENTARIO DISTINTO A LA CODECISIÓN | | | |
| Art. TCE | Contenido de la base jurídica habilitante | Extensión de su consideración en Niza | Procedimiento antes/ tras Niza |
| Art. 181 | Cooperación financiara, económica y técnica con terceros países | VMC Consejo+ consulta PE | Nuevo/ VMC +consulta |
| Art. 66 | Cooperación administrativas en áreas del Título IV | VMC Consejo+ consulta PE (en 2007) | Unanimidad/ VMC +consulta (2007) |

| (B) NUEVOS FUNDAMENTOS JURÍDICOS EN VMC EN SEDE DEL CONSEJO CON VINCULO PARLAMENTARIO DISTINTO A LA CODECISIÓN | | | |
|---|---|---|---|
| Art. TCE | Contenido de la base jurídica habilitante | Extensión de su consideración en Niza | Procedimiento antes/ tras Niza |
| Art. 279.1 | Reglamentos financieros de adopción y ejecución del presupuesto; y normativa sobre la responsabilidad de los interventores | VMC Consejo+ consulta PE (en 2007) | Unanimidad+ Consulta/VMC +consulta (2007) |
| Art. 161 | Funciones, objetivos prioritarios y organización de los fondos estructurales, (cohesión) | VMC Consejo+ PE dictamen conforme (en 2007) | Unanimidad+ Consulta/dictamen conforme (2007) |

Todavía encontramos otra afectación de la controversia sobre la definición del acto legislativo en la codecisión. Si decíamos que Niza parecía haber vetado el incremento de la codecisión en ámbitos no legislativos, también constató que su aumento en ámbitos legislativos se entiende de forma reduccionista debido esencialmente al fallo de la bipolaridad perfilada en la codecisión. Expliquemos el razonamiento.

Durante las presidencias portuguesa y francesa de la CIG 2000, los debates mantenidos por las delegaciones aportaron dos posibles enfoques a la hora de plantear el camino a seguir por la Conferencia al estudiar la posible ampliación del ámbito de aplicación del procedimiento de codecisión[62]:

Un primer enfoque propondría generalizar el procedimiento de codecisión a la totalidad de los ámbitos que parcial o totalmente incluyen aspectos legislativos y están sometidos a la mayoría cualificada en sede del Consejo, dejando aparte un número muy limitado de posibles excepciones debido a la naturaleza especial o a la sensibilidad política de las materias incluidas. Dicho enfoque, desde un principio, exigía una definición del acto legislativo diferenciador, por ello prometía incluir a los ámbitos de cohabitación entre codecisión y unanimidad.

El segundo enfoque, basado en el fracaso de la definición del acto legislativo, proponía el estudio caso por caso de los artículos respecto de los cuales la CIG estudiaría el paso a la VMC en sede del Consejo. El fracaso en la definición

[62]   Vid: CONFER 4713/00, *cit.*, p. 13; CONFER4740/00, *cit.*, p. 4; CONFER 4771/00, *cit.*, p. 3.

del acto legislativo llevó a la aplicación del segundo enfoque. Como vemos al estudiar de forma comparada las tablas 1ª, 2ª y 3ª, el enfoque se desarrolló de una forma cicatera.

En primer lugar, porque ninguna de las bases jurídicas sometidas a cohabitación codecisión-unanimidad de acuerdo con Mastrique (artículos 18, 42, 47, y 151 TCE, Vid. tabla nº 1) pasó a VMC, a pesar de representar el campo potencial más importante del procedimiento en la actualidad. Lo aquí apuntado será demostrado al estudiar el expediente Cultura 2000 (Vid. infra).

En segundo lugar, Niza no institucionalizó el vínculo codecisión-VMC: todas las bases jurídicas novedosas incluidas en el procedimiento se rigen por VMC en sede del Consejo (Vid. tabla nº 3); pero el incremento de la VMC en el Consejo no determina la extensión de dichas competencias a la codecisión (Vid. tabla nº 2). Tal realidad, más allá de ir contra la legítima ampliación de la codecisión tras el buen funcionamiento del procedimiento hasta la fecha, estructuraliza de cara al futuro un panorama de pluralidad de procedimientos legislativos, ignorando coetáneamente el objetivo de la racionalización de la toma de decisiones comunitaria.

En tercer lugar, el estudio caso por caso de las bases jurídicas se realizó desde una perspectiva de mínimos y manteniendo en su elección el criterio de idoneidad política, altamente aleatorio, surgido en Mastrique. Solamente seis artículos se incorporaron a la codecisión de forma directa (artículos: 13, 18, 65, 157, 159 y 191 TCE, Vid. tabla nº 3)[63]. En general, no abarcaron bases jurídicas transcendentes para la vida comunitaria, y dentro de las bases de más significación, el alcance de la codecisión se circunscribe restrictivamente: así, se excluye la afectación a los fondos estructurales en el contexto de las acciones específicas del artículo 159 TCE; se excluye la armonización en las medidas comunitarias de estímulo en la lucha contra la discriminación del artículo 13 TCE, y se excluyen los aspectos relacionados con el Derecho de familia dentro de la cooperación judicial en procedimientos civiles del artículo 65 TCE.

---

[63]   Recordar que la activación para la codecisión del artículo 6 TCE, dependía de evoluciones posteriores a la entrada en vigor del Tratado de Niza (Vid. tabla nº 3).

## Tabla n° 3: Ámbito de la codecisión tras Niza

| Art. TCE | FUNDAMENTOS JURÍDICOS SOMETIDOS AL PROCEDIMIENTO DE CODECISIÓN CON POSTERIORIDAD A LA ENTRADA EN VIGOR DE NIZA | | |
|---|---|---|---|
| | Contenido de la base jurídica habilitante | Historia/activación como codecisión/peculiaridades | Consejo antes/Niza |
| Art. 13 | Medidas comunitarias de estímulo (excluida armonización) en la lucha contra la discriminación por motivos de sexo, de origen racial o étnico, religión o convicciones | Consulta previa al PE/desde entrada en vigor | Unanimidad /VMC |
| Art. 18 | Medidas destinadas a facilitar la libertad de movimientos de los ciudadanos de la Unión Europea | Codecisón desde Ámsterdam (interpretación restrictiva)/Niza interpretación más ámplia | Unanimidad /VMC |
| Art. 65 | Cooperación judicial en procedimientos civiles (a excepción de los aspectos relacionados con el derecho de familia) | Consulta previa al PE / desde entrada en vigor/ver artículo 67 TCE | Unanimidad /VMC |
| Art. 157 | Medidas específicas de apoyo a la industria y a las PYMES | Consulta previa al PE /desde entrada en vigor | Unanimidad /VMC |
| Art. 159 | Acciones específicas al margen de los fondos estructurales | Consulta previa al PE /desde entrada en vigor | Unanimidad /VMC |
| Art. 191 | Establecimiento del estatuto y régimen de financiación de los partidos políticos a escala europea | Nuevo | VMC |
| Art. 62.2.a) | Control de fronteras exteriores | Consulta previa al PE/ desde que se alcance un acuerdo en el ámbito de aplicación de esas medidas/declaración aneja | Unanimidad /VMC |
| Art. 62.3 | Libre circulación de nacionales de terceros Estados en posesión de un visado | Consulta previa al PE/a partir del 1 de mayo del 2004/declaración aneja | Unanimidad /VMC |
| Art. 63.1 | Política de asilo | Consulta previa al PE/tras la adopción de un programa marco comunitario | Unanimidad /VMC |
| Art. 63.2.a) | Normas mínimas para conceder protección temporal a las personas desplazadas procedentes de terceros países que no pueden volver a su país o que necesitan protección internacional | Consulta previa al PE/tras la adopción de un programa marco comunitario | Unanimidad /VMC |

| FUNDAMENTOS JURÍDICOS SOMETIDOS AL PROCEDIMIENTO DE CODECI-SIÓN CON POSTERIORIDAD A LA ENTRADA EN VIGOR DE NIZA | | | |
|---|---|---|---|
| Art. TCE | Contenido de la base jurídica habilitante | Historia/activación como codecisión/peculiarida-des | Consejo antes/Niza |
| Art. 63.3.b) | Inmigración y residencia ilega-les, incluida la repatriación de residentes ilegales | Consulta previa al PE/a partir del 1 de mayo del 2004/declaración aneja | Unanimidad /VMC |

## 3.2. La dimensión novedosa de la codecisión: la definición del acto legislativo

La cuestión del establecimiento de una jerarquía normativa en el acervo comunitario, al uso constitucional nacional, ha sido una cuestión abordada por todas las instituciones. El proyecto Spinelli de 14 de febrero de 1984 sobre la Constitución Europea dedicó su Título II a los actos de la Unión; en el artículo 34 del proyecto se daba una definición de ley, por otro lado, en su artículo 40 se daba una definición de potestad normativa[64].

En el plano del Derecho originario, la discusión sobre la inclusión de cual-quier clasificación o definición de acto normativo ha sido progresiva y débil. Durante la CIG previa al Tratado de Mastrique, alguna delegación nacional propuso la necesidad de establecer una jerarquía entre los actos comunitarios, en la que se distinguiese entre los que se denominaban normas constitu-cionales, normas legislativas, normas reglamentarias y administrativas[65]. La diferenciación propuesta se pretendía extender a la toma de decisiones según la materia que la afectase y el nivel del acto que se debiese adoptar.

La Comisión, por su parte, propuso igualmente clasificar los actos comu-nitarios en cinco grupos: leyes, reglamentos, decisiones, recomendaciones y dictámenes. Las leyes, situadas jerárquicamente en la cúspide normativa, serían objeto de colegislación entre el PE y el Consejo. Así, como observamos, la institución vinculó la cuestión de la jerarquía normativa con la discusión sobre la creación del procedimiento de codecisión, finalmente incluido en el TUE. La propuesta de la Comisión encontró el refrendo del Parlamento, pues estando especialmente interesado en la codecisión no podía dejar de

---

[64]   *Vid.* Proyecto Spinelli de 14 de febrero de 1984 sobre la Constitución Europea, DOCE C 77/34 de 19 de marzo de 1984, pp. 44 y 45.

[65]   Ver la nota de la de la delegación italiana, Doc. 10356/90 ADD 2, Anexo IV.

compartir una ubicación que le elevaba al nivel de colegislador[66]. La Comisión igualmente sugirió ser la institución facultada para la adopción de reglamentos y decisiones necesarios para llevar a cabo la ejecución de las "leyes".

La CIG de Mastrique no aprobaría la inclusión de ninguna de las propuestas reseñadas. La mayoría de los EEMM se opusieron al concepto de "ley" por considerar que no se adaptaría al marco de la Comunidad, y sobre todo, porque su vinculación a la codecisión y al establecimiento de la jerarquía normativa prometía reducir excesivamente los poderes del Consejo. Dicha reacción, si bien no puede sorprender, deberá tenerse en cuenta a la hora de estudiar la reacción de los EEMM que propusieron la inclusión de una definición de acto legislativo durante la CIG de Niza. Su decisión final demostró cómo, implícitamente consideraron más peligroso el crecimiento del ámbito de la codecisión que la inclusión en el Derecho originario de, al menos, parte de lo negado en Mastrique.

En Mastrique, pese al resultado final, se produjo un reposicionamiento de algunos EEMM a favor de un ajuste de la tipología de actos comunitarios que previese la introducción, para los principios generales y elementos esenciales que regulan determinadas materias enumeradas en el Tratado, de una nueva categoría de normas (quizás "leyes") que dependerían de un procedimiento de codecisión entre el Parlamento y el Consejo[67]. Dicha tendencia quedó parcialmente reflejada en el proyecto de Tratado presentado a la CIG por la Presidencia luxemburguesa[68].

El Tratado de Mastrique aprobó la creación, vía artículo 189 B TCE, de un procedimiento de codecisión desvinculado de cualquier alteración de la clasificación de actos comunitarios. El procedimiento legislativo se aplicaba a todos los ámbitos de las bases jurídicas vinculadas al artículo 189 B. La consecuencia principal de tal opción fue la ausencia de distinción entre los aspectos esenciales de la normativa y los aspectos técnicos vinculados a la misma. Conjuntamente, en la Declaración nº 16 anexa al Acta final "la Conferencia conviene en que la Conferencia Intergubernamental que se convocará en 1996 estudie en qué medida sería posible revisar la clasificación de los actos comunitarios, con vistas a establecer una adecuada jerarquía entre

---

[66]    Ver su Resolución de 18 de abril de 1991, DOCE C 129 de 20 de mayo de 1991.
[67]    Ver el documento del Consejo Doc. UP/21/91.
[68]    *Vid.* proyecto de Tratado presentado a la CIG 1992 por la Presidencia luxemburguesa, Dic. CONF-UP 2008/91.

las distintas categorías de normas". Con ello se cerró momentáneamente la discusión sobre el debate de la jerarquía normativa, sin vincularla en absoluto con la aplicación del procedimiento de codecisión.

La CIG de Ámsterdam, debido a la escasa *prioridad* otorgada al tema y a las repercusiones que la reordenación de su agenda tuvo, ignoró por completo la cuestión. Colateralmente, el apartado 3 del artículo 207 TCE introdujo por primera vez el término "capacidad legislativa" en el contexto de la transparencia: "el Consejo definirá los casos en los que deba considerarse que actúa en su capacidad legislativa a fin de permitir un mayor acceso a los documentos en esos casos, sin menoscabo de la eficacia de su proceso de toma de decisiones".

El mandato establecido en el Tratado fue cumplimentado en el artículo 7 del Reglamento del Consejo del siguiente modo: "El Consejo actúa en su capacidad legislativa según lo dispuesto en el párrafo segundo del apartado 3 del artículo 207 del TCE *cuando adopta normas jurídicamente vinculantes en o para los Estados miembros*, mediante reglamentos, directivas, decisiones marco o decisiones, con arreglo a las disposiciones correspondientes de los Tratados, *con excepción de las deliberaciones que conduzcan a la adopción de medidas de orden interno, actos administrativos o presupuestarios, actos relativos a las relaciones interinstitucionales o internacionales, o actos no vinculantes* (tales como conclusiones, recomendaciones o resoluciones)"[69]. Por ahora, baste recordar la distinción bipartita que los EEMM tienen en mente, pues a grandes rasgos sería la base de la propuesta durante la CIG de Niza.

Por otro lado, en el mismo contexto de la transparencia, el "Protocolo sobre el cometido de los Parlamentos nacionales en la Unión Europea" anejo al Tratado, vinculó la definición reglamentaria dada por el Consejo a las "propuestas legislativas": "*Las propuestas legislativas* de la Comisión, *defendidas como tales por el Consejo* de conformidad con el apartado 3 del artículo 207 del Tratado Comunidad Europea, se comunicarán con la suficiente antelación para que el Gobierno de cada Estado miembro pueda velar porque su Parlamento nacional las reciba convenientemente"[70].

---

[69] Artículo 7 del Reglamento interno del Consejo, "Casos en que el Consejo actúa en su capacidad legislativa". Énfasis añadido.

[70] Punto I.2. del "Protocolo sobre el cometido de los Parlamentos nacionales en la Unión Europea". Énfasis añadido.

Dentro de los pilares intergubernamentales se introdujeron novedades asimilables a la problemática estudiada. Dentro del Título VI, en el contexto de la "estrategia común", se instituyó una cierta jerarquía de las normas en el ámbito PESC, la cual respondía a la distinción entre la mayoría de los actos, adoptados por unanimidad, y una minoría, adoptables, por primera vez tras Ámsterdam, por mayoría cualificada.

Esta alteración fuera del pilar comunitario se vio acompañada de la reforma introducida en el tercer pilar. Allí se estableció un sistema similar, el cual posibilitó la adopción por unanimidad de decisiones genéricas (no contempladas específicamente en otros preceptos del pilar), obligatorias y no dotadas de efecto directo, así como la adopción, por mayoría cualificada, de las "medidas que permitan aplicar dichas decisiones a escala de la Unión"[71].

Por último, recordar que Ámsterdam continuó desarrollando la codecisión, tanto en el aspecto procedimental como en su ámbito de aplicación, de forma autónoma; lo cual se tradujo en un aumento del trabajo para los colegisladores y la Comisión, y en la configuración de un equilibrio real entre los colegisladores en todos los aspectos (de fondo y técnicos) de los actos adoptados en codecisión.

Con dichos antecedentes, se inicia la CIG de Niza. Allí, algunos EEMM consideran la necesidad de realizar una nueva reflexión sobre la problemática, implicando un salto cualitativo por su vinculación directa al ámbito de aplicación de la codecisión. Dicha reflexión se basó en dos dimensiones del ámbito aquí abordado: de un lado, en la supuesta existencia de un cierto acervo sobre el particular; de otro, en la necesidad de aliviar la carga impuesta por el procedimiento de codecisión a través de la definición del acto legislativo[72].

Se parte de que los conceptos del Consejo en su "capacidad legislativa", "propuesta legislativa", "acto legislativo" y "actividad legislativa", ahora existían en el Tratado, en tanto el Tratado de Ámsterdam los incluyó en el artículo

---

[71]   Ver la letra c) del apartado 2 del artículo 34 del TUE.

[72]   Los pilares de dicha reflexión están presentes en los documentos que a continuación citaremos, de forma sintética en la Nota de reflexión de la Presidencia portuguesa a la atención del Grupo de Representantes de los gobiernos de los Estados miembros sobre "El concepto de acto legislativo adoptado en codecisión en el marco de la jerarquía de los actos jurídicos comunitarios y en el contexto de la próxima ampliación de la Unión", Bruselas, 30 de mayo de 2000, SN 3068/00.

207 TCE y en el "Protocolo sobre el cometido de los Parlamentos nacionales en la Unión Europea"; y al mismo tiempo, en el hecho de que el Reglamento del Consejo, dando una definición de los casos en los que el Consejo actúa en su capacidad legislativa, da una noción de acto legislativo, aunque ésta se haya realizado para permitir un mejor acceso del público a los documentos. Además, el Tratado de Ámsterdam introdujo una jerarquía de las normas para los pilares intergubernamentales. De todo ello se dedujo que "ya no se trata, pues, de una cuestión de principio: actualmente habría que perfilar conceptos jurídicos ya aceptados y extraer, en su caso, algunas consecuencias para intentar que la toma de decisiones fuese un poco más eficaz y un poco más lógica"[73].

La segunda base de la argumentación dibuja un panorama de insostenibilidad del procedimiento de codecisión con la misma carga en una Europa de 27 miembros. El procedimiento a 15, tal y como estaba configurado en Ámsterdam, era ya un procedimiento intenso en cuanto a contactos informales y diálogo a tres bandas; pero con la ampliación, el único escenario imaginable era el de aumento del tiempo necesario a dedicar para cada expediente, conllevando la disminución del tiempo de los actores implicados en el procedimiento. Todo ello sin contar las tensiones que en el mismo sentido se producirían por el aumento de las bases jurídicas disciplinadas por la codecisión.

Contra el hilo argumental descrito, puede afirmarse que el procedimiento, tal y como se disciplina en el artículo 251 TCE, viene sujeto a plazos fijos; de suerte que la carga de trabajo añadida no debería repercutir en una dilación de los plazos vigentes[74]. Lo dicho es cierto para el tramo medio y final del procedimiento pero, como veremos, no así para el inicial; en concreto, para el primer acto de cada una de las instituciones: el dictamen del Parlamento en su primera lectura, y en la respuesta en la primera lectura por parte del Consejo: la posición común. Ambos actos, no estando sometidos a plazos, pueden provocar la demora en la solución final de los conflictos.

Volviendo al hilo argumental de los EEMM partidarios de la definición selectiva del acto legislativo, en detrimento de la configuración de la codecisión de acuerdo con Ámsterdam, se demanda determinar el objeto de actuación por mor de lograr el fin. El objetivo elegido fueron los actos de carácter

---

[73]    *Ibid.*, p.4.
[74]    Nos remitimos al posterior estudio de todas las fases del procedimiento para una mayor comprensión de lo aquí apuntado.

técnico que se adoptan en codecisión. Éstos suponen una parte importante de los actos adoptados por el procedimiento estudiado[75]; sin embargo, no se calificarían de legislativos en los EEMM debido a que "en la práctica institucional y jurídica de éstos, se distingue entre los actos que dependen de un procedimiento pesado que implica plenamente a los Parlamentos nacionales, y los actos que dependen de un procedimiento más ligero que en principio sólo implican al poder ejecutivo"[76].

Los dos pilares de la argumentación hasta aquí desarrollada se pusieron a merced de la inclusión en Niza de una definición de acto legislativo que eliminase la participación del Parlamento en la legislación de los mismos; es decir, una definición de acto legislativo que pretendía trastocar el equilibrio alcanzado en Ámsterdam entre los colegisladores en beneficio del Consejo, que asumiría en exclusiva el desarrollo legislativo de dichos ámbitos. Pasemos a ver cómo se produjo tal evolución y las reacciones a la misma.

Desde el inicio de la CIG, la Presidencia portuguesa asumió la terminología indicada, hablando de "actos de carácter legislativo"[77], pero no sería hasta su nota de mayo de 2000 cuando reflejaría claramente el objetivo indicado[78]. Allí, explícitamente se vincula la solución del aumento de la carga administrativa impuesta al Parlamento y al Consejo con la clarificación de la noción de actos legislativos, oponiéndolos a los actos de ejecución o administrativos[79].

Una vez definido el límite, el "papel del Parlamento como colegislador debería tener plena aplicación en la definición de los grandes objetivos y principios de la legislación comunitaria, más que en disposiciones detalladas y de carácter altamente técnico que, en muchos casos, aunque no en todos, constituyen más correctamente el objeto de actos de ejecución"[80]. La forma

---

[75] Los ejemplos de actos legislativos de carácter técnico abundan; a título de ejemplo, ver las Directivas: 76/757/CEE; 76/758/CEE; 78/317/CEE; 78/318/CEE.

[76] Ver, Nota de reflexión de la Presidencia portuguesa de 30 de mayo de 2000, cit., p. 5.

[77] Ver la Nota de reflexión de la Presidencia portuguesa sobre "Otras modificaciones que deberán efectuarse en las Tratados respecto de las instituciones europeas", Bruselas, 24 de febrero de 2000, CONFER 4713/00, Punto III.iii).

[78] Ver la Nota de reflexión de la Presidencia portuguesa sobre "Otras modificaciones que deberán efectuarse en las Tratados respecto de las instituciones europeas", Bruselas, 10 de mayo de 2000, CONFER 4740/00.

[79] Seguimos aquí la argumentación de la nota de la Presidencia. *Ibid.*, punto II. Función legislativa del Parlamento Europeo, letra c), p. 3.

[80] *Ibid.*

propuesta para ejecutar la exclusión del Parlamento en tales ámbitos de la codecisión fue la modificación del artículo 249 TCE en combinación con el 251 TCE. La Presidencia propuso incluir una modificación en dos fases.

En primer lugar, limitando la codecisión a los actos legislativos en el 251; en segundo lugar, vinculando el artículo 249 con el 251 del siguiente modo: "el Parlamento Europeo y el Consejo conjuntamente adoptarán actos legislativos de acuerdo con el procedimiento que se menciona en el articulo 251"; y, en tercer lugar, reduciendo su ámbito: "El acto legislativo tendrá un alcance general. En la medida de lo posible y teniendo debidamente en cuenta la naturaleza de la cuestión de que se trate, establecerá los principios generales, los objetivos que deban alcanzarse y los elementos fundamentales de las medidas que deban tomarse para su aplicación"[81]. Al contrario, todos los actos de carácter técnico o de desarrollo no son actos legislativos y, consecuentemente, volverían al dominio exclusivo del Consejo previa exclusión del Parlamento.

El problema técnico de la propuesta radicaba en la ubicación de la línea divisoria entre los actos legislativos adoptados en codecisión y los actos secundarios o subordinados en una materia concreta, sobre todo teniendo en cuenta la relación jerárquica existente entre ellas y las implicaciones en la participación institucional que la elección conlleva.

Se barajaron dos posibilidades para hacer frente a dicho escollo[82]. La primera opción sería intentar fijar dicha línea divisoria en términos jurídicos concretos en el Tratado, al modo de lo establecido en el artículo 166 TCE para los programas de investigación. Si nos acercamos al Tratado, veremos cómo el apartado 1º de dicho artículo disciplina la codecisión como procedimiento legislativo para la adopción del programa marco plurianual; mientras los programas específicos, dedicados a la ejecución de los programas marco, son adoptados por el Consejo, actuando por mayoría cualificada a propuesta de la Comisión y previo dictamen del Parlamento. Tal solución, independientemente de las dificultades prácticas de segmentar todas las bases jurídicas, tendría el requerimiento añadido de incluir dicha fórmula en cada artículo del Tratado afectado.

---

[81]    *Ibid.*, Anexo V, p. 10.
[82]    Ambas expuestas en la Nota de reflexión de la Presidencia portuguesa de 30 de mayo de 2000, *cit.*, pp. 8-9.

La segunda opción planteada proponía encauzar la libertad que hasta Ámsterdam tenía el legislador a la hora de adoptar un acto específico, para limitarse o no a establecer los principios generales, las normas esenciales y los objetivos en un ámbito concreto. "Ello supondría codificar en el Tratado la posibilidad que tienen de prever un procedimiento 'aligerado' para la adopción de actos más detallados fomentando su uso. Así el Tratado convertiría una incitación política en una obligación jurídica estricta[83]. La "frontera" entre los actos legislativos adoptados en codecisión y los actos "subordinados", quedaría abierta a la decisión *ad hoc* del legislador.

La reflexión sobre el acto legislativo en los términos desarrollados se incorporó en el informe de 14 de junio de la Presidencia portuguesa al Consejo Europeo de Feria, en relación con el progreso de la Conferencia Intergubernamental sobre la Reforma Insitucional[84]. El Parlamento, constatado el riesgo que para su *status* de colegislador conllevaba el desarrollo del debate tal y como venía siendo conducido por la Presidencia portuguesa, reaccionó ante el Consejo Europeo por boca de su Presidenta, Nicole Fontaine.

La Presidenta negó en su intervención la base de la argumentación de los EEMM, afirmando que el éxito de las conciliaciones durante la Presidencia portuguesa ratificaba los antecedentes de evolución positiva del procedimiento. En consecuencia, con su discurso lógico, el escenario de la reforma de la CIG de Niza debería ser el de la extensión del procedimiento a todos los ámbitos regidos por mayoría cualificada en el Consejo, "por supuesto, sin reducir las funciones legislativas del Parlamento, [...] a este respecto, [...] la definición de 'acto legislativo' actualmente en debate no sería admisible para el Parlamento Europeo"[85].

La posición mantenida por el PE se unió a la disparidad de criterios existentes entre los EEMM sobre el particular. Éstos llegaron a Feria divididos en dos grupos: por un lado, las delegaciones que valoraban esencialmente la definición del acto legislativo como un paso importante hacia la clarificación y la racionalización de la actividad legislativa de la Unión; y por otro, aquellas delegaciones

---

[83]   *Ibid.*, p. 9.

[84]   "Informe de la Presidencia al Consejo Europeo de Feria sobre la Conferencia Intergubernamental sobre la Reforma Institucional", de 14 de junio de 2000, CONFER 4750/00, p. 37.

[85]   Discurso de la Presidenta Nicole Fontaine de 19 de junio de 2000 ante el Consejo Europeo de Feria. Los discursos de la Presidenta están disponibles en: http://www.europarl.eu.int/president/speeches/en/default.htm

que valoraban principalmente sus aspectos negativos, en concreto los problemas prácticos de su aplicación y, sobre manera, los riesgos de afectación al equilibrio institucional vía descompensación en la relación PE-Consejo en el contexto de la codecisión[86]. La ausencia de acuerdo sobre los trabajos realizados parecía situar la fórmula promovida por la Presidencia portuguesa fuera de la agenda de Niza. Las conclusiones de la Presidencia del Consejo Europeo de Feria, referidas de forma general al informe de la Presidencia[87], ni siquiera hicieron referencia al acto legislativo, acordándose continuar los debates para estudiar todos los aspectos involucrados: prácticos, jurídicos e institucionales.

La Presidencia francesa recogió el debate en términos absolutamente continuistas con respecto a la Presidencia portuguesa, pese a seguir constatando las reticencias de varios EEMM con dicho enfoque, en especial con "las dificultades de aplicación práctica de dicho enfoque y el posible riesgo de modificación del actual equilibrio institucional que esa aplicación práctica conlleva"[88]. Como muestra de su continuismo, baste la distinción establecida en su proyecto de modificación del artículo 249 TCE: "El acto legislativo se limitará a definir los principios generales, los objetivos que deban conseguirse y los elementos esenciales de las medidas que hayan de adoptarse. Podrá estipular que el Consejo, por mayoría cualificada, a propuesta de la Comisión y previa consulta al Parlamento Europeo, establezca, en el cumplimiento de sus disposiciones, las normas no esenciales o técnicas que regulen la materia"[89].

El patente inmovilismo de la posición de la Presidencia francesa motivó el mantenimiento del rechazo frontal del PE y de parte de los EEMM, lo que finalmente se tradujo en el mantenimiento de los artículos 249 y 251 TCE según la redacción dada en Ámsterdam.

---

[86]   Así se destaca en el "Informe de la Presidencia al Consejo Europeo de Feria sobre la Conferencia Intergubernamental sobre la Reforma Institucional", cit., punto 12, p. 38.

[87]   "El Consejo Europeo ha tomado nota y se ha congratulado del informe de la Presidencia sobre la Conferencia Intergubernamental. El informe de la Presidencia deja patentes los importantes avances realizados por la Conferencia en su estudio de los cambios del Tratado que permitirán que la Unión pueda seguir teniendo instituciones legítimas, eficaces y con un funcionamiento adecuado después de la ampliación". I. A. punto 3 de las conclusiones de la Presidencia del Consejo Europeo de Feria.

[88]   "Nota de la Presidencia francesa sobre otras modificaciones que deberán efectuarse en los Tratados respecto a las instituciones europeas," Bruselas, 10 de mayo de 2000, CONFER 4740/00, punto 7, p. 4.

[89]   Ibid., Anexo 2.

## 3.3. La configuración del procedimiento tras Niza

Puede concluirse que el Tratado de Niza mantuvo el procedimiento de codecisión en prácticamente los mismos términos que en Ámsterdam: tanto en cuanto al funcionamiento del mismo, como en lo relativo al ámbito de aplicación. Por otro lado, el transcurso de la CIG 2000, en particular en lo relativo al acto legislativo, introduce una nueva lógica evolutiva en el procedimiento, la cual debería ser tenida muy en cuenta de cara a la evolución futura del procedimiento. Resumamos ambas dimensiones por mor de tenerlas en mente a la hora de afrontar el resto del estudio.

En cuanto al procedimiento, debemos tener en cuenta que Niza no introduce ninguna modificación. El procedimiento queda pues conformado en las tres fases de Mastrique tal y como fueron modificadas en Ámsterdam: primera lectura, segunda lectura y conciliación. Cada una de ellas puede ser sede de la adopción del acto legislativo si hay acuerdo; sin embargo, lo usual es que sólo el Comité de Conciliación pueda dar por zanjado el procedimiento con desacuerdo; es decir, el fracaso de la primera lectura conlleva a la segunda, y el fracaso de ésta a la conciliación. El fracaso en conciliación, a partir de Ámsterdam, conlleva el fracaso del acto legislativo sin posibilidad de rehabilitación de la posición común por parte del Consejo.

En cuanto al ámbito del procedimiento, debemos (en espera del epígrafe dedicado al TCEu) estar a los tres tratados: Mastrique que lo crea; Ámsterdam y Niza que lo amplían. Como vimos en nuestro repaso de las modificaciones del TUE (y de las tablas 1ª y 3ª), las bases jurídicas objeto de la codecisión no respondían a un diseño político regido por la importancia de las materias afectadas, o por una coherente determinación por integrar progresiva y armoniosamente al PE en la toma de decisiones. Podemos afirmar que, hasta Niza, los criterios de idoneidad política, marcados por la lucha supranacionalismo-intergubermentalismo, sin más, fueron los únicos reseñables a la hora de incorporar competencias a la codecisión. A partir de Niza, el debate sobre la idoneidad política introduce un nuevo elemento en su dialéctica tradicional (PE-Consejo, supranacinalismo-intergubermentalismo, toma de decisiones al servicio de la eficiencia frente a la reducción del déficit democrático, etc.), a saber, la definición del acto legislativo.

La definición del acto legislativo se introdujo en realidad como un elemento destinado a reducir la participación del PE en la toma de decisiones y no para armonizar su futuro aumento participativo. Ello pese a que los EEMM promotores del mismo lo defendiesen como la necesaria vinculación futura entre racionalización del procedimiento e incremento de su ámbito. Tal vinculación provocó que el fracaso de la propuesta sobre la inclusión del acto legislativo se neutralizara con las propuestas más generosas con respecto a la ampliación del ámbito de la codecisión. La neutralización se tradujo finalmente en un aumento simbólico de las bases jurídicas.

La enseñanza fundamental de Niza es la separación, a nivel político, entre el funcionamiento del procedimiento y su desarrollo futuro. Su buen funcionamiento, desde su creación hasta la fecha, no implicó la evolución en positivo del ámbito de la codecisión; más al contrario, para parte de los Estados, la única posibilidad de tal evolución pasaba por la inclusión en el Derecho originario de una definición de acto legislativo que sólo ofrece garantías de reducción del ámbito de la codecisión existente.

# 4. EL TRATADO CONSTITUCIONAL

## 4.1. Introducción

En el TCEu se produjo un cambio sustancial respecto a Niza. Dicho cambio no vino provocado, de forma sustantiva porque se vinculase el funcionamiento del procedimiento y su desarrollo futuro, vino por la asunción de un *sui generis* momento constituyente.

El proceso que llevaría a la firma del TCEu rompió, en buena medida, con la filosofía que guió dos aspectos cardinales del debate histórico relatado en torno a la reforma a nivel de Derecho primario del procedimiento de codecisión: de un lado, con las pautas en las que vimos se estableció desde un comienzo la dialéctica entre eficacia y aumento del ámbito legislativo; por otro, con las instaladas en Niza respecto de la relación entre el acto legislativo y la codecisión. Y ello porque el Tratado Constitucional, por primera vez en la historia de la Europa unida con apoyo de gran parte de los Estados miembros, pretendió impulsar un proceso constituyente.

Este proceso, aunque desde la ortodoxia no pueda considerarse constituyente ni su resultado una Constitución[90], fue innegablemente un salto cualitativo

---

[90]    Martínez Sierra, J.M.: "La Constitución Europea ¿Qué papel cumple en este momento? Una lectura crítica", Documentación Social, nº 134, 2004.

respecto a las reformas anteriormente vistas. Supuso una reformulación global del proyecto, que impactó en buena parte de las dimensiones relacionadas con la institución legislativa aquí estudiada. En lo que más directamente nos atañe, introdujo dos sinergias plenamente novedosas: un replanteamiento general de las fuentes del Derecho europeo, frente al impacto reducido de la inclusión del acto legislativo barajado y rechazado en Niza; y un cambio del reparto de poder de Niza que marginó al Parlamento en la dimensión política y le benefició en la legislativa, al menos según la perspectiva *iuseuropea*.

La andadura que desembocó en el TCEu se inició en la Declaración nº 23 del Tratado de Niza[91]. La Declaración, relativa al futuro de la Unión, y en la cual la Conferencia "apela a un debate más amplio y profundo sobre el futuro de la Unión Europea"[92], establecía una agenda para la CIG venidera y diseñaba el camino a seguir para realizarla.

La agenda incluía cuatro elementos de discusión *a priori*, los cuales se relacionan por el orden de redacción de la predicha Declaración: en primer lugar, el reparto de competencias entre la Unión y los Estados; en segundo lugar, la inclusión de la Carta de Derechos Fundamentales en el Derecho originario; en tercer lugar, el estudio de la posibilidad de acometer la deseada y necesaria simplificación y la reorganización de los Tratados; y en cuarto lugar, la cuestión de la participación de los Parlamentos nacionales en la toma de decisiones de la Unión.

De entre estos cuatro puntos de partida, dos prometían incidencia en el diseño de las fuentes normativas europeas y en el procedimiento de codecisión: el reparto competencial y, de forma sustantiva, la simplificación y reorganización de los Tratados. Constituida la Convención Europea, ambas áreas tendrían un Grupo de Trabajo propio, el V para Competencias Complementarias y el IX para Simplificación.

Debe de recordarse que el sistema institucional no contó con un Grupo de Trabajo específico, debido al deseo inicial de mantener en la materia lo acordado en Niza. Dicho deseo, lejos de tener un impacto menor, provocó el fracaso de la primera CIG sobre el TCEu. La cuestión institucional se incorporó a la Convención a través de la heterodoxa vía de una ampliación de

---

[91]   *Tratado de Niza por el que se modifica el Tratado de la Unión Europea, los Tratados Constitutivos de las Comunidades Europeas y determinados actos conexos*, firmado en Niza el 26 de febrero de 2001, DOCE C 80, de 10 de marzo de 2001.

[92]   Punto 3 de la Declaración nº 23 aneja al *Tratado de Niza*.

la agenda tácita; en concreto, la llevada a cabo por la vía de las aportaciones que se filtrarían en las conclusiones de diversos grupos, y que derivarían en la dimensión más política y menos interesante para el PE, la relativa al reparto del poder, pues le volvió a convertir en adjetivo respecto del reparto del poder en los Consejos.

Ubicados siempre en el *sui generis* "proceso constituyente" del TCEu, pasamos a ver, de forma inmediata, los aspectos planteados y desarrollados en el contexto del debate institucional, en relación con el Parlamento. Ello nos permitirá delimitar negativamente el ámbito del plano más relevante para la codecisión: las fuentes del Derecho y su conexión con los procedimientos legislativos. Dicha tarea se abordará de forma mediata.

## 4.2. La cuestión institucional

La codecisión no fue parte del debate institucional; no lo fue sino hasta el TCEu, punta de lanza de las reivindicaciones del PE, y no lo fue porque, por primera vez, la naturaleza de la norma discutida necesitaba contenido constitucional. Los promotores del TCEu querían legitimar a la Unión con una Constitución. Pero una Constitución, para ser tal, a parte de forma constitucional y procedimiento constituyente, necesita contenido constitucional; en lo que aquí nos importa, necesita un poder legislativo parlamentario. Sin entrar aquí a resolver la pregunta con mayúsculas (¿es el procedimiento de codecisión el instrumento que necesita un Parlamento para convertirse, en el plano legislativo, en la piedra angular del poder constituido como demanda la ortodoxia constitucional?), puede afirmarse que, en la lógica iuseuropeista, incluso parece hoy que en la del PE[93], la colegislación corporeizada en el procedimiento de codecisión es la máxima aspiración del PE en la dimensión legislativa.

Con esto en mente, las escasas fuerzas del PE en la Convención se encontraron a gusto en la estrategia del *Praesidium* en el diseño y la agenda los Grupos de Trabajo. Según ésta, la simplificación de procedimientos, en un contexto

---

[93]   Véase la valoración del Parlamento al TCEu y en específico sobre su papel: "Resolución del Parlamento Europeo sobre el proyecto de Tratado por el que se instituye una Constitución para Europa, y que contiene el dictamen del Parlamento Europeo sobre la convocatoria de la Conferencia Intergubernamental" (CIG) (11047/2003 - C5-0340/2003 - 2003/0902(CNS))

constituyente, solamente podía jugar a favor de la codecisión, por venir una reducción de procedimientos impuesta por mor de mantener la bandera de la simplificación, y por deber la reducción de procedimientos jugar a favor de la codecisión y el PE, para a mantener la bandera de la constitucionalización.

La agenda institucional, como adelantamos, se impuso a través de las contribuciones diversas dentro e incluso fuera de la Convención. Un primer hito destacable fue la denominada propuesta ABC (Aznar-Blair-Chirac), que paradójicamente comenzó un debate constituyente proponiendo una nueva vuelta de tuerca en el giro intergubernamental del sistema político de la Unión, en concreto consolidando al Consejo Europeo. Dicho Consejo se vería finalmente reforzado, tanto en la creación de la figura del Presidente como en lo relativo al poder constituido y de reforma.

Un segundo jalón crucial fue la contribución franco-alemana a la Convención de 22 de enero de 2003. En dicha propuesta, además de reforzar el giro intergubernamental del Consejo Europeo, el PE obtiene un resultado dispar: en el lado positivo, proponiendo que el PE elija al Presidente de la Comisión, requiriéndose la posterior aprobación del Consejo; en el negativo, situar en Mister PESC el derecho de iniciativa en su ámbito.

Posteriormente vendría el tan conocido y controvertido proyecto Penélope, proyecto constitucional global lanzado desde la Comisión Prodi. Siendo un proyecto global, se introduce en la dimensión política del PE proponiendo, no solamente las cuestiones relativas a la elección y remoción de la Comisión, sino abordando la peliaguda cuestión de su mecanismo de elección. En concreto, propone su elección mediante circunscripciones plurinacionales, rompiendo con el sistema electoral nacional, y postulando la existencia de un sistema electoral mixto en el que una parte procederá de listas europeas.

El *Praesidium* de la Convención recogió el tema de las instituciones, lanzado entre otras por las contribuciones mencionadas, y lo introdujo formalmente en la agenda de la Convención en el documento de debate de la sesión plenaria del 20 y 21 de enero de 2003[94]. En él se abordan los temas relativos al juego Consejos-Comisión, dejando las cuestiones políticas del PE al margen. Posteriormente, el debate institucional desaparecería, incluso del proyecto de los artículos institucionales del TCEu, de 26 de febrero del 2003[95]. Esta

---

[94]    CONV 477/03.
[95]    CONV 571/03.

actitud vino promovida por el Presidente de la Convención que decidió asumir, también en esta cuestión, el papel estrella presentando personalmente el proyecto de artículos institucionales, lo cual tendría lugar en la sesión plenaria celebrada los días 24 y 25 de abril de 2003[96].

El proyecto de Giscard d'Estaing marginó la posibilidad de aumentar la dimensión política del PE por partida doble. Por un lado, manteniendo el papel de los lugares comunes con pequeñas formulaciones; por otro, realizando una propuesta institucional que reabría el reparto del poder de Niza. Al proponer el sistema de doble mayoría en el Consejo y romper los nudos del reparto del poder trabados en Niza, provocó una focalización de la cuestión institucional sobre este aspecto. Tanto fue así que, como adelantamos, la cuestión se arrastraría hasta provocar el fracaso de la primera CIG relativa al TCEu.

Por su parte el PE, como apuntamos y frente a lo ocurrido en otros procesos de creación de los Tratados, no tuvo un papel reivindicativo destacable. Esta realidad puede resultar paradójica si consideramos que la institución gozó, por primera vez, de un papel en el proceso de la creación de tratados, a través de la hasta entonces inexistente Convención. Pero precisamente por adquirirlo, el PE asumió un papel "constituyente". De ello dejan buena muestra parte de sus Resoluciones durante el proceso: de 16 de mayo de 2002 sobre la delimitación de competencias entre la Unión Europea y los Estados miembros[97], de 14 de marzo de 2002 sobre la personalidad jurídica de la Unión Europea[98], de 7 de febrero de 2002 sobre las relaciones entre el Parlamento Europeo y los Parlamentos nacionales en el marco de la construcción europea[99], y de 14 de enero de 2003 sobre el papel de los poderes regionales y locales en la construcción europea[100].

La asunción de este papel "constituyente", además de plasmarse en la realización de aportaciones desde una perspectiva global, destacó por la máxima cautela en lo relativo a sus reivindicaciones. Dicha cautela se justificó en la reacción refleja de "responsabilidad" que asume el PE en las ocasiones en las que se le otorga un salto cualitativo en su rol institucional, como ocurrió con

---

[96]   CONV 601/03
[97]   DO C 180 E de 31-07-2003, p. 493.
[98]   DO C 47 E de 27-02-2003, p. 594.
[99]   DO C 284 E de 27-02-2003, p. 322.
[100]  P5_TA (2003), p. 9.

la codecisión o el procedimiento presupuestario. Pero la cautela también se justificó en la creencia de que la mejora en codecisión se produciría por la vía de la simplificación. Y ambas terminaron transformándose en una actitud conformista, tanto durante la negociación del TCEu como en la valoración final del mismo.

En la valoración benevolente que el PE hizo del TCEu[101], destaca ciertamente la cosideración de la notable ampliación del ámbito de la codecisión, que "significa un progreso esencial hacia una mayor legitimidad democrática de las actividades de la Unión"[102]. Lo cual no obsta para que se demande una evolución similar en el futuro.

También le merece una valoración positiva la elección del Presidente de la Comisión Europea por el Parlamento Europeo, y subraya que "dicha elección significa un paso importante hacia un mejor sistema de democracia parlamentaria a nivel europeo"[103].

Señala que el proyecto de Constitución introduce otras mejoras importantes en el proceso de toma de decisiones y de elaboración de políticas, a saber: el hecho de que el Consejo Legislativo y de Asuntos Generales (si bien no en calidad de Consejo legislativo enteramente independiente), abra la posibilidad de reunirse en público a la hora de llevar a cabo sus tareas legislativas. Dicha valoración implica infravalorar, aunque se mencione, que el núcleo fundamental de la adopción legislativa en el Consejo seguirá siendo una caja negra (grupos de trabajo y conciliación), así como olvidar la discrecionalidad del Consejo para actualizar la previsión y la no imposición del carácter electo de sus miembros en el comité de conciliación.

Otra valoración positiva se otorga al hecho de que los acuerdos internacionales y la política comercial común, requieran ahora como regla general el dictamen conforme del Parlamento Europeo. Dicha valoración se basa más en el deseo de salir del ostracismo histórico al que el PE ha sido sometido en dicho ámbito, el cual ciertamente, bien podía haber buscado la participación plena de un sistema parlamentario dualista.

---

[101]   "Resolución del Parlamento Europeo sobre el proyecto de Tratado por el que se instituye una Constitución para Europa, y que contiene el dictamen del Parlamento Europeo sobre la convocatoria de la Conferencia Intergubernamental" (CIG) (11047/2003 - C5-0340/2003 - 2003/0902(CNS)).

[102]   *Ibid.*, punto 5.

[103]   *Ibid.*, punto 6.

En un plano más específico de reparto del poder, el PE quiso ver y se congratuló de la desaparición del vínculo entre la ponderación de votos en el Consejo y el reparto de escaños en el Parlamento Europeo, establecido en el Protocolo sobre la ampliación de la Unión Europea anexo al Tratado de Niza; apoyó el sistema establecido en el proyecto de Constitución, por lo que se refiere a la futura composición del Parlamento Europeo, y sugirió que se aplique sin demora, dado que constituía un elemento esencial del equilibrio global entre los Estados miembros en las diferentes instituciones.

Se congratuló igualmente de la introducción de la cláusula de la "pasarela", que permite al Consejo Europeo hacer uso del procedimiento legislativo ordinario en los casos en que están previstos procedimientos especiales, después de consultar al Parlamento Europeo y de informar a los Parlamentos nacionales. Olvidando curiosamente que dar tal poder al Consejo Europeo o a otra institución es, por la desvirtuación de la naturaleza de la reforma y la rigidez constitucional, una agresión en la línea de flotación de la naturaleza constitucional del TCEu. Además, otorgar dicho poder y otros al Consejo Europeo es justamente ir contra un sistema parlamentario.

Abundando en el contexto de la configuración del poder de reforma, su valoración fue dispar. Por un lado, se felicitó de la disposición que prevé que el PE disponga en lo sucesivo del derecho de proponer modificaciones constitucionales y, además, de dar su aprobación a cualquier iniciativa destinada a modificar la Constitución sin convocar una Convención, porque le permitirá ejercer un control de hecho sobre el uso de este nuevo instrumento de revisión constitucional. Constitución que realiza sin mencionar las repercusiones negativas que ello puede tener para la naturaleza constitucional. Sin embargo, lamentó que siga requiriéndose la unanimidad de los Estados miembros, así como la ratificación por los Parlamentos nacionales u otros requisitos constitucionales, para que puedan entrar en vigor incluso enmiendas constitucionales de menor importancia; deplorando enérgicamente que no esté prevista sistemáticamente la aprobación del Parlamento Europeo para la entrada en vigor de nuevos textos constitucionales después de su adopción.

Solamente hubo, dentro del plano estudiado, un atisbo de crítica en relación con la preocupación por las respuestas insatisfactorias a algunas cuestiones fundamentales, que el Parlamento Europeo había señalado claramente en sus anteriores resoluciones, tales como: la supresión de la unanimidad requerida en el Consejo en algunos sectores vitales, en particular en la Política Exterior y de Seguridad Común (al menos en lo que respecta a las propuestas formuladas por el Ministro de Asuntos Exteriores de la Unión con el apoyo de la Comisión) y en algunos ámbitos de la política social.

Todo ello, junto con la lectura igualmente benevolente del resto del TCEu, hizo que el PE apoyase dicho texto frente a la CIG. Este apoyo, como la actitud mantenida durante la Convención, solamente puede entenderse desde la visión de que el momento histórico demanda el sacrificio institucional en favor del salto constitucional, y la creencia en que las mejoras de la ampliación de los ámbitos legislativos de la codecisión servirá para la consolidación futura de un parlamentarismo *sui generis*.

## 4.3. Las ¿nuevas? fuentes del Derecho europeo

Como se deduce de lo dicho hasta aquí, la simplificación y reorganización de los Tratados resultó una dimensión cupular en el tema estudiado pese a que, desde un comienzo, tanto en la Declaración del Tratado de Niza como en su desarrollo en Laeken[104] se encargaron de explicitar que la necesaria simplificación de los actuales tratados se debería realizar "sin cambiar su contenido".

El juicio sobre si se cambió el contenido en la reestructuración de las fuentes del Derecho europeo tiene esencialmente dos momentos. El momento constitucional genérico, que se produce por la propia existencia o inexistencia de tal naturaleza en la norma; el momento específico de la regulación de la normativa infraconstitucional, el denominado Derecho derivado. Siendo los dos momentos decisivos, nos ocupamos aquí solamente del segundo, no sin antes remitirnos a nuestro posicionamiento sobre el primero.

El momento constitucional genérico, para un sistema constitucional continental articulado sobre una Constitución escrita, es el momento estelar en todas las dimensiones constitucionales, también en lo relativo a las fuentes del Derecho. La Constitución es la norma de normas, la fuente de fuentes, es la génesis incontrovertible de la producción normativa. Así, cuando existe una Constitución, con independencia de que su realidad exceda con mucho las repercusiones en el plano ahora estudiado, ofrece un nuevo panorama global en el sistema de fuentes.

---

[104]  En detalle H. Voss y E. Bailleul, *The Belgian Presidency and the post-Nice process after Laeken*, ZEI Discussion Paper, C 102, 2002, pp. 5-8.

El reconocimiento de un nuevo frontispicio en la regulación y producción normativa pasa, consecuentemente, por la existencia de la Constitución. En nuestro caso, ya hemos tenido ocasión de negar la naturaleza constitucional del TCEu, tanto atendiendo a la dimensión formal (la naturaleza del poder constituyente que la crea y el procedimiento seguido en su creación), como a la material (su contenido), así desde una lectura global[105], como haciendo énfasis, por su particular importancia, en la tan sobrevalorada Carta de Derechos Fundamentales[106].

Afirmada la negación de la naturaleza constitucional del TCEu, e implícita la pérdida de parte de su fuerza en el sistema de fuentes, podemos pasar a la otra parte: la regulación concreta de las fuentes del Derecho derivado. No sin antes recordar que, incluso aquellos autores que han defendido la naturaleza constitucional del TCEu, no dejan de reconocer déficits, como la clarificación del poder último regulador de la norma del sistema, que precisamente y aunque no se explicite, juega contra la consideración constitucional. En esta línea Balaguer afirma que: "Como quiera que la Constitución es el factor regulador del sistema de fuentes, los déficits constitucionales se reflejan necesariamente en el conjunto del sistema. La clarificación del poder último regulador, de la "norma fundamental" del sistema, por utilizar los términos kelsenianos, es importante para determinar las relaciones internas entre las fuentes, su régimen jurídico, y las relaciones con los ordenamientos estatales. A medida que avance el proceso de constitucionalización y se aclare este extremo fundamental, se podrá ir simplificando el sistema y ganando en seguridad jurídica"[107].

Entrando en la regulación específica del sistema de fuentes en el TCEu, debemos remitirnos al primer precepto del Capítulo I (Disposiciones Comunes) del Título V (Del Ejercicio de las Competencias de la Unión), el artículo I-33 que versa sobre los "Actos jurídicos de la Unión". Su apartado primero preceptúa: "Las instituciones, para ejercer las competencias de la Unión, utilizarán los siguientes instrumentos jurídicos, de conformidad con la Parte III: la ley europea, la ley marco europea, el reglamento europeo, la decisión europea, las recomendaciones y los dictámenes".

---

[105]   J. M. Martínez Sierra, "La Constitución Europea ¿Qué papel cumple en este momento? Una lectura crítica", *Documentación Social*, nº 134, 2004.

[106]   J. M. Martínez Sierra, "La Carta de Derechos Fundamentales", en *La Constitución destituyente de Europa. Razones para otro debate constitucional*, Libros de la catarata, Madrid, 2005.

[107]   F. Balaguer Callejón, "El sistema de fuentes en la Constitución Europea", *Revista de Derecho Constitucional Europeo*, nº 2, 2004, p. 64.

Si partimos de la base de que el precepto mencionado aclara que "las recomendaciones y los dictámenes no tendrán efecto vinculante", encontramos que la ley europea, la ley marco europea, el reglamento europeo y la decisión europea son los únicos instrumentos a considerar en el estudio del nuevo sistema de fuentes. Nuevo, *a priori* y, cuando menos, desde su dimensión formal. Baste para sostenerlo su contraste con la clásica denominación de los instrumentos de Derecho derivado (artículo 249 (antiguo artículo 189) TCE), a saber: reglamento, directiva, decisión, recomendación y dictamen. Así, partiendo de la base de que la recomendación y el dictamen tampoco tenían carácter vinculante en el TCE, observamos cómo la triada normativa clásica cambia su denominación en el TCEu, incluyéndose *ex novo* el "reglamento europeo", que como veremos de forma inmediata no es el reglamento comunitario clásico.

Además, fuera del citado artículo I-33 que versa sobre los "Actos jurídicos de la Unión" y que podemos considerar hasta nueva especificación actos legislativos, nos encontramos los actos delegados y los actos de ejecución. El artículo I-36, que versa sobre los "Reglamentos europeos delegados" contendría los primeros; en concreto, establece en su apartado primero que "Las leyes y leyes marco europeas podrán delegar en la Comisión los poderes para adoptar reglamentos europeos delegados que completen o modifiquen determinados elementos no esenciales de la ley o ley marco". Por su parte el artículo I-37, continente de los "Actos de ejecución", establece: "Los Estados miembros adoptarán todas las medidas de Derecho interno necesarias para la ejecución de los actos jurídicamente vinculantes de la Unión. [...] Cuando se requieran condiciones uniformes de ejecución de los actos jurídicamente vinculantes de la Unión, éstos conferirán competencias de ejecución a la Comisión".

En consecuencia tenemos, desde un punto de vista formal, un sistema de fuentes con apariencia constitucional, en lo referido a los actos legislativos. Esto, sin duda, tiene un efecto legitimador en la perspectiva de la ciudadanía, precisamente el efecto buscado. No es lo mismo hablar de Constitución que de Tratado, como no lo es hablar de Ley que de Directiva. Se trata, por consiguiente, de ver si la naturaleza jurídico-constitucional de los instrumentos normativos incluidos en el TCEu tiene el contenido constitucional que presume su continente constitucional. Para, posteriormente, analizar si su procedimiento de desarrollo es igualmente el adecuado para la naturaleza constitucional, por ponerlo en términos sencillos: si el contenido legal se reserva al Parlamento, si el Parlamento legisla en exclusiva.

## 4.3.1. *Sobre los actos legislativos*

En primer lugar, según el apartado primero del artículo I-33 TCEu la *ley europea* es un acto legislativo de alcance general. Será obligatoria en todos sus elementos y directamente aplicable en cada Estado miembro. Con lo cual, la nueva ley europea sustituye en todos sus elementos al antiguo reglamento TCE[108]. Dicha formulación contiene los elementos propios de la Ley ortodoxa desde la perspectiva constitucional, en tanto implica un grado suficiente de generalidad y abstracción[109]. Sin embargo, la praxis comunitaria ha demostrado, en la vida de su *alter ego* pretérito, el reglamento (del que trae causa esta ley europea), que detrás de tales características puede esconderse en muchos casos una regulación específica opuesta a la generalidad intrínseca a la Ley[110].

La *ley marco europea*, según el mencionado precepto, es un acto legislativo que obliga al Estado miembro destinatario en cuanto al resultado que deba conseguirse, dejando a las autoridades nacionales la competencia de elegir la forma y los medios para lograrlo. De suerte tal que la nueva ley marco europea sustituye en todos sus elementos a la antigua directiva[111]. Frente a la ley, al ir dirigida a los Estados y no poder imponer obligaciones y otorgar derechos a los particulares, adolece del carácter completo, tanto formal como material, de aquélla. Junto con dicho aspecto, la única dimensión vinculante es el resultado final, que depende en última instancia, bien de un plazo determinado, bien (de no existir aquél) de la voluntad de los destinatarios de la ley marco. La discrecionalidad de los Estados en la transposición de la norma no permite otorgar a la ley marco (como a la directiva) la condición de norma jurídica plena[112].

---

[108]   "El reglamento tendrá un alcance general. Será obligatorio en todos sus elementos y directamente aplicable en cada Estado miembro". Artículo 249 (antiguo artículo 189) TCE.

[109]   J.A. Montilla Martos, *Las leyes singulares en el ordenamiento constitucional español*, Civitas, Madrid, 1994, p. 41.

[110]   J. Alguacil González-Aurioles, "Las fuentes del derecho en el Tratado por el que se establece una Constitución para Europa", *Teoría y Realidad Constitucional*, nº 15, 2005, p. 349.

[111]   "La directiva obligará al Estado miembro destinatario en cuanto al resultado que deba conseguirse, dejando, sin embargo, a las autoridades nacionales la elección de la forma y de los medios". Artículo 249 (antiguo artículo 189) TCE.

[112]   Una versión acabada de la naturaleza jurídica de la directiva, que incluye la visión aquí expuesta, en J. Alguacil González-Aurioles, *La directiva comunitaria desde la perspectiva constitucional*, Centro de Estudios Constitucionales, Madrid, 2004.

Las deficiencias constitucionales de la configuración de los instrumentos considerados legislativos por el TCEu tienen continuidad si las observamos desde la institución de la reserva de ley. Como afirma Balaguer: "ni la reserva de ley, ni la ley expresan en el ordenamiento europeo el sentido que tienen en los ordenamientos estatales"[113]. Efectivamente, como expusiese con brillantez Ignacio de Otto, el principio democrático es fundamental para entender la configuración del sistema de fuentes y, específicamente, la posición de la ley en el ordenamiento[114]. La lógica democrática hace residenciar en la voluntad general, expresada en sede parlamentaria, un monopolio de desarrollo de la Constitución que adquiere la forma de ley, cubriendo los desarrollos más sensibles con mayorías cualificadas que acompasan el procedimiento con el contenido constitucional de desarrollo al que éste sirve.

Igualmente, el principio democrático despliega sus efectos procesales en la ley, articulando la voluntad mayoritaria y la de las minorías a través de la reserva de ley, dado que la ley es también expresión de las garantías formales que hacen posible la expresión del pluralismo[115]; pues la minoría no solamente participa en la producción legislativa, sino también y con gran importancia en su control.

La conexión ínsita entre democracia y ley necesita del Parlamento. En la Europa unida siempre ha habido falta de Parlamento. Por ello su sistema de fuentes, aunque quisiese, que no quiere, no podía servir al principio democrático ni al garantismo de una Carta de Derechos Fundamentales que tampoco existía. Se plegó en su defecto a las servidumbres del Derecho económico y se articuló en torno al principio de reparto competencial, que trae causa de un sistema institucional ajeno al parlamentario. Y en este viaje se quedó otra característica intrínseca del sistema de fuentes constitucional: la jerarquía. "El resultado de este tipo de técnicas es que se desdibujan los caracteres típicos de la ley en los ordenamientos estatales. Así por ejemplo, no se reconoce una potestad general al poder legislativo ni tampoco existe una habilitación para que el legislador supla los supuestos en que no haya previsión constitucional del tipo de fuente que debe utilizarse. Tampoco se percibe de una manera clara la articulación jerárquica entre la ley y el reglamento, a través de un

---

[113]   F. Balaguer Callejón, "El sistema de fuentes en la Constitución Europea", *cit.*, p. 74; C. de Cabo, *Sobre el concepto de ley*, Trotta, Madrid, 2001, pp. 60 y ss.

[114]   I. de Otto, *Derecho Constitucional. Sistema de Fuentes*, Ariel, Barcelona, 1987, p. 140 y ss.

[115]   F. Balaguer Callejón, *Fuentes del Derecho*, Tecnos, Madrid, 1992, vol. II, pp. 54 y ss.

concepto como el de fuerza de ley. De hecho, junto a las reservas establecidas para la ley en la Constitución, existen otras reservas para reglamentos y para otro tipo de actos. Por otro lado, la previsión de una vinculación directa entre la Constitución y el reglamento forma parte también de las previsiones del Tratado; de tal manera que se consolida un tipo de reglamento (el reglamento independiente) que no es aceptado en muchos ordenamientos estatales basados en un sistema parlamentario de gobierno. No queda claro, en todo caso, en qué medida podría el legislador sobreponer sus mandatos a este tipo de fuentes en esos ámbitos"[116].

### 4.3.2. *Sobre los actos no legislativos y la administrativización de la ley*[117]

La *decisión europea*, según el TCEu, es un acto "no legislativo" obligatorio en todos sus elementos. Cuando designe destinatarios, sólo será obligatoria para éstos. Vemos aquí cómo la nueva decisión europea sustituye en casi todos sus elementos a la antigua decisión, aunque varíe la redacción en beneficio de la claridad de la norma respecto al TCE[118], estableciendo además la posibilidad de decisiones no dirigidas a sujetos concretos. En cualquier caso y de forma general, las decisiones carecen de la generalidad característica de los actos legislativos ortodoxos, no solamente por su finalidad sino también por su régimen de publicación. Así, como disciplina el apartado segundo del artículo I-39, los reglamentos europeos y las decisiones europeas que no indiquen destinatario se publicarán en el Diario Oficial de la Unión Europea y entrarán en vigor en la fecha que ellos mismos fijen o, en su defecto, a los veinte días de su publicación, careciendo de tal requisito el resto, es decir, las que tengan un destinatario, pues ahí se cerrará el circuito normativo con la notificación.

Tenemos así el tercer cambio de denominación respecto a los antiguos instrumentos de Derecho derivado, sin ninguna alteración sustancial en su naturaleza, sin ningún giro constitucional en la misma.

---

[116]    F. Balaguer Callejón, "El sistema de fuentes en la Constitución Europea", *cit.*, p. 75.

[117]    Tomamos el concepto e intentamos la doctrina C. de Cabo, *Sobre el concepto de ley*, *cit.*, pp. 84 y ss.

[118]    "La decisión será obligatoria en todos sus elementos para todos sus destinatarios". Artículo 249 (antiguo artículo 189) TCE.

Tal panorama sufre un punto de inflexión (por la novedad que no en lo relativo al giro constitucional) con la novedosa introducción del *reglamento europeo*. Este instrumento normativo, según disciplina el apartado primero del artículo I-33 TCEu, "es un acto no legislativo de alcance general que tiene por objeto la ejecución de actos legislativos y de determinadas disposiciones de la Constitución. Podrá bien ser obligatorio en todos sus elementos y directamente aplicable en cada Estado miembro, o bien obligar al Estado miembro destinatario en cuanto al resultado que deba conseguirse, dejando, sin embargo, a las autoridades nacionales la competencia de elegir la forma y los medios".

También es destacable que el apartado cuarto del artículo I-37 explicite que "Los actos de ejecución de la Unión revestirán la forma de *reglamento europeo de ejecución* o de *decisión europea de ejecución*", lo cual hace surgir una "decisión europea de ejecución" que *ratione materiae* no tiene diferencia alguna respecto al reglamento, ni encuentra ninguna otra de índole jerárquico. A su vez, el *reglamento europeo de ejecución* plantea su confusión particular respecto del *reglamento europeo* del artículo I-33. Atendiendo a una interpretación literal del apartado primero del artículo I-33[119], este *reglamento europeo* también es de ejecución.

La atomización del sistema normativo se cierra en la parte tercera con un bombardeo de remisiones expresas a reglamentos, remisiones que en su mayor parte toman esa base jurídica habilitante directamente de la Constitución[120]; es decir sin ninguna conexión con desarrollo legal alguno. No traen causa de la ley sino de la Constitución como la propia ley, dando lugar a lo que algunos han comparado con los reglamentos independientes,[121] aunque los europeos no guardan la relación subsidiaria respecto a la regulación de los reglamentos independientes españoles[122].

Como el reglamento recién analizado, tampoco responden a la naturaleza jurídica del reglamento los "reglamentos directiva", valga la expresión; es

---

[119]   "El reglamento europeo es un acto no legislativo de alcance general que tiene por objeto la ejecución de actos legislativos y de determinadas disposiciones de la Constitución", apartado primero del artículo del I-33 TCEu.

[120]   K. Lenaerts y P. Van Nuffel, *Constitucional Law of the European Union*, Thomson, pp. 762-792.

[121]   J. Alguacil González-Aurioles, "Las fuentes del derecho en el Tratado por el que se establece una Constitución para Europa", *cit.*, p. 358.

[122]   Sobre la naturaleza jurídica de estos, F. Balaguer Callejón, *Fuentes del Derecho, cit.*

decir, aquéllos que no son obligatorios en todos sus elementos. El hecho de que la fuente normativa no sea la ley marco (actual directiva) no responde solamente a la distinción ortodoxa de fuente de Derecho, sino al deseo de sacar algunos desarrollos normativos del procedimiento ordinario al que está sometida la ley marco, el de codecisión, sacando con ello del mismo al Parlamento Europeo.

Estamos pues, de nuevo, ante una estafa semántico-constitucional. Si algo está claro en el sistema de fuentes constitucional ortodoxo[123], es que la ley es el instrumento que primero desarrolla la Constitución y, segundo, determina el ámbito y alcance del reglamento que ha de hacer tomar tierra a la propia ley. Pues en el TCEu no se da ni lo uno ni lo otro; ni el reglamento está subordinado a la ley, ni tiene vedado el desarrollo constitucional.

Tampoco resulta pacífica la figura de los *reglamentos europeos delegados* que, como vimos, introduce el artículo I-36. Según este precepto, este tipo de reglamentos no tienen naturaleza legal pero pueden completar o modificar elementos no esenciales de una ley o de una ley marco. Desde el punto de vista constitucional, puede decirse que el TCEu inocula las garantías constitucionales de la delegación legislativa. Pero ocurre que el juego de las leyes marco y la transposición de éstas por los legisladores competentes de los Estados miembros pueden plantear problemas particulares.

Como se ha observado con brillantez[124], dichos problemas se pueden generar en relación con el ámbito material del reglamento delegado, cuando la delegación se produzca para completar o modificar elementos no esenciales de la ley marco. Como se debe deducir de su configuración, la ley marco deberá contener exclusivamente los elementos esenciales de regulación de una materia; luego el reglamento delegado tendrá vedada la regulación de los elementos esenciales, y tampoco puede invadir el ámbito competencial de los Estados. Así, pueden plantearse problemas competenciales en el caso de la ley marco, porque el reglamento delegado regule elementos esenciales, invadiendo el ámbito de la ley marco y la prohibición constitucional, o bien porque regule aspectos no esenciales invadiendo el ámbito competencial de los Estados.

---

[123]   I. de Otto, *Derecho Constitucional. Sistema de Fuentes, cit.*, p. 229 y ss.
[124]   Seguimos aquí a F. Balaguer Callejón, "El sistema de fuentes en la Constitución Europea", *cit.*, p. 78.

## 4.3.3. *Balance*

Esta pluralidad de perspectivas permite concluir que con el TCEu estamos ante una desnaturalización de las fuentes constitucionales del Derecho. Esta desnaturalización de las fuentes y de los instrumentos normativos responde primordialmente a tres elementos que exponemos sin presuponer la mayor importancia constitucional de ninguno, aunque el tercero tenga mayor relevancia en nuestro estudio.

En primer lugar, la propia desnaturalización de la norma constitucional. La parte tercera del TCEu, en gran parte, tiene naturaleza infraconstitucional, incluso infralegal[125], de ahí que tenga sentido no activar al legislador cualificado y a la ley atendiendo a la naturaleza reglamentaria de la propia base constitucional. Pero que dicha solución tenga alguna lógica no quiere decir que el problema no habría que haberlo resuelto en sede constitucional, dando a dicha norma exclusivamente el contenido que le es propio.

En segundo lugar, dicha desnaturalización se nutre de la preponderancia del reparto competencial sobre las fuentes, el cual responde a la instrumentalización de la finalidad económica de la norma. El sistema de integración funcionalista europeo se caracteriza por un sometimiento del Derecho al proyecto económico y, como deja constancia lo dicho hasta aquí y la parte tercera del TCEu, por un sometimiento de las fuentes del Derecho al reparto competencial. Esto difiere de la lógica constitucional: "Las normas competenciales dotadas de un componente dinámico del Derecho comunitario están al servicio de la realización gradual de los fines de la Comunidad; las normas de competencia de estructura estática de nuestras constituciones tienen como fin la transparencia y la moderación del poder"[126].

En tercer lugar, dicha desnaturalización trae causa de la compleja relación de fuerzas del sistema político de la Unión[127]. Como ya hemos adelantado, uno de los logros más publicitados de este Tratado Constitucional es haber hecho

---

[125] En detalle, J. M. Martínez Sierra, "La Constitución Europea ¿Qué papel cumple en este momento? Una lectura crítica", *Documentación Social*, nº 134, 2004.

[126] A. López Pina, "Las tareas públicas en la Unión Europea", Revista de Derecho Comunitario Europeo, nº 4, 1998, p. 2.

[127] Sobre el particular, J. M. Martínez Sierra, "La reforma institucional de la Unión Europea: el Camino de la Legitimidad en Europa", *Revista Electrónica de Derecons*, nº 1; J. M. Martínez Sierra, "La gobernanza en la Constitución Europea", *Agora*, nº 12, 2005.

del procedimiento de codecisión el procedimiento legislativo ordinario, en la medida que ello conlleva la supuesta parlamentarización del sistema político. Sin embargo, sin haber adelantado el ámbito competencial del procedimiento, en el TCEu destaca la pluralidad de actores legitimados para adoptar actos normativos, tanto reglamentos como decisiones, así: la Comisión, el Consejo, el Banco Central Europeo, el Consejo Europeo, por no olvidar la carga introducida hacia los Estados miembros, demandando que adopten todas las medidas de Derecho interno necesarias para la ejecución de los actos jurídicamente vinculantes de la Unión (*Vid.* arts. 35, 36 y 37 de la Primera parte del TCEu). En resumen, el sistema de fuentes es gregario de un sistema político no constitucional, y desde luego no parlamentario, donde la selección de las bases jurídicas y su conexión con los instrumentos normativos no responden a la lógica del reparto de poder horizontal ortodoxo.

Como afirma Carlos de Cabo[128], no se pueden entender las fuentes del Derecho desde una dimensión positivista, exclusivamente técnica y aséptica. La realidad histórica y política son condicionantes esenciales. Las fuentes del Derecho en el sistema normativo europeo, tras el TCEu, siguen siendo gregarias de un modelo económico y de integración y, por ello, no pueden poseer contenido constitucional por más que adopten denominaciones contitucionales. Pero ello no solamente se aprecia en las partes primera y tercera del TCEu (como ya hemos visto), sino también en la segunda. En concreto, en el único punto de conexión entre las fuentes del Derecho y la denominada Carta de Derechos Fundamentales, a saber: la libertad para negociar y concluir acuerdos colectivos. Libertad que por su contenido material y por las cláusulas horizontales de aplicabilidad de la Carta, queda alejada de la codecisión[129].

### 4.4. Los procedimientos existentes y las fuentes regidas por codecisión

El texto del TCEu asume, en lo relativo a los procedimientos legislativos, la simplificación propuesta por el Grupo de Trabajo V: Simplificación a la

---

[128]    C. de Cabo, "Las fuentes del Derecho. Apunte sistemático", en *Contra el Consenso. Estudios sobre el Estado Constitucional y el constitucionalismo del Estado social*, UNAM, México, 1997, p. 286; C. de Cabo, *Sobre el concepto de ley, cit.*, pp. 15-27.

[129]    J. M. Martínez Sierra y A. Guamán Hernández, "Fuentes del Derecho y acuerdos colectivos: entorno al contexto y texto del artículo II-88 del Tratado por el que se establece una Constitución para Europa", *Agora*, nº 12, 2005.

Convención y posteriormente por ésta a la CIG. Por un lado, se crean los "procedimientos legislativos especiales", que incluyen dos de los procedimientos existentes en los Tratados hasta Niza: el procedimiento de dictamen simple y el de dictamen conforme.

Por otro lado, el TCEu inocula la denominación "procedimiento legislativo ordinario" que es simplemente dar una nueva denominación al anteriormente llamado "procedimiento del artículo 251" por el Tratado TCE, que no es otro que el denominado procedimiento de codecisión en la jerga comunitaria y iuseruopea. Este cambio de denominación, como pasamos a ver de inmediato, no implicó ningún cambio en el procedimiento.

Por último y en clara conexión con lo anterior, se elimina el procedimiento de cooperación, pasando los cuatro ámbitos hasta ahora recogidos en él al procedimiento legislativo ordinario (*Vid.* tabla 3).

La identificación entre las fuentes y el procedimiento legislativo se encuentra en el primer apartado del artículo I-34: "El Parlamento y el Consejo de Ministros, a propuesta de la Comisión, adoptarán conjuntamente las leyes y las leyes marco europeas según el procedimiento legislativo ordinario descrito en el artículo III-396". Es el artículo III-396 (*Vid.* anexos) el que recoge el procedimiento de codecisión, y lo hace, como ya hemos adelantado, guardando prácticamente la literalidad del artículo 251 del Tratado CE.

La única diferencia destacable introducida en el nuevo articulado, en concreto en el apartado tercero del artículo III-396, es denominar "posición en primera lectura" del Parlamento a lo que el TCE denomina "enmiendas". Aunque dicha modificación no altere materialmente las prerrogativas de la institución parlamentaria en el procedimiento de codecisión, el PE ha querido ver con ello el establecimiento de una mayor igualdad respecto de la "posición común" del Consejo[130], posición que como veremos en detalle cierra la primera lectura del procedimiento por parte del Consejo. Igualdad en cualquier caso formal, pues el PE (como el Consejo) mantiene sobre dicho momento procedimental las mismas prerrogativas, llámese "enmiendas" o "posición".

Con lo dicho hasta ahora podría llegar a considerarse que, si hacemos salvedad de la lectura constitucional de las fuentes realizada, el TCEu ha racionalizado las fuentes de la mejor forma posible, situando el procedimiento

---

[130] *Informe de actividades de las delegaciones en el Comité de Conciliación*, del 1 de mayo de 1999 al 30 de abril de 2004 (5ª Legislatura), DV\530227ES.doc, PE 287.644, p. 32.

"más parlamentario" en las normas de carácter "más legal". Pero no toda ley o ley marco son objeto de codecisión. El apartado segundo del artículo I-34 precisa que, en algunos casos explícitamente previstos por la Constitución, podrán adoptarse leyes o leyes marco europeas únicamente por el Consejo o, con menor frecuencia, solamente por el Parlamento Europeo, y no conjuntamente por ambas instituciones. Se tratará de leyes o leyes marco del Consejo adoptadas previa aprobación por el Parlamento o consulta al mismo o, inversamente, de leyes o leyes marco del Parlamento adoptadas previa aprobación del Consejo.

Esta dualidad afecta a la Comisión como tercera institución implicada en el procedimiento. Así, por ejemplo, vemos cómo las referencias a la propuesta de la Comisión y al procedimiento de codecisión quedan absorbidas por la única mención de la ley o la ley marco. Por lo tanto, cuando un artículo hace referencia a una ley o a una ley marco, se sobreentiende automáticamente que se aplica el procedimiento legislativo ordinario. Si por el contrario se trata de una ley o de una ley marco del Consejo o del Parlamento, se aplica un "procedimiento legislativo especial".

Estos "procedimientos legislativos especiales" no vienen identificados ni desarrollados en el TCEu al modo de lo establecido en el artículo III-396 para el procedimiento legislativo ordinario. Para identificarlos debemos estar nuevamente, como en los Tratados que se pretenden simplificar, a cada base jurídica. Y entrando en este territorio nos encontramos que dichos procedimientos legislativos especiales afectan todavía a un significado número de bases jurídicas, cubriendo parte de los ámbitos recogidos en los antiguos procedimientos de consulta, cooperación y dictamen conforme.

En concreto, afectarán a los ámbitos siguientes (*Vid.* Tabla 4-A): justicia y asuntos de interior, por ejemplo, en todo lo referente a la Fiscalía Europea, la cooperación policial operativa, las medidas relativas a los pasaportes, las tarjetas de identidad y los permisos de residencia, así como al Derecho de familia, que tengan repercusiones transfronterizas; presupuesto (recursos propios, marco financiero plurianual, etc.) y fiscalidad (movimiento de capitales con los terceros países y armonización de las legislaciones relativas a los impuestos indirectos); aspectos precisos de determinadas políticas, como las medidas medioambientales de tipo fiscal, los programas de investigación y desarrollo tecnológico (mientras que el programa marco plurianual se adopta mediante el procedimiento legislativo ordinario), la seguridad social y la protección social de los trabajadores.

Este estado de "regla en excepción", que va contra la perseguida simplificación que impulsó todo lo ahora expuesto, manifiesta lo voluntarista de la denominación del procedimiento como "ordinario". El mantenimiento de estos procedimientos especiales pone de manifiesto el fracaso de hacer del procedimiento ordinario un procedimiento común y de eliminar los procedimientos más iusinternacionales del sistema de toma de decisiones europeo. En consecuencia, pone de manifiesto el fracaso de la constitucionalización del sistema de toma de decisiones en los procedimientos legislativos, incluso en el caso de considerar al procedimiento de codecisión como un procedimiento legislativo desarrollado en una sede parlamentaria bicameral, recipiendaria de una doble legitimidad: la de los pueblos y la de los Estados.

La mayor constatación del reconocimiento del fracaso y la anomalía de los procedimientos legislativos especiales es la inclusión, junto a ellos, de las "pasarelas". Las pasarelas permiten extender el ámbito de aplicación del voto por mayoría cualificada y del procedimiento legislativo ordinario a los ámbitos competenciales inicialmente regidos por los procedimientos legislativos especiales, sin necesidad de esperar a una nueva apertura de Convención-CIG y ratificación por todos los Estados.

El artículo IV-444 del Tratado Constitucional contiene el funcionamiento de lo que se ha dado en llamar "pasarela general". Según el procedimiento establecido, el Consejo Europeo, por unanimidad y previa consulta al Parlamento Europeo, puede autorizar la aplicación del procedimiento legislativo ordinario a todas las bases jurídicas de la parte III de la Constitución, siempre que no haya ningún Parlamento nacional que notifique su oposición a dicho cambio en un plazo de seis meses.

La aparición aquí de los Parlamentos nacionales supone su segundo momento constitucional, tras su participación en el mecanismo de alerta temprana vinculado al principio de subsidiariedad. Ambos momentos suponen la eliminación de la constitucionalización de su participación colectiva o directa, la que se realizaría con carácter estructural y permanente en el sistema político de la Unión, y el fortalecimiento parcial de su participación individual o indirecta[131]. Pero lo importante es que los dos momentos de participación

---

[131] Sobre estas dimensiones véase nuestro trabajo "Los Parlamentos nacionales y la Unión Europea", *Revista de la Facultad de Derecho de la Universidad Complutense*, anuario 90, 1998.

de los Parlamentos nacionales en el sistema constitucional, pretenden suplir carencias constitucionales.

En el contexto del mecanismo de alerta temprana vinculado al principio de subsidiariedad, se intenta otorgar garantías postcontituyentes ante la imposibilidad constituyente de garantizar que el reparto competencial entre los Estados y la Unión dejará de tener el efecto centralizador-federalizante que siempre tuvo. En el contexto que ahora nos ocupa estamos ante algo más serio: la autorruptura constitucional (en términos iuseuropeos) o la pérdida de rigidez constitucional y desnaturalización de la reforma constitucional (en términos constitucionales). El hecho de que el TCEu establezca en el poder constituido, fuera de la reforma constitucional y del poder de reforma, vías *ad hoc* de reforma constitucional, deteriora la naturaleza constitucional del texto, pues la Constitución demanda tener una única fuente de Derecho Constitucional, la reforma constitucional, diseñada para mantener el equilibrio y la continuidad entre el poder constituyente y el poder de reforma, y con ello, mantener la normatividad y rigidez ínsitas a las normas supremas. Establecer fuentes *ad hoc* de reformas constitucionales específicas es un desaguisado que no puede soslayar la participación de los Parlamentos nacionales, máxime cuando el Consejo Europeo, actuando como poder constituido, es el protagonista de la reforma.

Pero si los Parlamentos nacionales fueran la cuadratura del círculo y resolvieran la constitucionalidad de la alteración de los procedimientos legislativos postconstitucionalmente, tampoco alcanzarían a todos los casos, pues junto con la cláusula de la pasarela general, el TCEu también ha previsto "pasarelas específicas". En estos casos, corresponde al Consejo decidir por unanimidad, previa consulta al Parlamento, sin que los Parlamentos nacionales participen en su activación. Si nos acercamos a las bases jurídicas, encontraremos que dichas pasarelas se aplican en los ámbitos de la política social, del medio ambiente y del Derecho de familia.

## 4.5. Los ámbitos competenciales sometidos a la codecisión

**Tabla n° 4- A: Bases jurídicas no sometidas a codecisión tras el Tratado Constitucional**

| ART. | Contenido base jurídica | Peculiaridades | Institución |
|------|------------------------|----------------|-------------|
| I-54.3 | Disposiciones relativas al sistema de recursos propios de la Unión. | Previa consulta al PE | Consejo - unanimidad |
| I-54.4 | Fijación de las medidas de aplicación del sistema europeo de recursos propios de la Unión cuando así lo disponga la ley europea adoptada con arreglo al apdo 3. | Previa aprobación del PE | Consejo |
| I-55.2 | Fijación Marco Financiero Plurianual. | Previa aprobación PE. | Consejo - unanimidad. |
| III-124 | Medidas necesarias para luchar contra toda discriminación por razón de sexo, raza u origen étnico, religión o convicciones, discapacidad, edad u orientación sexual | Previa aprobación del PE | Consejo - unanimidad |
| III-125.2 | Medidas referentes a los pasaportes, documentos de identidad, permisos de residencia o cualquier otro documento asimilado, así como medidas referentes a la seguridad social o a la protección social (con los mismos fines contemplados en el apdo 1 y mientras la Constitución no haya previsto poderes de actuación a tal efecto) | Previa consulta al PE | Consejo - unanimidad |
| III-126 | Procedimientos para el ejercicio del derecho contemplado en la letra b) del apdo 2 del art. I-10, por todo ciudadano de la Unión, de sufragio activo y pasivo en las elecciones municipales y en las elecciones al PE en el Estado Miembro en que resida sin ser nacional del mismo. | Previa consulta al PE | Consejo - unanimidad |
| III-127 | Medidas necesarias para facilitar la protección diplomática y consular de los ciudadanos de la Unión en terceros países. | Previa consulta al PE | Consejo |

| ART. | Contenido base jurídica | Peculiaridades | Institución |
|---|---|---|---|
| III-129 | Completar los derechos establecidos en el art. I-10 (a tenor del informe de la Comisión) | Previa aprobación PE | Consejo - unanimidad |
| III-157.3 | Medidas que supongan un retroceso en el Derecho de la Unión respecto de la liberalización de los movimientos de capitales con destino a terceros países o procedentes de ellos. | Previa consulta al PE | Consejo - unanimidad |
| III-171 | Medidas referentes a la armonización de las legislaciones relativas a los impuestos sobre el volumen de negocios, los impuestos sobre consumos específicos y otros impuestos indirectos, siempre que dicha armonización sea necesaria para garantizar el establecimiento del mercado interior y evitar las distorsiones de la competencia. | Previa consulta al PE | Consejo - unanimidad |
| III-173 | Medidas encaminadas a la aproximación de las disposiciones legales, reglamentarias y administrativas de los EEMM que incidan directamente en el establecimiento o funcionamiento del mercado interior (sin perjuicio de lo dispuesto en el art. III-172). | Previa consulta al PE | Consejo - unanimidad |
| III-176 | Establecimiento de los regímenes lingüísticos de los títulos europeos. | Previa consulta al PE | Consejo - unanimidad |
| III-184.13 | Medidas apropiadas en sustitución del Protocolo sobre el procedimiento aplicable en caso de déficit excesivo | Previa consulta al PE | Consejo - unanimidad |
| III-185.6 | Encomendar al BCE funciones específicas respecto de políticas relacionadas con la supervisión prudencial de las entidades de crédito y otras entidades financieras, con excepción de las empresas de seguros. | Previa consulta al PE y al BCE | Consejo - unanimidad |

| ART. | Contenido base jurídica | Peculiaridades | Institución |
|---|---|---|---|
| III-210.3 | Normas mínimas destinadas a fomentar la cooperación de los EEMM en los ámbitos contemplados en las letras c), d), f) y g) del apdo 1 del presente art. | Previa consulta al PE, al Comité de las Regiones y al Comité Económico y Social | Consejo - unanimidad |
| III-223.2 | Establecimiento de las primeras disposiciones relativas a los fondos con finalidad estructural y al Fondo de Cohesión que se adopten después de las que estén vigentes en la fecha de la firma del Tratado por el que se establece una Constitución para Europa. | Previa aprobación PE | Consejo - unanimidad |
| III-234.2 | En el ámbito de la política medioambiental de la Unión, establecimiento de disposiciones esencialmente de carácter fiscal; medidas que afecten a la ordenación del territorio, a la gestión cuantitativa de los recursos hídricos o, directa o indirectamente, a la disponibilidad de dichos recursos, y a la utilización del suelo, con excepción de la gestión de los residuos; medidas que afecten de forma significativa a la elección por un Estado miembro entre diferentes fuentes de energía y a la estructura general de su abastecimiento energético [no obstante lo dispuesto en el apdo 1 del presente art. Y sin perjuicio del art. III-172] | Previa consulta al PE, al Comité de Regiones y al Comité Económico y Social | Consejo - unanimidad |
| III-251.3 | Establecimiento de los programas marco específicos que desarrollen el Programa Marco Plurianual en cada una de las acciones. | Previa consulta al PE y al Comité Económico y Social | Consejo |

| ART. | Contenido base jurídica | Peculiaridades | Institución |
|---|---|---|---|
| III-256.3 | Medidas necesarias para alcanzar los objetivos mencionados en el apdo 1 del presente art. (funcionamiento del mercado de la energía, seguridad del abastecimiento energético de la Unión, fomento de la eficiencia energética y del ahorro energético así como el desarrollo de energías nuevas y renovables) cuando sean esencialmente de carácter fiscal. | Previa consulta al PE | Consejo - unanimidad |
| III-269.3 | Medidas relativas al Derecho de familia con repercusión transfronteriza. | Previa consulta al PE | Consejo - unanimidad |
| III-274.1 | Creación de una Fiscalía Europea a partir de Eurojust para combatir las infracciones que perjudiquen los intereses financieros de la Unión. | Previa aprobación del PE | Consejo - unanimidad |
| III-275.3 | Medidas relativas a la cooperación operativa entre las autoridades a que se refiere el presente art. | Previa consulta al PE | Consejo - unanimidad |
| III-277 | Fijación de las condiciones y límites con arreglo a los cuales las autoridades competentes de los EEMM mencionadas en los arts. III-270 y III-275 podrán actuar en el territorio de otro Estado miembro en contacto y de acuerdo con las autoridades de dicho Estado. | Previa consulta al PE | Consejo - unanimidad |
| III-291 | Modalidades y procedimiento de asociación entre los píses y territorios de la Unión (a propuesta de la Comisión y a la luz de los resultados alcanzados en el contexto de la asociación entre los países y territorios de la Unión) | Previa consulta al PE | Consejo - unanimidad |
| III-330.1 | Medidas necesarias para hacer posible la elección de los diputados al PE por sufragio universal directo según un procedimiento uniforme en todos los EEMM o de acuerdo con principios comunes a todos los EEMM | Iniciativa del PE y previa aprobación de éste. | Consejo - unanimidad |

| ART. | Contenido base jurídica | Peculiaridades | Institución |
|---|---|---|---|
| III-330.2 | Estatuto y condiciones generales de ejercicio de las funciones de los diputados. | PE - iniciativa propia, previo dictamen de la Comisión y previa aprobación del Consejo. | PE [el Consejo se pronunciará por unanimidad sobre toda norma o condición relativa al régimen fiscal de los diputados o de los antiguos diputados] |
| III-333 | Modalidades del ejercicio del derecho de investigación (para examinar alegaciones de infracción o de mala administración en la aplicación del Derecho de la Unión) | PE - iniciativa propia, previa aprobación del Consejo y de la Comisión. | PE |
| III-335.4 | Regulación del Estatuto y las condiciones generales de ejercicio de las funciones del Defensor del Pueblo. | PE - iniciativa propia, previo dictamen de la Comisión y previa aprobación del Consejo. | PE |
| III-363 | Las leyes europeas del Consejo podrán atribuir al Tribunal de Justicia de la Unión Europea competencia jurisdiccional plena para las sanciones que prevean. | | Consejo |
| III-393 | Modificación Estatutos del Banco Europeo de Inversiones. | Bien a petición del BEI y previa consulta al PE y a la Comisión, bien a propuesta de la Comisión y previa consulta al PE y al BEI. | Consejo - unanimidad |
| III-424 | Fijación de las condiciones para la aplicación de la Constitución, incluidas las políticas comunes, en Guadalupe, la Guayana Francesa, Martinica, la Reunión, las Azores, Madeira y las Islas Canarias. | Previa consulta al PE, a propuesta de la Comisión. | Consejo |

**Tabla n° 4- B: Bases jurídicas sometidas a unanimidad tras el Tratado Constitucional**

| ART. | Contenido base jurídica | Peculiaridades | Institución |
|---|---|---|---|
| I-18 | Cuando se considere necesaria una acción de la Unión en el ámbito de las políticas definidas en la Parte III para alcanzar uno de los objetivos fijados por la Constitución, sin que ésta haya previsto los poderes de actuación necesario al efecto, el Consejo de Ministros adoptará las medidas adecuadas por unanimidad. | A propuesta de la Comisión Europea y previa aprobación del PE. | Consejo |
| I-40.6 | En materia de política exterior y de seguridad común, el Consejo Europeo y el Consejo adoptarán decisiones europeas por unanimidad, excepto en los casos contemplados en la Parte III. | | |
| I-54.3 | Disposiciones relativas al sistema de recursos propios de la Unión. | Previa consulta al PE. | Consejo - unanimidad. |
| I-55.2 | Fijación Marco Financiero Plurianual. | Previa aprobación PE. | Consejo - unanimidad. |
| I-58.2 | Pronunciamiento sobre la solicitud de un Estado europeo que desee ser miembro de la Unión. | Previa consulta a la Comisión y previa aprobación del PE. | Consejo - Unanimidad |
| III-124 | Medidas necesarias para luchar contra toda discriminación por razón de sexo, raza u origen étnico, religión o convicciones, discapacidad, edad u orientación sexual. | Previa aprobación del PE. | Consejo - unanimidad |
| III-125.2 | Medidas referentes a los pasaportes, documentos de identidad, permisos de residencia o cualquier otro documento asimilado, así como medidas referentes a la seguridad social o a la protección social (con los mismos fines contemplados en el apdo 1 y mientras la Constitución no haya previsto poderes de actuación a tal efecto). | Previa consulta al PE. | Consejo - unanimidad |

| ART. | Contenido base jurídica | Peculiaridades | Institución |
|---|---|---|---|
| III-126 | Procedimientos para el ejercicio del derecho contemplado en la letra b) del apdo. 2 del art. I-10, por todo ciudadano de la Unión, de sufragio activo y pasivo en las elecciones municipales y en las elecciones al PE en el Estado Miembro en que resida sin ser nacional del mismo. | Previa consulta al PE | Consejo - unanimidad |
| III-129 | Completar los derechos establecidos en el art. I-10 (a tenor del informe de la Comisión). | Previa aprobación PE | Consejo - unanimidad |
| III-157.3 | Medidas que supongan un retroceso en el Derecho de la Unión respecto de la liberalización de los movimientos de capitales con destino a terceros países o procedentes de ellos. | Previa consulta al PE | Consejo - unanimidad |
| III-171 | Medidas referentes a la armonización de las legislaciones relativas a los impuestos sobre el volumen de negocios, los impuestos sobre consumos específicos y otros impuestos indirectos, siempre que dicha armonización sea necesaria para garantizar el establecimiento del mercado interior y evitar las distorsiones de la competencia. | Previa consulta al PE | Consejo - unanimidad |
| III-173 | Medidas encaminadas a la aproximación de las disposiciones legales, reglamentarias y administrativas de los EEMM que incidan directamente en el establecimiento o funcionamiento del mercado interior (sin perjuicio de lo dispuesto en el art. III-172). | Previa consulta al PE | Consejo - unanimidad |
| III-176 | Establecimiento de los regímenes lingüísticos de los títulos europeos. | Previa consulta al PE | Consejo - unanimidad |

| ART. | Contenido base jurídica | Peculiaridades | Institución |
|---|---|---|---|
| III-184.13 | Medidas apropiadas en sustitución del Protocolo sobre el procedimiento aplicable en caso de déficit excesivo | Previa consulta al PE | Consejo - unanimidad |
| III-185.6 | Encomendar al BCE funciones específicas respecto de políticas relacionadas con la supervisión prudencial de las entidades de crédito y otras entidades financieras, con excepción de las empresas de seguros. | Previa consulta al PE y al BCE | Consejo - unanimidad |
| III-210.3 | Normas mínimas destinadas a fomentar la cooperación de los EEMM en los ámbitos contemplados en las letras c), d), f) y g) del apdo 1 del presente art. | Previa consulta al PE, al Comité de las Regiones y al Comité Económico y Social | Consejo - unanimidad |
| III-223.2 | Establecimiento de las primeras disposiciones relativas a los fondos con finalidad estructural y al Fondo de Cohesión que se adopten después de las que estén vigentes en la fecha de la firma del Tratado por el que se establece una Constitución para Europa. | Previa aprobación PE | Consejo - unanimidad |
| III-234.2 | En el ámbito de la política medioambiental de la Unión, establecimiento de disposiciones esencialmente de carácter fiscal; medidas que afecten a la ordenación del territorio, a la gestión cuantitativa de los recursos hídricos o, directa o indirectamente, a la disponibilidad de dichos recursos, y a la utilización del suelo, con excepción de la gestión de los residuos; medidas que afecten de forma significativa a la elección por un Estado miembro entre diferentes fuentes de energía y a la estructura general de su abastecimiento energético [no obstante lo dispuesto en el apdo. 1 del presente art. Y sin perjuicio del art. III-172] | Previa consulta al PE, al Comité de Regiones y al Comité Económico y Social. | Consejo - unanimidad |

| ART. | Contenido base jurídica | Peculiaridades | Institución |
|---|---|---|---|
| III-256.3 | Medidas necesarias para alcanzar los objetivos mencionados en el apdo. 1 del presente art. (funcionamiento del mercado de la energía, seguridad del abastecimiento energético de la Unión, fomento de la eficiencia energética y del ahorro energético así como el desarrollo de energías nuevas y renovables) cuando sean esencialmente de carácter fiscal. | Previa consulta al PE | Consejo - unanimidad |
| III-269.3 | Medidas relativas al Derecho de familia con repercusión transfronteriza. | Previa consulta al PE | Consejo - unanimidad |
| III-274.1 | Creación de una Fiscalía Europea a partir de Eurojust para combatir las infracciones que perjudiquen los intereses financieros de la Unión. | Previa aprobación del PE | Consejo - unanimidad |
| III-275.3 | Medidas relativas a la cooperación operativa entre las autoridades a que se refiere el presente art. | Previa consulta al PE | Consejo - unanimidad |
| III-277 | Fijación de las condiciones y límites con arreglo a los cuales las autoridades competentes de los EEMM mencionadas en los arts. III-270 y III-275 podrán actuar en el territorio de otro Estado miembro en contacto y de acuerdo con las autoridades de dicho Estado. | Previa consulta al PE | Consejo - unanimidad |
| III-291 | Modalidades y procedimiento de asociación entre los píses y territorios de la Unión (a propuesta de la Comisión y a la luz de los resultados alcanzados en el contexto de la asociación entre los países y territorios de la Unión) | Previa consulta al PE | Consejo - unanimidad |

| ART. | Contenido base jurídica | Peculiaridades | Institución |
|------|-------------------------|----------------|-------------|
| III-330.1 | Medidas necesarias para hacer posible la elección de los diputados al PE por sufragio universal directo según un procedimiento uniforme en todos los EEMM o de acuerdo con principios comunes a todos los EEMM | Iniciativa del PE y previa aprobación de éste. | Consejo - unanimidad |
| III-330.2 | Estatuto y condiciones generales de ejercicio de las funciones de los diputados. | PE - iniciativa propia, previo dictamen de la Comisión y previa aprobación del Consejo. | PE. El Consejo se pronunciará por unanimidad sobre toda norma o condición relativa al régimen fiscal de los diputados o de los antiguos diputados |
| III-386 | Composición Comité de las Regiones | A propuesta de la Comisión | Consejo unanimidad |
| III-389 | Composición del Comité Económico y Social | A propuesta de la Comisión | Consejo unanimidad |
| III-393 | Modificación Estatutos del Banco Europeo de Inversiones. | Bien a petición del BEI y previa consulta al PE y a la Comisión, bien a propuesta de la Comisión y previa consulta al PE y al BEI. | Consejo - unanimidad |
| III-395 | Cuando, en virtud de la Constitución, el Consejo se pronuncie a propuesta de la Comisión, únicamente podrá modificar esta propuesta por unanimidad, salvo en los casos contemplados en el artículo I-55, el artículo I-56, los apartados 10 y 13 del artículo III-396, el artículo III-404 y el apartado 2 del artículo III-405. | | |
| III-412 | Pronunciamiento por unanimidad hasta el 31 de diciembre del 2006 en todos los casos previstos por este art. | | Consejo - unanimidad |
| III-419.2 | Autorización para llevar a cabo una cooperación reforzada | | Consejo - unanimidad |

| ART. | Contenido base jurídica | Peculiaridades | Institución |
|---|---|---|---|
| III-422.1 | En el marco de una cooperación reforzada que requiera pronunciamiento por unanimidad, sustitución del mismo por el pronunciamiento por mayoría cualificada. | De acuerdo con lo dispuesto en el apdo 3 del art. I-44. | Consejo unanimidad |
| III-422.2 | En el marco de una cooperación reforzada, sustitución del procedimiento legislativo especial por el ordinario. | De acuerdo con lo dispuesto en el apdo 3 del art. I-44. Previa consulta al PE. | Consejo - unanimidad |
| III-433 | Adopción de un reglamento europeo por el que se fije el régimen lingüístico de las instituciones de la Unión, sin perjuicio del Estatuto del Tribunal de Justicia de la Unión Europea. | | Consejo unanimidad |

**Tabla nº 4- C: Artículos sometidos al Consejo Europeo en el Tratado Constitucional**

| ART. | Contenido base jurídica | Peculiaridades | Pronunciamiento |
|---|---|---|---|
| I-20 párr. 2 | Decisión europea por la que se fije la composición del PE conforme a los principios establecidos en el primer párrafo (representación decrecientemente proporcional, mínimo seis diputados por Estado Miembro). | A iniciativa del PE | Unanimidad |
| I-24.7 | Establecimiento de las condiciones de la presidencia rotatoria del Consejo. | | Mayoría cualificada |
| I-26.6 | Establecimiento del sistema de rotación igualitaria para la composición de la Comisión. | | Unanimidad |
| I-27.1 | Proposición al PE del Presidente de la Comisión. | | Mayoría cualificada |
| I-27.2 párr. 2. | Nombramiento de la Comisión. | | Mayoría cualificada. |

| ART. | Contenido base jurídica | Peculiaridades | Pronunciamiento |
|---|---|---|---|
| I-28.1 | Nombramiento del Ministro de Asuntos Exteriores. | Con la aprobación del Presidente de la Comisión. | Mayoría cualificada. |
| I-40.2 | Determinación de los intereses estratégicos de la Unión y fijación de los objetivos de su política exterior y de seguridad común. | Elaboración conforme a lo dispuesto en la Parte III | |
| I-40.7 | Decisión europea que establezca que el Consejo se pronuncie por mayoría cualificada en casos distintos de los contemplados en la Parte III. | | Unanimidad |
| I-55.4 | Decisión europea que permita al Consejo pronunciarse por mayoría cualificada cuando fije el Marco Financiero Plurianual. | | Unanimidad |
| I-59.2 | Decisión europea en la que haga constar que existe una violación grave y persistente de los valores enunciados en el art. I-2 por parte de un Estado miembro. | Por iniciativa de un tercio de los EEMM o a propuesta de la Comisión. | Unanimidad, previa aprobación PE. |
| I-59.3 | Decisión europea que suspenda determinados derechos derivados de la aplicación de la Constitución al Estado miembro de que se trate, cuando se haya constatado la violación contemplada en el apdo 2. | | Mayoría cualificada. |
| I-59.4 | Decisión europea que modifique o derogue las medidas adoptadas en virtud del apdo 3. | | Mayoría cualificada. |
| I-60.2 | Celebración con un Estado que quiera retirarse de la Unión de un acuerdo que establezca la forma de su retirada. | Previa aprobación del PE. | Mayoría cualificada. |

| ART. | Contenido base jurídica | Peculiaridades | Pronunciamiento |
|---|---|---|---|
| I-60.3 | Prórroga del plazo dado para que la Constitución deje de aplicarse en dicho Estado. | De acuerdo con dicho Estado. | Unanimidad. |
| III-258 | Definición de las orientaciones estratégicas de la programación legislativa y operativa en el espacio de libertad, seguridad y justicia. | | |
| III-274 | Decisión europea que modifique el apdo 1 del presente art con el fin de ampliar las competencias de la Fiscalía Europea a la lucha contra la delincuencia grave que tenga una dimensión transfronteriza, y que modifique en consecuencia el pado 2 en lo referente a los autores y cómplices de delitos graves que afectan a varios EEMM. | Previa aprobación del PE y previa consulta a la Comisión. | Unanimidad. |
| III-293 | Determinación de los intereses y objetivos estratégicos de la Unión en el ámbito de su acción exterior. | Basándose en una recomendación del Consejo. | Unanimidad. |
| III-295 | Definición de las orientaciones generales de la política exterior y de seguridad común, también respecto de los asuntos que tengan repercusiones en el ámbito de la defensa. | | |

| ART. | Contenido base jurídica | Peculiaridades | Pronunciamiento |
|---|---|---|---|
| III-300.2 párr. 2 | Si un miembro del Consejo declara que, por motivos vitales y explícitos de política nacional, tiene intención de oponerse a la adopción de una decisión europea que se deba adoptar por mayoría cualificada, no se procederá a la votación. El Ministro de Asuntos Exteriores intentará hallar, en estrecho contacto con el Estado miembro de que se trate, una solución aceptable para éste. De no hallarse dicha solución, el Consejo, por mayoría cualificada, podrá pedir que el asunto se remita al Consejo Europeo para que adopte al respecto una decisión europea por unanimidad. | | Consejo Europeo - Unanimidad |
| III-300.3 | Decisión europea que establezca que el Consejo se pronuncie por mayoría cualificada en casos distintos de los previstos en el apdo 2 del presente art., de conformidad con lo dispuesto en el apdo. 7 del art. I-40. | | Unanimidad. |
| IV-440.7 | Decisión europea por la que se modifique el estatuto respecto de la Unión de alguno de los países o territorios daneses, franceses o neerlandeses a que se refieren los apdos 2 y 3 del presente art. | Por iniciativa del Estado Miembro de que se trate. | Unanimidad, previa consulta a la Comisión. |
| IV-443.2 | Proyectos de revisión del Tratado. Decisión favorable al examen de las modificaciones propuestas. | Previa consulta al PE | Mayoría simple. |

| ART. | Contenido base jurídica | Peculiaridades | Pronunciamiento |
|---|---|---|---|
| IV-443.2 párr. 2 | Revisión del Tratado. No convocatoria Convención. | Previa aprobación del PE. | Mayoría simple. |
| IV-444.1 | Decisión europea que autorice al Consejo a pronunciarse por mayoría cualificada en un ámbito o caso que la Parte III del tratado disponga que | Previa aprobación del PE. | Consejo Europeo - Unanimidad |
| IV-444.2 | Decisión europea que autorice al Consejo adoptar leyes o leyes marco por el procedimiento legislativo ordinario (cuando la Parte III disponga que debe adoptarlas por el procedimiento legislativo especial) | Previa aprobación del PE | Unanimidad. |
| IV-445 | Decisión europea que modifique la totalidad o parte de las disposiciones del Título III de la Parte III. | Previa consulta al PE y a la Comisión, así como al BCE en el caso de modificaciones institucionales en el ámbito monetario. | Unanimidad. |

**Fuente:** Tratado por el que se establece una Constitución para Europa.

El TCEu, como hemos adelantado, extiende sustancialmente la aplicación del procedimiento legislativo ordinario (*Vid.* Tablas n° 4), aumentando así el poder decisorio del Parlamento. Por otra parte, esta generalización del procedimiento de codecisión se efectúa paralelamente a la extensión del voto por mayoría cualificada a una veintena de disposiciones que actualmente requieren la unanimidad, y a la aplicación de la mayoría cualificada a un número casi tan alto de nuevas bases jurídicas (*Vid.* Tablas n° 4). Sin embargo, ámbitos sustanciales sometidos a codecisión seguirán requiriendo unanimidad en el seno del Consejo, lo que desnaturaliza el procedimiento de codecisión convirtiendo al PE en un Estado más; es decir, con la misma capacidad de bloquear una decisión que cualquiera de los 25 Estados miembros de la Unión. Estamos hablando de ámbitos como la ciudadanía europea, la fiscalidad, aspectos sustanciales de la política social, los ámbitos considerados de tipo ejecutivo y la política exterior y de seguridad.

El número de fundamentos jurídicos a los que se aplicará el procedimiento legislativo ordinario se ampliará ostensiblemente. En particular, la Constitución crea varios fundamentos jurídicos nuevos, como la iniciativa ciudadana, la ayuda humanitaria, la política espacial europea, la cooperación judicial en asuntos civiles con repercusiones transfronterizas (excluido el Derecho de familia), las medidas necesarias para el uso del EURO, la inclusión social de nacionales de terceros países y las medidas relativas a movimientos de capitales con miras a la lucha contra la delincuencia organizada, el terrorismo y la trata de seres humanos.

Algunos fundamentos jurídicos relativos al Banco Central Europeo y al Sistema Europeo de Bancos Centrales, los Fondos Estructurales y el Fondo de Cohesión, que anteriormente estaban sujetos al procedimiento de dictamen conforme, también se someterán a la codecisión. La codecisión se extenderá asimismo a ciertos ámbitos que antes estaban sujetos al procedimiento de consulta. Se trata de toda una serie de fundamentos jurídicos en el ámbito de la justicia y asuntos de interior, como Eurojust, Europol, ciertos aspectos de la cooperación judicial, los controles en las fronteras, el asilo y la inmigración.

La realización del mercado interior en el ámbito de la energía, algunos aspectos de la política de la competencia y la organización común de mercados de la política agrícola común y la política de la pesca, así como la protección de la propiedad intelectual también se someterán al procedimiento legislativo ordinario, al igual que ciertos ámbitos en los que el PE no tenía ninguna competencia, como es el caso de los movimientos de capitales hacia o desde terceros países y la política comercial común.

El balance final sobre la codecisión en el TCEu depende precisamente de la valoración sobre los ámbitos competenciales asumidos, pues solamente en esa dimensión se han introducido novedades. Es más, solamente sobre esa dimensión se consideró la reforma, dándose por bueno, en esencia, el procedimiento legislativo estricto. Y en el terreno competencial es innegable que se ha asumido la más alta cota de la historia. Sin embargo, varios fundamentos jurídicos cruciales quedan fuera del procedimiento y algunos contienen unanimidad. Conjuntamente, la posibilidad de recurrir al procedimiento de codecisión en un futuro, pasa por un procedimiento aconstitucional de reforma, requiriendo unanimidad del Consejo Europeo. Además, si se incorporaran y con arreglo al TCEu, seguiría siendo necesaria la unanimidad en el Consejo para estos fundamentos jurídicos, lo que desvirtúa por completo el papel del PE en el procedimiento.

# III. EL PROCEDIMIENTO DE CODECISIÓN PASO A PASO

## 1. LA PRIMERA LECTURA

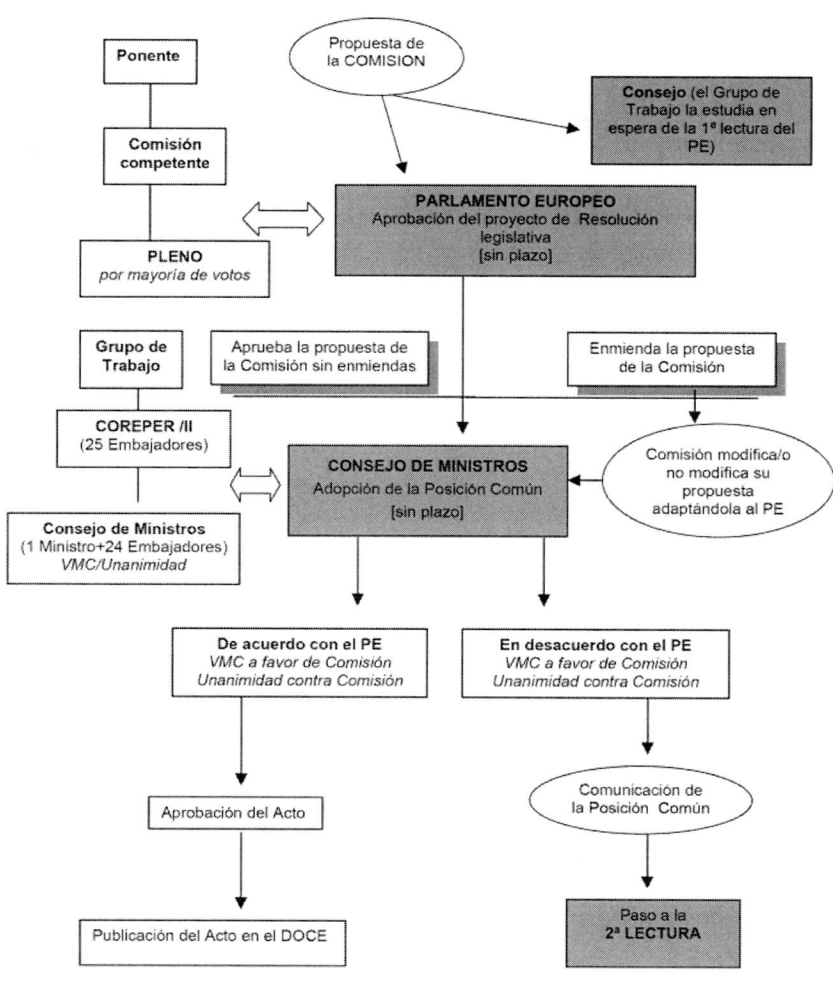

## 1.1. La iniciativa legislativa de la Comisión

De acuerdo con el artículo 251.2 TCE: "La Comisión presentará una propuesta al Parlamento y al Consejo". Este artículo establece el punto de arranque del estudio de la codecisión, imponiendo la necesidad de referirse de forma genérica a la iniciativa legislativa de la Comisión y paralelamente a las implicaciones de la remisión, por parte de ésta, de dicha iniciativa a las otras dos instituciones implicadas en el procedimiento. Esta característica, como veremos, es exclusiva del procedimiento de codecisión.

La Comisión, pese a los esfuerzos del PE y de algunos Estados, ha mantenido el monopolio de la iniciativa legislativa, tanto en los procedimientos legislativos tradicionales como en el procedimiento de codecisión. Dicho monopolio otorga a la Comisión la decisión sobre cuándo y en qué términos el Derecho derivado debe comenzar su andadura. Estas dos facetas de la iniciativa legislativa se refuerzan, para bien de la Comisión, con el mantenimiento de dicho monopolio en términos absolutos, en tanto el Consejo no se pronuncie sobre la iniciativa[41]. En otras palabras, la Comisión puede retirar la propuesta en cualquiera de las fases previas al pronunciamiento oficial en sede del Consejo, incluso en la misma sede durante la discusión previa a la decisión. Pese a ello, no se puede proclamar la perdurabilidad de la iniciativa legislativa durante todo el procedimiento de codecisión.

Como veremos, el instante en el que el Consejo se pronuncia a los efectos del artículo 250 TCE, transmutando los poderes de la iniciativa, ni se produce en el momento de los tradicionales procedimientos legislativos, ni la culminación de tal momento permanece indemne a los conflictos interinstitucionales. Para el Consejo, se produce con la posición común[42]; para la Comisión, no tiene lugar hasta el Comité de Conciliación. Regresaremos sobre el particular entrado el procedimiento.

El marco descrito premia el interés general comunitario representado por la Comisión. Pese a ello, encontramos varios factores potencialmente limitadores de la descrita autonomía de la Comisión. Factores que, releídos

---

[41]    Artículo 250 (ex 189 A).
[42]    Incluso compartiendo la visión del Consejo, la Comisión irradia su influencia más allá de la posición común, al disciplinar el Derecho originario la unanimidad en sede del Consejo como única vía posible para modificar los términos en los que la Comisión concibió el acto legislativo sin su consentimiento.

a la luz de las implicaciones del procedimiento de codecisión, aumentan considerablemente dicha cualidad.

Una limitación clara a la iniciativa de la Comisión devino con la institucionalización del Consejo Europeo, pues si éste debe dar a la Unión "los impulsos necesarios para su desarrollo" (art. 4 TUE, ex D), deberá ser secundado en buena parte por la Comisión, ya que, no abundan los impulsos políticos que transcienden sin una corporeización en Derecho derivado. Aquí, la vinculación Consejo Europeo-Comisión se antoja transcendente y, en teoría, cercenadora de la posesión y ejercicio de la iniciativa legislativa. En la práctica, no faltarían argumentos a los servicios jurídicos de la Comisión para eludir las sugerencias de una institución no incluida como tal en el pilar comunitario, no comprendida entre los legisladores comunitarios y en consecuencia carente incluso del poder de evocación.

El recurso por omisión limita igualmente la discrecionalidad de la Comisión en el contexto analizado. Lo hace por mor de la coherencia del sistema y el respeto al principio de lealtad comunitario (*Vid.* artículo 10 TCE, ex 5), sobre la base del cual no se puede permitir el uso torticero de una potestad comunitaria, ni dentro ni fuera del ámbito legislativo. Por ello, el recurso por omisión posibilita al Consejo y al PE poner fin a una injustificada inactividad legislativa de la Comisión por vía judicial.

Por otro lado, el derecho de evocación del Consejo y del PE puede también ser concebido como una limitación del poder de iniciativa de la Comisión. De acuerdo con el artículo 193 TCE (ex 138), el PE "podrá solicitar a la Comisión que presente las propuestas oportunas sobre cualquier asunto que a juicio de aquél requiera la elaboración de un acto comunitario para la aplicación del presente Tratado". Las propuestas del PE, como las paralelamente presentables por el Consejo[43], contaban antes de Ámsterdam con una mejor base que las surgidas del Consejo Europeo, en orden a incidir en la iniciativa legislativa de la Comisión. Con el Tratado de Ámsterdam, la situación se clarificó algo más.

La "Declaración común sobre las modalidades prácticas del nuevo procedimiento de codecisión", determina que "La Comisión [...] ejercerá su derecho de iniciativa de manera constructiva con vistas a facilitar un acercamiento de

---

[43]     El artículo 208 (ex 152) paralelamente estipula: "El Consejo podrá pedir a la Comisión que proceda a efectuar todos los estudios que él considere oportunos para la consecución de los objetivos comunes y que le someta las propuestas pertinentes".

las posiciones del Consejo y del Parlamento Europeo, respetando el equilibrio interinstitucional y el papel que le confiere el Tratado"[44]. Consecuentemente, el Presidente de la Comisión, estampando su firma en la Declaración, condiciona, como pasamos a ver, la discrecionalidad que otorgan los Tratados a su institución.

De la economía del artículo 252.1 TCE, no se desprende obligación alguna para la Comisión en relación con el procedimiento legislativo demandado por su iniciativa legislativa. De la economía general del Tratado se desprende que dicha iniciativa ha de responder al interés comunitario y proponerse cuando sea necesario, sin demoras injustificadas. De la Declaración común se desprende un condicionante novedoso y transcendente, la Comisión debe dirigir su iniciativa a proporcionar un acercamiento entre los colegisladores.

El ejercicio "constructivo" de la iniciativa demanda a la Comisión la difícil búsqueda del "justo medio". Dicha misión, si bien armoniza con la lógica de la codecisión, no lo hace con el acervo comunitario, el cual otorga a la institución ostentadora del interés comunitario la autonomía de iniciar el proceso legislativo bajo la influencia exclusiva de ese interés, tal y como lo quiera entender. Las otras instituciones, indiscutiblemente el Consejo, no representan dicho interés sino otro, muchas veces el contrario. Atendiendo a la lógica, no gozan de dicha iniciativa. Ahora, pese a ser a través de una Declaración común, la Comisión incorpora una carga importante a su derecho de iniciativa.

Esa carga debe ser puesta en el contexto ya analizado, esto es, en relación con la influencia que la concepción del procedimiento tuvo en Ámsterdam; al derecho de evocación y al recurso por omisión. Con respecto a Ámsterdam, la ampliación de las bases jurídicas del artículo 251 y el mejoramiento de la posición del PE, demandan una mayor atención por parte de la Comisión para con el poder de evocación del PE, sobre la base de una interpretación de éste (artículo 251 TCE) a la luz del *status* adquirido en el procedimiento de codecisión (artículo 192 TCE) por la institución.

Con respecto a una posible interposición de un recurso por omisión contra la Comisión, el procedimiento de codecisión abre una nueva vía para el PE. Por otro lado, independientemente de la discusión sobre la fuerza legal de la

---

[44]     "Declaración común sobre las modalidades prácticas del nuevo procedimiento de codecisión", DOCE C, 1998, 148/01; o en SN 3631/99, punto I, artículo 3.

Declaración, no resulta disparatado encontrar aquí una dimensión cualitativa de la inactividad de la Comisión, como, por ejemplo, si tras reiteradas evocaciones de las instituciones habilitadas a tal efecto la Comisión actúa de forma claramente divergente con ese nuevo papel mediador. Aquí no estaríamos ante una inactividad al uso, genérica, sino ante una inactividad con matices y de importancia considerable, si tenemos en cuenta el papel mediador atribuido a la Comisión en el procedimiento de codecisión.

Ante estas importantes modificaciones en el marco tradicional de la iniciativa legislativa, la salida más factible para la Comisión, en aras a mantener su independencia, es ampararse en las propias contradicciones de la Declaración común. Ésta matiza el carácter "constructivo" de la iniciativa, subrayando que la tarea será llevada a cabo por la Comisión "respetando el equilibrio institucional y el papel que le confiere el Tratado"[45]. De la CIG 96 salió reforzada la idea del respeto a la iniciativa legislativa de la Comisión, así como al mantenimiento del nebuloso principio del equilibrio institucional frente al estimable aliento que para el principio democrático hubiese tenido el acceder a la solicitud del PE otorgándole la iniciativa legislativa.

Abundando en la cuadratura del círculo, encontramos la referencia a la Comisión en la Declaración común. Ésta vincula su participación durante la primera lectura, tanto en la elaboración de la iniciativa legislativa como en el favorecimiento de los contactos entre las partes, así como en el respeto del "equilibrio institucional y al papel que le confiere el Tratado"[46]. Ambos principios vienen estrechamente vinculados al papel tradicional de la Comisión: defensa y representación del interés comunitario. Tales principios han justificado la existencia y mantenimiento de la tradicional iniciativa legislativa; es decir, más amplia que la requerida en el procedimiento de codecisión. Aquí radica la contradicción de la Declaración común. Apelar a los principios tradicionales paladines del papel de la Comisión en el nuevo procedimiento de codecisión, es buscar la comunión de lo contrapuesto.

Todo lo anterior demanda mucha cautela a la hora de afrontar la discusión jurídica. En el plano político, como pasamos a ver a continuación, debido a la lógica del procedimiento de codecisión, la búsqueda del "justo medio" es un objetivo de máximo interés para la Comisión, independientemente de la fuerza de la Declaración conjunta.

---

[45]   *Ibid.*
[46]   *Ibid.*

## 1.2. La primera lectura del Parlamento

### 1.2.1. Consideraciones generales

En la primera lectura del PE, el texto de referencia es la propuesta de la Comisión. La propuesta, en tanto el Consejo no se pronuncie sobre la iniciativa en forma, puede ser retirada por la Comisión; y aun habiéndose pronunciado, la Comisión mantiene el papel privilegiado que le otorga la incómoda salida procedimental que envuelve a la institución promotora de la separación de la iniciativa. Si se desecha una propuesta de la Comisión sin su asentimiento, todo dependería de la mayoría absoluta del Consejo, bien en apoyo a su convicción, bien en apoyo a las enmiendas introducidas por el Parlamento y no aceptadas por la Comisión.

Junto con el poder de la Comisión, dos características imperan en esta primera lectura parlamentaria. Por un lado, la ausencia de plazo fijo para finalizar la lectura. Por otro, coetáneamente, la posibilidad de terminar el procedimiento de codecisión en primera lectura en cualquier momento.

Con respecto a la primera característica, la ausencia de plazo en la primera lectura, conviene recordar la preocupación general previa a la introducción del procedimiento; a saber, el empeoramiento de la ya significada lentitud del proceso legislativo comunitario. Precisamente por ello, aunque parezca una contradicción, hay una razón para no introducir plazo. Se permite al Parlamento agotar las posibilidades derivadas de su funcionamiento interno y potenciar al máximo las posibilidades de llegar a un acuerdo en primera lectura, lo cual concluiría felizmente el procedimiento de la codecisión. Dicho final siempre implicaría una economía temporal mayor que un proceso culminado en ulteriores fases del procedimiento: segunda lectura o conciliación. En otras palabras, se consideró preferible facilitar el acuerdo en primera lectura a restringir el tiempo en dicha lectura; presumiéndose que esto tendería a incrementar los expedientes en segunda lectura, lo cual, a la larga, alejaría el objetivo de la reducción del tiempo empleado en el procedimiento.

Pasamos a analizar en segundo lugar otra gran novedad introducida por Ámsterdam en el procedimiento de codecisión, a saber: la posibilidad de terminar dicho procedimiento en primera lectura en la forma de acto legislativo adoptado por el Consejo y el PE. Esta gran novedad introducida en Ámsterdam[47], sin

---

[47]     Apartado 2 del artículo 251 TCE.

duda estimula la flexibilidad de las tres instituciones implicadas directamente, especialmente la de la Comisión, por estar en la parte del proceso donde tiene mayor control. Este control se reduce progresivamente en fases ulteriores del procedimiento: en la segunda lectura, por eliminarse su capacidad de retirada de la iniciativa; y por último, en conciliación, por desaparecer el límite de la mayoría cualificada para el colegislador. Como veremos, no cabe en conciliación hablar de transformación del poder de iniciativa en poder de mediación, pues ambos poderes tienen distinta naturaleza.

Los posicionamientos de Consejo y Parlamento aquí son de distinta naturaleza. De forma genérica el PE es el primer necesitado en consolidar el procedimiento de codecisión como una vía legislativa rápida y eficaz. Lograr tal objetivo habilita sus aspiraciones futuras de incremento de las competencias afectadas por el procedimiento de codecisión. De forma distinta, el Consejo necesita, en la medida de lo posible, aligerar la carga extra de la conciliación a sus órganos inferiores, especialmente al Coreper I. Dicho todo ello, señalaremos la necesidad de relativizar e incluso arrinconar tal reflexión en los muchos casos en los que las prioridades legislativas o políticas de los actores convierten el procedimiento de codecisión en un campo de batalla entre poderes legislativos, olvidándose ambos poderes de las necesidades estructurales coligadas a la codecisión.

En cualquier caso, el PE fue consciente desde el principio de ser la institución más beneficiada por el Tratado de Ámsterdam en este ámbito legislativo, siendo también la institución que ha demostrado mayores reflejos y voluntad de adaptación a la nueva realidad, así lo demuestra la Resolución valorativa del Tratado[48]. Tal espíritu concurrió en la promoción de una amplia ponencia sobre la reforma del Reglamento. La cristalización de la misma supuso la adaptación del Reglamento de forma considerable a las demandas del nuevo procedimiento de codecisión; de suerte que, el Reglamento del Parlamento, frente al de las otras instituciones, sirve parcialmente de guía del procedimiento.

La lógica sustentadora de los dos puntos anteriormente analizados (ausencia de plazo y finalización en primera lectura del procedimiento), se refuerza después de Ámsterdam; ya que, frente a lo estipulado en Mastrique, la primera lectura puede ser la última. La trascendente novedad trató de re-

---

[48]  Ver el considerando C de la "Resolución sobre el nuevo procedimiento de codecisión después de Ámsterdam", DOCE-C 292/140.

forzarse por las tres instituciones implicadas en la "Declaración común sobre las modalidades prácticas del nuevo procedimiento de codecisión". Allí se estableció la cooperación interinstitucional como base para la feliz resolución de la primera lectura: "las instituciones cooperarán de buena fe con objeto de acercar al máximo sus posiciones de modo que, en la medida de lo posible, el acto pueda ser adoptado en primera lectura"[49].

La Declaración concreta dos aspectos trascendentes de la citada cooperación. Considera, por un lado, que "las instituciones procurarán que los calendarios de trabajo respectivos se coordinen en la medida de lo posible"[50]. Las instituciones hacen referencia a la necesidad de facilitar el desarrollo de los trabajos en primera lectura de manera coherente y convergente en el Parlamento Europeo y en el Consejo. Se trata, en definitiva, de evitar que un expediente deba esperar a una reunión de la comisión parlamentaria (o a la sesión plenaria del PE), cuando el Consejo ya ha definido su posición, por el hecho de haberse fijado ésta a destiempo. En el otro lado de la mesa, dada la mayor disponibilidad de los Grupos de Trabajo y el Coreper, no ocurre lo mismo.

La otra dimensión de la cooperación explicitada en la Declaración se concreta del siguiente modo: "las instituciones establecerán los contactos apropiados para realizar un seguimiento de la evolución de los trabajos y analizar su grado de convergencia"[51]. Como ya hemos anticipado y desarrollaremos, los contactos son la esencia de la codecisión. En la primera lectura, su razón de ser radica en la necesidad por parte del PE de enviar al Consejo una propuesta legislativa aceptable; dado que, una vez el PE se pronuncie formalmente sobre la base de la propuesta de su comisión competente y envíe tal pronunciamiento al Consejo, no tendrá otra posibilidad, en primera lectura, para modificar su posición.

Coherentemente, el PE y el Consejo deben establecer los contactos necesarios para evitar un desencuentro por falta de información. Se trata de reducir los desacuerdos que no respondan a posiciones antagónicas entre las instituciones. De ahí la importancia de los contactos y el tono imperativo utilizado en la Declaración ("establecerán") para asegurar su posición.

---

[49]    "Declaración común sobre las modalidades prácticas del nuevo procedimiento de codecisión", *cit.* I.1.
[50]    *Ibid.* I.2.
[51]    *Ibid.*

Pero si la codecisión hace de los contactos su esencia, también lo hace de la negociación. Por desgracia, para las instituciones colegisladoras es más importante alcanzar sus objetivos que finalizar el procedimiento en primera lectura. Ello provoca el interés partidista en ocultar información e incluso en entorpecer los contactos demandados por la Declaración; de ahí que el Consejo no accediera a poner dicho énfasis en un acuerdo interinstitucional, acordándose la firma de una simple Declaración interinstitucional[52], lo cual asegura al Consejo eludir al siempre incómodo TJCE, y enfatiza la necesidad de relativizar la "buena fe" demandada por la Declaración en relación con la cooperación interinstitucional.

### 1.2.2. Los pasos seguidos en primera lectura

Entrando de lleno en la primera lectura, el PE, como sabíamos, recibe la propuesta legislativa de la Comisión al unísono con el Consejo, si bien formalmente el Consejo espera al producto final de la primera lectura del Parlamento antes de iniciar la suya. La propuesta de la Comisión es recibida en sede parlamentaria por el Presidente, quien la remite a la comisión parlamentaria competente sobre el fondo del asunto a tratar y al resto de comisiones cuya opinión considere relevantes[53].

La comisión competente es aquélla que por razón de la materia se encarga de las propuestas de la Comisión y demás actos de índole legislativo relacionados con su ámbito de competencia[54]. Ésta adquiere el máximo protagonis-

---

[52]   La cuestión sobre la importancia de esta distinción no es analizada con la diligencia debida por el ponente del "Report on the Joint Declaration on the practical arrangements for the new codecision procedure (Article 251 TEC)", quien simplemente afirma: "Joint Declaration, a title preferred by the Council to that of inter-institutional agreement." Ver la primera cita del "Explanatory Statement", p.9. Committee on Institutional Affairs, Rapporteur: Andrea Manzella, 21 April 1999, A4-0206/99.

[53]   Apartado 1 del artículo 60 del Reglamento del PE.

[54]   Actualmente las Comisiones permanentes del PE son: Comisión de Asuntos Exteriores, Derechos Humanos, Seguridad Común y Política de Defensa - AFET Presentación y competencias; Comisión de Presupuestos - BUDG; Comisión de Control Presupuestario - CONT; Presentación y competencias; Comisión de Libertades y Derechos de los Ciudadanos, Justicia y Asuntos Interiores - LIEBE; Comisión de Asuntos Económicos y Monetarios - ECON; Comisión de Asuntos Jurídicos y Mercado Interior - JURI; Comisión de

mo durante todo el procedimiento, gracias a la Conferencia de Presidentes del PE, órgano encargado de delegar a la comisión competente la facultad decisoria necesaria para afrontar los retos del procedimiento legislativo más exigente[55]. La delegación se constituye de forma coetánea a la remisión de la tarea pertinente, quedando mención expresa de ésta en el informe del proyecto legislativo[56].

De forma complementaria, junto con el preeminente papel de la comisión competente, el Reglamento del Parlamento y su mecanismo de eficiencia legislativa incorporan la participación de otras comisiones. Lo hacen también de forma genérica, a través de la opinión formal que les es solicitada por la Presidencia del PE en orden a sustentar y enriquecer el proyecto legislativo del PE[57]. Estas opiniones suelen ser tenidas muy en cuenta por la comisión competente, especialmente en aquellos informes de clara correlación competencial. La correlación se produce de forma constante con algunas comisiones, particularmente con aquéllas ostentadoras de una visión transversal de la actividad legislativa parlamentaria, como, por ejemplo, la de control presupuestario y la de asuntos jurídicos.

---

Industria, Comercio Exterior, Investigación y Energia - INDU; Comisión de Empleo y Asuntos Sociales - EMPL; Comisión de Pesca - PECH; Comisión de Política Regional, Transportes y Turismo - REGI; Comisión de Cultura, Juventud, Educación, Medios de Comunicación y Deporte - CULT; Comisión de Desarrollo y Cooperación - DEVE; Comisión de Asuntos Constitucionales - AFCO Comisión de Derechos de la Mujer e Igualdad de Oportunidades - FEMM. Pueden encontrarse en: http://www. europarl.eu.int/committees/ es/default.htm.

[55]   Vid. Artículo 2 del Reglamento del PE.

[56]   Ver la "PAGE RÉGLEMENTAIRE" del "RAPPORT sur le projet commun, approuvé par le comité de conciliation, de décision du Parlement européen et du Conseil établissant un instrument unique de financement et de programmation pour la coopération culturelle (Programme 'Culture 2000')", (C5-0327/1999 - 1998/0169(COD)), Délégation du Parlement européen au comité de conciliation, 25 janvier 2000, Rapporteur: Vasco Graça Moura, p. 4.

[57]   Ver la referencia en la primera lectura del Programa DAPHNE "With a view to the adoption of a European Parliament and Council decision adopting a programme of Community action (the DAPHNE Programme) (2000-2003) on preventive measures to fight violence against children, young persons and women (9150/1/1999 - C5-0181/1999 - 1998/0192(COD)) Committee on Women's Rights and Equal Opportunities, Rapporteur: Maria Antonia Aviles Perea, OJ C 219, 30.7.1999, p. 505.

Conviene aquí señalar la posible alteración producida por el procedimiento estudiado en la citada interrelación. La comisión competente es la única encargada de negociar la propuesta legislativa con las otras instituciones. Así, pese a tener en cuenta el "por qué" de las otras comisiones, éstas, al producirse en el contexto del proyecto del informe en primera lectura, pierden capacidad de influencia en caso de llegar a segunda lectura. Este efecto se produce por la posibilidad de un cambio sustancial en la propuesta, así como por la necesidad constante de la comisión competente sobre el fondo de disponer de flexibilidad en la negociación. De ahí la disponibilidad de las aportaciones del resto de comisiones en aquellos puntos no esenciales.

En dicho contexto, el contacto entre comisiones puede resultar necesario para no herir susceptibilidades en las comisiones no involucradas en las fases subsiguientes a la emisión de la opinión. Este último aspecto, demanda del resto de comisiones la mayor de las diligencias por mor de aprovechar la emisión de su opinión al máximo, pues no ha de repetirse otra oportunidad para hacer llegar a la comisión competente la visión global de la comisión sobre el proyecto.

Las opiniones solicitadas por la Presidencia pueden *de facto* intervenir sensiblemente en la primera lectura. Lo normal es que la comisión competente sobre el fondo del asunto inicie contactos informales con las otras instituciones con anterioridad a la producción de la opinión de las comisiones[58]. Consecuentemente, si alguna comisión opinara en sentido contrario al marco adoptado en los contactos informales, podría forzar la retractación de la comisión, perdiendo con ello los acuerdos informales obtenidos hasta la fecha.

Tal contrariedad puede producirse porque la opinión recibida por la Presidencia: bien discrepa con la posición manejada; bien aporta razones distintas no tenidas en cuenta, que sugieren un mejor enfoque; bien trae a colación razones técnicas, jurídicas y/o presupuestarias imponderables. Este último caso es sin duda el de mayor transcendencia. Si la comisión de presupuesto informa sobre límites presupuestarios desconocidos o minusvalorados por la comisión competente, o si la comisión jurídica vislumbra una posible infracción del ordenamiento comunitario, la comisión competente no se encontraría en una posición de valoración de la opinión, sino en una situación de asunción necesaria de la misma. Todo ello independientemente del tono meramente

---

[58]    Estos contactos, como veremos, se producen a través del ponente de turno.

sugestivo de estas opiniones[59], y del hecho de ser la comisión competente la efectivamente dotada de poderes delegados por el Pleno.

Ejemplo de esta influencia entre comisiones se produjo en el contexto del *fourth research framework programme*, donde la opinión de la comisión de asuntos económicos y monetarios y política industrial, dificultó los contactos de la comisión de energía (la competente) con la Comisión[60].

Junto con la mencionada participación genérica de las comisiones, también se producen intervenciones específicas de comisiones en relación con partes del procedimiento. Éstas, mucho menos frecuentes, vienen preceptuadas por el Reglamento del PE a fin de asegurar la coherencia y eficacia de sus procedimientos, estableciendo excepciones a la regla general de transmisión global de competencias a la comisión competente sobre el fondo. Serán vistas en su contexto cuando proceda.

### 1.2.3. El papel de la comisión parlamentaria

La comisión parlamentaria debe encargarse de activar una serie de mecanismos connaturales a su papel en primera lectura en relación con la propuesta de la Comisión, así como al devenir de la actividad del resto de instituciones.

En primer lugar, tenemos la verificación del fundamento jurídico. De acuerdo con el Reglamento parlamentario[61], éste es el primer paso a realizar por la comisión competente. Se trata de ver si el mismo existe en el Derecho originario o si, pese a existir, la Comisión ha elegido una base jurídica errónea. En caso de que la comisión competente sobre el fondo considerase necesario impugnar la validez o procedencia del fundamento jurídico, deberá solicitar "la opinión de la comisión competente para asuntos jurídicos"[62].

---

[59]    Ver por ejemplo los remitidos a la primera lectura del Programa Socrates, "Décision du Parlement européen et du Conseil établissant la deuxième phase du programme d'action communautaire en matière d'éducation SOCRATES (C5-0267/1999 - 1998/0195(COD)) Délégation du Parlement européen au comité de conciliation, 8 décembre 1999, Rapporteur: Doris Pack, JO C 359 du 23.11.1998, p. 74.

[60]    Weiler, T.: *The European parliament and Condecision: the fourth research framework programme*, Energy and Reseach Series, European Parliament Working Papers, W-11, 1994, p. 29. Ver también Agence Europe, 23-10-1993.

[61]    Artículo 63, "Verificación del fundamento jurídico".

[62]    Artículo 63.2 del Reglamento PE.

Por otro lado, la comisión de asuntos jurídicos puede intervenir por iniciativa propia en cualquier valoración de fundamento jurídico de las propuestas de la Comisión, cumplimentando un mero deber de información[63]. Estamos aquí ante una de las mencionadas participaciones específicas de una comisión no competente, distinta de las genéricas emisiones de opinión. Este mecanismo está especialmente diseñado para defender las prerrogativas legislativas del PE.

Como sabemos, la participación del PE en codecisión depende en la práctica de la base jurídica elegida por la Comisión. Puede darse el caso de una elección equivocada de base jurídica, de forma intencionada o fortuita, formalmente fuera del mecanismo de codecisión, iniciándose por ejemplo un procedimiento de consulta en su lugar. Aquí la comisión de asuntos jurídicos, haciendo uso de la prerrogativa indicada, puede promover un proceso que lleve al PE a solicitar ante la Comisión la modificación de la base jurídica e incluso, si tal solicitud no recibe acogida, a promover un recurso ante el TJCE.

El conflicto descrito dista de ser teórico, de hecho ya ha requerido la intervención del Tribunal de Luxemburgo en varias ocasiones[64]. Fruto de dichas sentencias y de la transcendencia de dichos conflictos tras la creación del procedimiento de codecisión, surgió el Código de Conducta de 1995, en el cual el PE y la Comisión acordaron que la elección de las bases jurídicas debería basarse en elementos susceptibles de control jurisdiccional, tales como la finalidad y el contenido del acto[65].

La vía al recurso jurisdiccional puede ser evitada dentro del procedimiento de codecisión por otros medios. La comisión competente (o la de asuntos jurídicos), tras haber cuestionado el fundamento jurídico, puede introducir una enmienda con el propósito de modificar, y transmitirla al Pleno, quien habrá de aprobarla. En caso de que la Comisión no acepte modificar su propuesta para adecuarla al fundamento jurídico demandado por la comisión parlamentaria, el ponente, o la comisión competente para asuntos jurídicos o sobre el fondo, "podrán proponer que se aplace a una sesión ulterior la

---

[63]   Artículo 63.3 del Reglamento PE.

[64]   Recordar aquí las sentencias "Tchernobyl", Asunto 70/88, de 4-10-91, DOCE C, 1988; y "Directiva de estudiantes", Asunto 195/90, de 7-7-92, DOCE C, 1990.

[65]   Así lo recoge Gil-Robles, L.: *El nuevo procedimiento de codecisión tras el Tratado de Ámsterdam*, Parlamento Europeo, Dirección General de Estudios, Serie Política, W-34, 1997, cita 18, p. 8.

votación sobre el contenido sustancial de la propuesta"[66]. En cualquier caso, independientemente de la posición inamovible de la Comisión, el Pleno puede introducir dicha enmienda trasladándola posteriormente al Consejo. Allí, si la Comisión mantiene su posición y el Consejo desea apoyar la modificación de la base jurídica, el colegislador tendrá que actuar por unanimidad. Aclarado el proceso, conviene recordar que es precisamente el Consejo el más interesado en esquivar la colegislación. Por ello, de existir un sesgo, lo será en detrimento del PE.

Otro mecanismo activado por la comisión competente es el de las medidas tomadas en relación con la transparencia del proceso legislativo. En dicho contexto, el Reglamento del PE se refiere a los mecanismos de información interinstitucional referentes a la propuesta legislativa. El PE, sabedor del valor de la información en el proceso legislativo, cubre el estadio anterior y posterior a la propuesta de la Comisión; en concreto, el Reglamento prevé: "el PE y sus comisiones podrán pedir que se les facilite el acceso a todos los documentos relacionados con las propuestas de la Comisión en igualdad con el Consejo y con los Grupos de Trabajo de éste".[67] La petición, así como el seguimiento de la formación de la propuesta de la Comisión, se realiza generalmente por el ponente. Volveremos sobre el particular al abordar el papel del ponente.

Por otro lado, el PE refuerza el seguimiento de la iniciativa legislativa en las otras instituciones, una vez que la propuesta de la Comisión es una realidad: "durante el examen de una propuesta de la Comisión, la comisión competente pedirá a la Comisión y al Consejo que la mantenga informada del estado en que se encuentra la citada propuesta en el Consejo y en sus Grupos de Trabajo"[68]. La previsión reglamentaria citada es consecuencia de la consolidación del procedimiento de codecisión como un campo de constante intervención institucional. Durante el transcurso de la primera lectura del PE, la Comisión y el Consejo están formalmente a la expectativa de la finalización de la misma; la Comisión para considerar si apoya o no las posibles enmiendas, y el Consejo para comenzar su primera lectura. Pese a ello, la Comisión está aún en la plena disponibilidad para retirar su propuesta, lo cual podría realizar bien por replanteamientos propios, bien por lo percibido en el contacto con los colegisladores.

---

[66]    Artículo 63.6 del Reglamento PE.
[67]    Artículo 64.1, Reglamento del PE.
[68]    Artículo 64.2, Reglamento del PE.

El Consejo, por su parte, a través de sus Grupos de Trabajo, realiza un estudio preliminar de la propuesta durante la primera lectura del PE. En ella ya se perfilan cuáles son las modificaciones deseables para el Consejo en relación con la iniciativa legislativa de la Comisión. La Comisión, estando presente en todos los niveles del Consejo, toma un papel activo en los Grupos de Trabajo, intentando hacer valer sus prerrogativas. De dicha interrelación pueden surgir acuerdos entre Consejo y Comisión, independientemente del devenir de la primera lectura parlamentaria. Esos acuerdos, así como la posible retirada de la iniciativa, son precisamente los que inquietan al PE durante el transcurrir de su primera lectura, de ahí la previsión reglamentaria analizada. De hecho, ésta enfatiza que la petición de información que el PE o sus comisiones solicitasen al Consejo y Comisión, versará "en particular [sobre] cualquier posibilidad de compromiso que introdujere modificaciones substanciales a la propuesta inicial de la Comisión, o bien a la intención de la Comisión de retirar su propuesta"[69].

En última instancia, el objetivo del PE es no continuar trabajando sobre las bases de una propuesta que carece de vigencia o de viabilidad futura. El interés por conocer cuanto antes el anormal desarrollo de la propuesta, le permite evitar, no sólo un hipotético esfuerzo fútil, sino seguir mostrando a las instituciones implicadas cuáles son las bazas del PE en la propuesta en cuestión. El PE dispone de una doble y concatenada reacción ante un cambio sustancial de la suerte de la propuesta. Por un lado, aplazar el examen de la propuesta en la comisión competente hasta que haya recibido una nueva propuesta o las modificaciones de la Comisión[70]; o, por otro, la comisión competente, en lugar de adoptar esta actitud pasiva, puede requerir que el Presidente del PE actúe pidiendo "a la Comisión que remita nuevamente su propuesta al Parlamento"[71].

Con esta prescripción reglamentaria especialmente prevista para el mecanismo de codecisión[72], el PE pretende, en la medida de lo posible, evitar perder el papel protagonista en el momento del proceso donde más claramente debería ostentarlo. Pese a ello, el Consejo y/o la Comisión pueden transformar en una formalidad la primera lectura del PE, si las informaciones requeridas

---

[69]   *Ibid.*
[70]   Artículo 65.1, Reglamento del PE.
[71]   Artículo 71.1, Reglamento del PE.
[72]   El Artículo 71 del Reglamento del PE es de hecho un "Procedimiento para la adopción de un acto de conformidad con el artículo 251 del Tratado CE".

no se producen. En la práctica, el fenómeno no se produce de forma dolosa. Realizar tales modificaciones sin ponerlo en conocimiento del PE no haría sino provocar un enrarecimiento de las relaciones interinstitucionales y la segura llegada a la segunda lectura en un clima poco propicio para el acuerdo.

### 1.2.4. El papel del ponente

En la primera lectura, el ponente, junto a la comisión competente sobre el fondo del asunto objeto del acto legislativo, ocupa el epicentro de la co-decisión del lado parlamentario. El ponente es elegido entre los miembros de la comisión parlamentaria competente. La elección puede producirse en vinculación con el programa legislativo anual, de suerte que el ponente se nombra con anterioridad a la efectiva aparición de la iniciativa en sede parlamentaria. De no haberse nombrado un ponente en el contexto del programa legislativo anual, será nombrado inmediatamente después de la formación de la comisión competente, tras el estudio del procedimiento adecuado para la propuesta.

El hecho de la acumulación de poderes en el ponente, puesto en relación con las mayorías parlamentarias demandadas en codecisión, hace necesaria la figura de los "ponentes en la sombra". La mayoría absoluta de los miembros del PE requerida para rechazar una posición común del Consejo, demanda en muchas ocasiones el apoyo de los dos partidos principales del Parlamento. Así, junto al ponente de uno de ellos, se designa oficiosamente un "ponente en la sombra", miembro del otro partido mayoritario[73]. El "ponente en la sombra", realiza un seguimiento exhaustivo de las actividades del ponente, pero sólo tiene poder de incidencia a través de él. El intercambio de información y visiones, aunque no venga reglado ni forzado, no es cuestión menor para el ponente, no en vano, puede ser la clave para la aprobación de su labor en comisión o Pleno.

Esta figura, con la redistribución de fuerzas en la presente legislatura, puede encarnarse por un miembro de los Liberales o Izquierda Unida-Verdes Nórdicos. Aparte del juego relacionado con el equilibrio de fuerzas, no es extraña la designación de un parlamentario del grupo de los Verdes en una

---

[73]   Como veremos a continuación, si el ponente es miembro de un partido mayoritario, cohabitará con un "ponente en la sombra", de serlo de uno minoritario, cohabitará con dos "ponentes en la sombra".

materia de medio ambiente, o de otro de los grupos minoritarios. En caso de ser el ponente de un grupo minoritario, cada grupo mayoritario nombrará un "ponente en la sombra". Este *modus operandi* del PE se ha hecho más necesario a raíz del progresivo aumento del número de parlamentarios, que alcanzó los 636 tras la unificación alemana y la ampliación que llevó la Unión a 15 Estados. Niza (elevando a 732 el umbral máximo de eurodiputados alcanzable) y el Tratado Constitucional (a 750 art. I-20.2), pese a que ya en Ámsterdam se fijó con anuencia del PE en 700, no hacen sino acentuar la necesidad apuntada.

Hoy, la alternativa a la existencia de los ponentes en la sombra sería poco atractiva. Acotando la reflexión a la dialéctica entre los dos partidos mayoritarios, la eliminación supondría complicar hasta el extremo la culminación exitosa de los proyectos colegislativos al alcanzarse precisamente en codecisión la máxima expresión de la independencia del ponente. Esta independencia sólo cobra razón de ser si su aportación recibe el refrendo de la cámara; para conseguirlo, la satisfacción del "ponente en la sombra" es condición cardinal.

La misión del ponente en el contexto de la codecisión ve aumentado su marco de obligaciones en relación con otros procedimientos legislativos. En el contexto del programa legislativo anual, el ponente es "encargado de seguir su elaboración"[74]. Es necesario destacar el énfasis que el PE ha puesto durante la concepción de la reforma reglamentaria sobre la necesidad de planificar su trabajo por mor de encarar adecuadamente las tareas de la codecisión. La idea primordial es recortar el tiempo de duración de la primera lectura, avanzando el trabajo del ponente en la preparación de la ponencia e incluso los contactos con la Comisión desde los primeros momentos del proceso. El PE sin duda apuesta por una extensión de su participación en el programa legislativo anual, tanto dentro como fuera de la codecisión.

Una vez que se produce la propuesta de la Comisión, el ponente comienza el trabajo intrínseco a tal condición: examinar la propuesta y presentar a la comisión parlamentaria una propuesta de informe. Pero aparte de esta dimensión clásica, el ponente tiene que desplegar una actividad negociadora especialmente intensa. Debemos resaltar que la comisión competente, recibiendo la delegación decisoria del Pleno, lo hace también con un poder de representación del PE. Esta potestad ha de entenderse transmitida *de facto* también al ponente, independientemente de la ausencia de estipulación en el

---

[74]  Artículo 60.1 RPE.

Reglamento o de referencia en la decisión de procedimiento específica tomada por la comisión, o de mención expresa en el nombramiento del ponente. Entender lo contrario iría contra la lógica demandada por el procedimiento.

Cuestión distinta es la reflexión que demanda el gran poder acumulado por el Presidente de la comisión o el ponente cuando, *de facto*, dentro del contexto de la negociación, adoptan posiciones superadoras de su mandato negociador, incluso no incluidas en él. Tales posicionamientos no tienen que asumirse obligatoriamente por la comisión o el Pleno; pese a ello, en ciertos casos, el hecho de no hacerlo puede implicar un replanteamiento global de los acuerdos de mayor impacto negativo que la asunción de una propuesta no deseada *a priori*. Estaríamos pues, ante una externalidad negativa de la necesaria y extensa capacidad de negociación de los responsables del PE en codecisión.

La disponibilidad y agilidad en la negociación son esencia del procedimiento de codecisión, de ahí la necesidad de la mencionada delegación. La lógica de los contactos y negociaciones se desarrolló en lo esencial, primigeniamente, en el procedimiento de cooperación. Allí ya se dieron los contactos a todos los niveles. Dicha experiencia llevó a las tres instituciones, vía acuerdo interinstitucional sobre el artículo 189 B, a considerar que la práctica de los "contactos entre la Presidencia del Consejo, la Comisión y los Presidentes y/o los ponentes de las comisiones competentes del Parlamento Europeo"[75], desarrollada durante el procedimiento de cooperación, "deberá mantenerse y podrá desarrollarse en el marco del procedimiento del artículo 189 B del Tratado constitutivo de la Comunidad Europea"[76].

En primera lectura, el ponente es el máximo protagonista de la información sobre la posición de las otras dos instituciones, y dependiendo de ellas, el máximo protagonista en la negociación. Para ambas tareas, pero especialmente para la de información, las secretarías generales de las tres instituciones son pieza clave; particularmente los departamentos encargados de seguir la conciliación: la "Dirección General de comisiones y delegaciones —Dirección B— Secretaría de Conciliaciones/Concertaciones" en el PE; la "Dirección General F III-Codecisión" dentro de la Secretaría General del Consejo, y la

---

[75]    Acuerdo interinstitucional sobre: "Artículo 189 B - Fase anterior a la adopción de la posición común por parte del Consejo" DOCE, 9-12-93, N 329/141.

[76]    *Ibid.*

"Dirección de relaciones con el PE" de la Comisión. Su participación será comentada según adquiera protagonismo a lo largo del proceso.

El ponente trabaja con tres herramientas: la propuesta de la Comisión, la flexibilidad mostrada por la Comisión, y por último, la posición del Consejo. Eventualmente, la comisión competente puede pedir un informe a un "grupo de sabios-expertos". En dicho caso, habría que incluir dicha aportación en las herramientas del ponente.

El ponente, una vez estudiada la propuesta de la Comisión, realiza un boceto del informe. Para la culminación de éste, pueden darse contactos con los departamentos encargados de la codecisión de las secretarías de las otras instituciones, pero lo normal es que estos contactos se mantengan aún en el nivel de información. Una vez que el informe provisional está perfilándose, el ponente suele entrar en contacto con los encargados sectoriales del expediente. Tras dicho contacto, se elabora el informe definitivo que se pasa a la comisión sobre el fondo para su debate.

## 1.2.5. El debate en la comisión parlamentaria

El debate en la comisión parlamentaria tiene como principales características la publicidad y la presencia de representantes de la Comisión y del Consejo. Llegado el punto de codecisión en el orden del día, el Presidente de la comisión parlamentaria da la palabra al ponente, quien expone los principales puntos de su informe y de la propuesta de proyecto de Resolución legislativa adecuada a su entender. Eventualmente, la comisión parlamentaria puede organizar una audiencia con expertos para debatir la propuesta que podría tener lugar antes de la ponencia, el ponente tiene normalmente conocimiento anterior de la posición de los expertos[77]. Tal iniciativa se puso en práctica con motivo de la valoración de las propuestas de Directiva relativas al gas natural y a la electricidad[78]. También puede disponerse la presentación

---

[77]  Tal práctica ha contado con bastante apoyo en el transcurso del debate sobre el estatuto de los miembros del PE, llevado a cabo en la comisión jurídica, en particular su presidenta Ana Palacio en la sesión celebrada la primera semana de diciembre de 1999.

[78]  Así lo recoge Gil-Robles, L.: "El nuevo procedimiento de codecisión tras el Tratado de Ámsterdam", cit., p. 10.

de la ponencia en una sesión posterior a aquella en la que ha tenido lugar la audiencia de expertos.

Tras la mencionada exposición del ponente, el Presidente da paso a la intervención de la Comisión. La Comisión, representada en primera lectura por un funcionario de alto nivel, hace una introducción general de su propuesta para posteriormente entrar a valorar las enmiendas presentadas por el ponente. Básicamente comenta cuáles puede aceptar y cuáles no, así como los motivos de la segunda posición. Igualmente, suele comentar de forma genérica cuál es la posición del Consejo. El hecho de que el Consejo, representado en la comisión parlamentaria y capacitado para hacerlo no realice dicha función, es digno de análisis.

### 1.2.5.1. La representación del Consejo en la comisión parlamentaria

El Parlamento, desde el primer análisis del nuevo procedimiento de codecisión[79], resaltó la necesidad de tomar medidas de desarrollo por mor de optimizar las posibilidades de finalización del procedimiento en primera lectura. Como consecuencia directa, el Reglamento del PE cuidó con especial mimo la posibilidad de que las comisiones parlamentarias fueran utilizadas como sede del intercambio de posiciones entre los colegisladores, conviniendo la participación del Consejo en las comisiones parlamentarias[80].

Como es lógico, no basta con la facultad concedida por el PE al Consejo; es necesario que el Consejo pueda hacer prolífico el intercambio de posiciones en las comisiones parlamentarias, estando representado por quienes son capaces de dar información y generar certidumbres de negociación en el ponente y en la comisión parlamentaria. Tales demandas fueron certeramente abordadas por el nuevo Reglamento del Consejo: "El Consejo podrá estar representado ante el Parlamento Europeo por la Presidencia o, con el consentimiento de ésta, por la Presidencia siguiente o por el Secretario General. Por mandato de la Presidencia, el Consejo también podrá estar representado ante dichas

---

[79]   Ver el considerando C de la "Resolución sobre el nuevo procedimiento de codecisión después de Ámsterdam", DOCE-C 292/140.

[80]   Ver los siguientes artículos del Reglamento del PE: 60.1 en relación con la primera lectura y 80.5 en relación con la segunda lectura.

comisiones por su Secretario General Adjunto o por altos funcionarios de la Secretaría General"[81].

Pese a lo dicho, el Consejo no está representado por tan distinguidos representantes. Se hace representar por funcionarios de nivel A que acuden con el fin de informar al Consejo sobre lo acontecido en la comisión parlamentaria y no al revés. Aquéllos, no estando apoderados, no intervienen, aunque sean aludidos por los parlamentarios e invitados explícitamente por el Presidente de la comisión parlamentaria.

La actitud del Consejo en sede parlamentaria se explica esencialmente por dos razones: por un lado, aunque de forma adjetiva, se explica por los problemas derivados de la conformación de una opinión del Consejo; sustantivamente, por los problemas intrínsecos de la coordinación en la Presidencia de la institución. Además se debe a la existencia de una problemática específica relacionada con el procedimiento de codecisión. En los procedimientos legislativos tradicionales, allí donde el Consejo no debe contar con el PE o puede imponer su posición finalmente, los EEMM pueden no definir claramente su posición hasta los prolegómenos del Consejo de Ministros, apareciendo entonces claro el acuerdo o desacuerdo labrado en los Grupos de Trabajo y Coreper.

El contexto de toma de decisiones normal se caracteriza por el desarrollo del proceso de puertas adentro; consiguientemente, la Presidencia no tiene la exigencia de articular una posición común que abanderar de puertas afuera. También se caracteriza por la atenuada presión sobre el acuerdo en los momentos preliminares; las delegaciones, salvo urgencias coyunturales del expediente, dan toda la preeminencia a la defensa de sus intereses. En defensa de ellos, el tiempo de negociación en los Grupos de Trabajo y las reservas de estudio acompañadas de consultas a las autoridades nacionales, son una baza explotable al máximo.

El procedimiento de codecisión, *sensu contrario*, demanda una pronta articulación del Consejo de puertas afuera, tanto para orientar al ponente como para clarificar posiciones en la comisión parlamentaria y en el Pleno antes de la decisión del PE en primera lectura. Tal reacción posibilita, que no asegura, un posicionamiento menos extremista del PE. Un posicionamiento

---

[81]   Artículo 26 del Reglamento del Consejo. Decisión del Consejo de 22 de julio por la que se adopta su Reglamento interno (2002/682/CE,Euratom), DOCE L, nº 230 de 28-8-2002.

que, partiendo de un conocimiento claro de lo admisible por el Consejo, permita al PE replegar posiciones por mor de un acuerdo en primera lectura. A mayor desconocimiento de las posiciones del Consejo, mayor posibilidad de distanciamiento del PE en su posicionamiento en primera lectura y menor posibilidad de la finalización de la codecisión.

El talante del Consejo en el contexto ahora estudiado responde, por otro lado, a su táctica con respecto a la codecisión. Táctica, como veremos, contraria al nuevo espíritu de la primera lectura. El Consejo tiene como eje cardinal de su procedimiento reducir al máximo la interlocución directa con el PE y mantener hasta el final la mayor de las disponibilidades con respecto a su posición. Jurídicamente, nada impediría al Consejo alterar en el transcurso del procedimiento su posición pese a haberla explicitado ante el Parlamento, bien en el plano informal con el ponente, bien en el plano formal de la comisión parlamentaria. Pese a ello, no cabe duda de que mantener la capacidad de rectificación, desde un punto de vista político, es mucho más asequible en ausencia de explicitaciones en sede parlamentaria. El precio a pagar por este peculiar proceder es, en muchas ocasiones, dar por imposible el acuerdo en primera lectura.

Desde Ámsterdam, la primera lectura puede ser la última; por ello, resulta difícilmente justificable que el Consejo mantenga el mutismo formal. Mutismo fruto de una táctica generada en el contexto de la primera lectura del antiguo artículo 189 B, y que hoy en día, contraría claramente el espíritu de la actual primera lectura (art. 251 TCE).

La situación se podría resolver parcialmente sin la presencia física de un representante de la Presidencia de turno. El Consejo podría, cuando menos, definir su postura sin entrar en mayores debates. Normalmente, el Consejo está representado por miembros de la DG sectorial encargada del área del expediente, y además, por la Dorsal codecisión[82]. Cualquiera de ellos debe tener un conocimiento del expediente lo suficientemente profundo como para poder informar sobre el posicionamiento genérico del Consejo.

Especialmente capacitada para esta tarea está la Dorsal codecisión; pues junto con el conocimiento del expediente particular, es el único departamento de la Secretaría General del Consejo con una visión global sobre las codecisiónes

---

[82] Dorsal codecisión, proveniente del termino francés *"Dorsale codecision"*, es el nombre por el que se conoce en la jerga comunitaria a la DG F III-codecisión de la Secretaría del Consejo.

en curso. Tiene una visión plena de los expedientes vivos en codecisión, y lo más importante, es además perfecta conocedora de la actitud a mantener por el Consejo con vistas a futuros pasos en el procedimiento. Esta información genérica sobre la posición del Consejo, no involucrando a la Presidencia en representación del Consejo, debería realizarse a título informativo; así, no involucraría en extremo al Consejo.

En un hipotético caso, el Consejo podría hacerse representar por la Presidencia en la comisión parlamentaria durante la primera lectura. Como es sabido, la frecuente falta de acuerdo genérico en los Grupos de Trabajo a esas alturas del procedimiento legitimaría a la Presidencia a presentar simplemente las partes de la propuesta legislativa aceptables, así como las enmiendas parlamentarias promovidas por el ponente difícilmente asumibles por una mayoría suficiente del Consejo. Esta actitud forzaría al Consejo, según su criterio, a continuar participando con la misma intensidad en el Pleno y en la segunda lectura, a forzar la máquina del consenso en la primera lectura, y a mostrar demasiadas bazas negociadoras demasiado pronto.

Frente a la filosofía más coherente con el espíritu del procedimiento, se opone el interés de las instituciones. Las miras del Consejo en codecisión no están puestas en la culminación del procedimiento con la máxima economía procesal, sino en hacerlo con el máximo beneficio. Por ello, la práctica de la participación del Consejo en la comisión parlamentaria deja bastante que desear. La Presidencia no está presente como indicamos. Los representantes del Consejo (funcionarios de la Secretaría) nunca participan *motu proprio*; extraordinariamente lo hacen si son insistentemente invitados, y en caso de hacerlo, lo normal es que el representante simplemente constante "no tener mandato" para responder a las preguntas o para expresar la opinión del Consejo.

La Comisión, como ya adelantamos, es la institución que en la práctica carga con la labor de informar al PE sobre la posición del Consejo. La doctrina cercana a las tesis del PE entiende que "esta responsabilidad deriva directamente del derecho que asiste a la Comisión a estar presente en las sesiones del Consejo [...], la Comisión asume el deber de informar del estado en que se encuentra su propuesta, de las modificaciones que está sufriendo o puede sufrir, de los compromisos que alcanza con el Consejo, etc"[83]. La extensión de dicho deber demanda algunas reflexiones.

---

[83]   "El nuevo procedimiento de codecisión tras el Tratado de Ámsterdam", *cit.*, p. 9.

Por un lado, en relación con el deber de confidencialidad debido por la Comisión al Consejo, existen argumentos para discrepar de la doctrina citada. La Comisión asiste a las reuniones del Consejo en el plano legislativo siguiendo la inercia de los procedimientos legislativos tradicionales. De acuerdo con dichos procedimientos, la relación Consejo-Comisión cobraba sentido sobre la base del monopolio *de facto* del Consejo con respecto a la decisión última y a la necesidad de interlocución entre ambas instituciones; en particular, cuando el Consejo debe persuadir a la Comisión para modificar su propuesta. La Comisión era y es capital en aquel contexto, receptora y no transmisora del sentir legislativo del Consejo. Por ello, siempre en aquel contexto, asiste a las reuniones del Consejo y guarda confidencialidad sobre lo acaecido en las discusiones del Consejo en cualquiera de sus niveles.

El procedimiento de codecisión, significando la ruptura del monopolio protagonizado por el Consejo, no eliminó el deber de confidencialidad de la Comisión. No ha habido mención expresa o modificación reglamentaria del Consejo liberando a la Comisión de tal deber o cediéndole la responsabilidad de informar al PE de lo acontecido en las reuniones varias del Consejo. Lo dicho parece especialmente congruente en el estadio de procedimiento analizado, pues durante la primera lectura del PE, el Consejo no ha realizado ninguna posición formal. Pese a lo dicho, la valoración final sobre el particular no debe basarse exclusivamente en la inexistencia de posicionamiento formal en sede parlamentaria por parte del Consejo durante la primera lectura.

El Derecho originario (tanto el antiguo artículo 189 B como el actual artículo 251), en referencia al deber de información respecto a la posición común del Consejo para con el PE, establece una indiscutible carga en el Consejo: "el Consejo informará plenamente al Parlamento Europeo de los motivos que le hubieran conducido a adoptar su posición común"[84]. Por el contrario, la "Comisión informará plenamente sobre su posición al Parlamento Europeo"[85], esto es, su posición respecto a dicha posición común, valga la redundancia, y no acerca de la posición del Consejo sobre la posición común.

La existencia de una clara diferencia entre el procedimiento de codecisión y otros, encuentra refrendo en la silenciosa doctrina del Servicio Jurídico del Consejo de la UE. En su dictamen de 3 de febrero de 1994, afirmó: "con respecto a la información sobre las razones que llevan al Consejo a adoptar su

---

[84]    Artículo 251.2 TCE.
[85]    *Ibid.*

posición común, cabe señalar que corresponde a este último proporcionarla, en contra de lo dispuesto en el artículo 189 C que, al igual que el apartado 2 del artículo 149 del TCEE, sigue atribuyendo la incumbencia a la Comisión. Según el procedimiento del artículo 189 B, la Comisión se limita a informar al Parlamento de su propia posición"[86].

Puede, pues, hablarse en teoría de una situación de control exclusivo del Consejo sobre la información de sus posicionamientos formales, de entre los cuales, la posición común resulta ser el primero. El contexto ahora analizado no observa ningún posicionamiento formal, lo cual, lejos de relajar, extrema los deberes de confidencialidad. Ello porque al Consejo, en cualquier contexto, le resulta más fácil desembarazarse de un posicionamiento informal que de uno formal.

## 1.2.5.2. La participación de la Comisión en la comisión parlamentaria

Pese a las razones jurídicas expuestas, el abstencionismo extremo del Consejo en el ámbito de la labor de información al PE y la necesidad de que la misma se produzca para el buen funcionamiento de la codecisión, transforman a la Comisión en el único informador del PE en la constante comisión parlamentaria.

Esta realidad nos obliga a abordar otra variante, aquella relacionada con la neutralidad de la información dada al Parlamento por la Comisión en lo referente al Consejo. El papel de la Comisión como informadora de los colegisladores, produce sin duda un conflicto de intereses; por ejemplo, el derivado del uso interesado por parte de la Comisión de dicha información. La Comisión, en relación con el PE, tiene distinto acceso a la información pero también distinto interés, el propio. Independientemente del alcance del papel neutral que le atribuye la codecisión, la Comisión tiene un interés propio, plasmado en cada expediente en su propuesta.

El papel informador de la Comisión sobre el colegislador no es objetivo por ser parte; y como tal, la institución puede abandonar el papel de mero transmisor de información. Para ello no es necesario faltar a la verdad, es

---

[86]   NON-PAPER a la atención del Presidente y los Miembros del COREPER (1ª y 2ª Parte), Asunto: Procedimiento del artículo 189 B del Tratado CE, denominado de codecisión, SN 1404/94 ES, punto I.4.

más sutil y menos difícil enfatizar los aspectos coincidentes entre Consejo y Comisión. La tarea resulta más o menos fácil dependiendo de dónde nos encontremos: en una reunión informal, en comisión o en el Pleno. Tales actitudes, por supuesto, vienen facilitadas por el silencio del Consejo y por la incapacidad del PE para asistir a las reuniones del colegislador.

La Comisión, como veremos, también informa al Consejo sobre lo acaecido en sede parlamentaria; pero a diferencia del PE, el Consejo, a través de la Dorsal codecisión, tiene información de primera mano sobre lo que sucedió en sede parlamentaria. El hecho de que el Consejo mande a la Dorsal, aun recibiendo información de la Comisión, puede indicar algo sobre el grado de neutralidad de la información aportada por la Comisión.

### 1.2.5.3. La culminación del trabajo de la comisión parlamentaria

Siguiendo con el hilo argumental del desarrollo del procedimiento, la comisión competente sobre el fondo recibe, estudia y debate la propuesta de la Comisión. Antes de cerrar el debate se fija un plazo para que los miembros de la comisión competente presenten enmiendas. Las enmiendas que se presentan durante el estudio en comisión en primera lectura son primigeniamente las promovidas por el ponente. Del acuerdo entre el ponente y los ponentes en la sombra surgirán o no la mayoría de las enmiendas presentadas por parlamentarios de los grupos mayoritarios. Como norma general, pese a que la primera lectura en comisión es el momento del procedimiento durante el cual se presentan más enmiendas, son pocas las presentadas por los grupos minoritarios, salvedad hecha de aquéllas que encuentran apoyo suficiente para llegar al Pleno.

El éxito de las enmiendas en comisión es fruto de la propia conformación de las comisiones parlamentarias, en combinación con el juego ponente-ponente en la sombra. La reproducción de la mayoría parlamentaria en la Comisión evita la sorpresa, de suerte que la mayor parte de las enmiendas no respaldadas por los grupos parlamentarios mayoritarios no alcanzan el Pleno; consecuentemente, las que lo alcanzan normalmente cuentan con apoyo en el Pleno.

Cuestión distinta al juego de la mayoría parlamentaria es el eventual descarte, en comisión o en Pleno, de aquellos aspectos que no cuentan con el beneplácito de la Comisión. Lo normal es ver pasar las enmiendas hasta el Pleno, para observar allí un replanteamiento de las mismas dependiendo del apoyo de la Comisión y de las posibilidades de finalizar el procedimiento en primera lectura. Lógicamente, la eventualidad de finiquitar el procedimiento con la eliminación de una enmienda conflictiva apunta a su eliminación, independientemente de que el apoyo fuese claro en comisión.

Antes de pasar a la votación final sobre la propuesta de la Comisión y las enmiendas a la misma, la comisión competente "solicitará a la Comisión que dé a conocer su posición sobre todas las enmiendas a la propuesta que hayan sido aprobadas en comisión, y al Consejo, que formule sus observaciones al respecto"[87]. Una vez que las dos instituciones se pronuncian (o declinan pronunciarse), del modo anteriormente descrito, se pasa a la votación de las enmiendas. Las enmiendas se adoptan normalmente por consenso a estimación de la Presidencia. Parece pues más adecuado hablar de aprobación o rechazo de las enmiendas. La votación se produce normalmente cuando un grupo introduce la enmienda no acordada y solicita la votación de la misma. De mediar acuerdo, bastaría una constatación por parte de la Presidencia de la existencia de apoyo.

En comisión, si bien no tanto como en el Pleno, el PE apura al máximo la posibilidad de llegar a un acuerdo con la Comisión sobre las enmiendas que desea introducir. Por mor de facilitar su consecución, el Reglamento prevé que "si la comisión no se encontrare en condiciones o declare no estar dispuesta a aceptar todas las enmiendas aceptadas aprobadas en comisión, ésta podrá aplazar la votación final"[88]. El aplazamiento de la votación, como delata la mala redacción del artículo al distinguir entre aprobación y votación final, responde al objetivo de dar tiempo a la comisión para rectificar; no trata pues de retomar el debate en comisión o dar pie a la reflexión parlamentaria.

Una vez se ha producido la votación, el ponente realiza un informe definitivo en el que incluye las enmiendas aprobadas, un proyecto de Resolución legislativa y una exposición de motivos[89]. Este informe nutre la Resolución legislativa finalmente enviada al Pleno por la comisión. Si la comisión no hubiese introducido enmiendas, solicitaría al Pleno la aprobación de la propuesta de la Comisión. Si hubiese introducido enmiendas, solicitaría la aprobación de la propuesta de la Comisión con las respectivas enmiendas. Sobre el proyecto de Resolución legislativo citado, gravita el estadio final de la primera lectura en sede parlamentaria, el Pleno.

---

[87]    Reglamento del PE, artículo 66.1.
[88]    Reglamento del PE, artículo 66.2.
[89]    Ver artículo 159.3 del Reglamento del PE.

## 1.2.6. *La tramitación en Pleno*

La finalización de la primera lectura no requiere normalmente superar un período de sesiones semanal. La primera lectura puede finiquitarse en un día de Pleno, en el cual se produzcan el debate y la votación. Puede ocurrir, como veremos, que se produzca una separación entre el debate y el voto en días distintos dentro de una semana parlamentaria. Esta separación se produce por la táctica adoptada por el PE de realizar todas las votaciones conjuntamente, para facilitar la asistencia de los eurodiputados a las mismas votaciones. A diferencia de la segunda lectura, la primera lectura se disciplina por mayoría simple; de ahí la menor dependencia de la asistencia de parlamentarios en la votación del Pleno.

La votación o un debate iniciado puede incluso, si bien de forma excepcional, aplazarse a otra sesión plenaria. Por último, el expediente podría ser devuelto a la comisión competente sobre el fondo por el Pleno; el caso más común por el que se produce tal hecho es la no aprobación de la Resolución legislativa propuesta por la comisión competente[90].

La tramitación en Pleno de la primera lectura en codecisión puede realizarse de conformidad con el procedimiento común o por procedimientos especiales abreviados: procedimiento sin informe, procedimiento simplificado[91] y procedimiento sin debate[92].

### 1.2.6.1. *Los procedimientos simplificados*

El procedimiento sin informe tiene su inicio en la comisión competente; allí el Presidente de la misma, bien *motu proprio*, bien por recomendación del Presidente del PE, comunica a la comisión la idoneidad de que la propuesta se adopte sin informe. Dicha recomendación tiene que ser refrendada con la aprobación de la comisión, lo que se producirá salvo oposición de una quinta parte de la misma[93].

Si se aprueba la propuesta del procedimiento sin informe para el expediente en cuestión, se producirán las siguientes derivaciones: el Presidente

---

90     Así lo disciplina el artículo 69.2 del Reglamento del PE.
91     Disciplinados en el artículo 158 del Reglamento del PE.
92     Disciplinado por el artículo 114 del Reglamento del PE.
93     Artículo 158.1 del Reglamento del PE.

de la comisión competente se lo comunicará al Presidente del Parlamento; la propuesta sin informe se incluirá en el "proyecto de orden del día del período parcial de sesiones siguiente a la decisión de la comisión"[94]; y el Pleno se limitará a votar la propuesta aprobándola o rechazándola[95]. Dichos efectos sólo se alteran si treinta y dos eurodiputados o más se oponen, en cuyo caso "la propuesta de la Comisión se devolverá, para un nuevo examen, a la comisión competente"[96].

El procedimiento simplificado se inicia, al igual que el procedimiento sin informe, por iniciativa de uno o ambos Presidentes, salvo oposición de una quinta parte de los miembros de la comisión. La primera repercusión del procedimiento se muestra en la elección automática del Presidente de la comisión como ponente. El Presidente, en su función de ponente, realizará el proyecto de informe y lo enviará a los miembros de la comisión. El proyecto de informe se compone de: una parte reglamentaria, un proyecto de Resolución legislativa y una sucinta exposición de motivos[97]. El mismo se considerará aprobado si durante las dos semanas siguientes a su remisión, al menos una quinta parte de los miembros de la comisión competente no hubieran formulado objeciones. En tal caso el informe "se incluirá [...] en el proyecto de orden del día del período parcial de sesiones siguiente a la decisión de la comisión"[98]. De acuerdo con el artículo 158 del Reglamento, el proyecto de Resolución legislativa se someterá a votación sin debate en el

---

[94]   Artículo 114.1 del Reglamento del PE.
[95]   Ver a modo de ejemplo de aprobación de una propuesta de Directiva sin informe, el resultado de la primera lectura en Pleno de la propuesta de Directiva del Parlamento Europeo y del Consejo por la que se modifica la Directiva 92/61/CEE del Consejo relativa a la recepción de los vehículos de motor de dos o tres ruedas. Resultados de la primera lectura del PE (Estrasburgo, 25-29 de octubre de 1999), expediente interinstitucional 99/0117(COD), 12376/99, Bruselas, 27 de octubre de 1999. También ver para ejemplo de una propuesta de Directiva sin informe, el resultado de la primera lectura en Pleno de la propuesta de Directiva del Parlamento Europeo y del Consejo relativa a la aproximación de las legislaciones de los Estados miembros sobre la protección delantera contra el empeoramiento de los vehículos y por la que se modifica la Directiva 92/61/CEE del Consejo.
[96]   Artículo 114.1 del Reglamento del PE. Resultados de la primera lectura del PE (Estrasburgo, 25-29 de octubre de 1999), expediente interinstitucional 99/0007(COD), 12376/99, Bruselas, 27 de octubre de 1999.
[97]   *Vid.* artículo 158.2 del Reglamento del PE.
[98]   Artículo 114.1 del Reglamento del PE.

Pleno, siguiendo el procedimiento sin debate establecido en el artículo 114 del Reglamento.

El procedimiento sin debate se inicia por una petición de la comisión competente al Pleno en tal sentido[99]. También se "aplicará el procedimiento sin debate cuando la posición competente no haya presentado enmiendas o cuando las enmiendas presentadas hayan sido aprobadas por menos de cuatro votos en contra"[100]. Dándose alguno de los casos anteriores, el proyecto de Resolución legislativa incluido en el informe objeto de la petición se someterá a votación sin debate en el mismo período parcial de sesiones que los anteriores procedimientos. El procedimiento sin debate se desarrolla automáticamente a partir de los detonantes mencionados salvo oposición de un tercio de los eurodiputados en Pleno, en cuyo caso, se incluirá el informe con debate en una de las sesiones plenarias parciales posteriores y no en la inmediata siguiente[101].

La razón de ser de estos procedimientos especiales responde a la agilización del trámite plenario sin detrimento del tratamiento de los expedientes. Se trata, esencialmente, de eliminar el debate en Pleno de aquellas propuestas de la Comisión con escaso impacto, debido al amplio consenso alcanzado en la comisión parlamentaria. El consenso en comisión entre los distintos grupos, especialmente cuando se refleja en pocas o ninguna enmienda a la propuesta de la Comisión europea, augura una pasada por el Pleno en primera lectura repetitiva del debate en comisión. De hecho, sólo marginalmente se introducen enmiendas en Pleno cuando se da curso al procedimiento sin debate. Si las instituciones modifican las posiciones institucionales expuestas y conocidas en comisión, se podría dar una situación incómoda para el PE. Tal peligro se solventa con la mera activación del debate por indicación de treinta y dos diputados en el Pleno.

---

[99]   Ver a modo de ejemplo de aprobación de una propuesta de Directiva sin debate, el resultado de la primera lectura en Pleno de la Proposition de directive du parlement européen et du Conseil modifiant la directive 80/181/CEE concernant le rapprochement des législations des Etats membres relatives aux unités de mesure.

[100]  Artículo 114.2 del Reglamento del PE. Résultats de la 1 ère lecture du Parlement européen (Strasbourg, 13-17 décembre 1999), Dossier interinstitutionnel 99/0014(COD), Bruxelles, le 15 décembre 1999.

[101]  *Ibid.*

## 1.2.6.2. *El procedimiento común*

El procedimiento común se caracteriza por formalizar todos los pasos previstos en el Pleno durante la primera lectura, entre ellos principalmente el debate. Los temas de codecisión a tratar por el Pleno no se ordenan en relación con la fase de procedimiento legislativo, sino en concordancia con la temática. Ejemplo de ello son los debates conjuntos sobre la misma materia, pero disciplinados por distinto fundamento jurídico, lo que determina que uno se siga por codecisión y otro por cooperación. La inclusión o no de votación en el mismo día es otro factor decisivo en la determinación del orden del día[102]. Así, el tratamiento de los temas de codecisión se sucede en el Pleno alternativamente según los presente el orden del día[103].

Una vez que llega el turno establecido en el acta del día de la sesión para el debate del informe pertinente (identificado con el nombre del ponente)[104], el Presidente del PE anuncia el comienzo del debate sobre el informe. El primero en intervenir es el ponente, quien lo hace en nombre de la comisión competente sobre el fondo. En dichas intervenciones, normalmente se describe y se aboga por los temas centrales de la ponencia; igualmente, se realiza una descripción de las evoluciones sufridas por la propuesta en la comisión competente, así como de las posibles enmiendas que considera necesario introducir en el Pleno.

Aparte de las introducidas vía contactos informales con las otras instituciones involucradas en codecisión, suelen introducirse las derivadas de las inquietudes de los ponentes en la sombra, o simplemente enmiendas necesarias para evitar problemas formales. Como ya adelantamos, la introducción

---

[102] Los órdenes del día de las sesiones, se encuentran en: INTERNET, http://www. eu.int./agenda/es; INTRANET del PE, http://www. ep.ec./agenda/es.

[103] El procedimiento de codecisión es identificado en la documentación Parlamentaria con tres asteriscos ***, siendo codecisión en primera lectura ***I, en segunda ***II, tercera lectura (en referencia a la aprobación o rechazo de un texto conjunto del comité de conciliación y no en relación con la antigua tercera lectura del 189 B) ***III.

[104] En el acta del día se encuentra incluido del siguiente modo: Rapport Redondo Jiménez (A5-0089/1999) - Statistiques agricoles communautaires sur la proposition de décision du Parlement européen et du Conseil modifiant la décision 96/411/CE relative à l'amélioration des statistiques agricoles communautaires [COM(1999) 332 -C5-0042/1999-1999/0137(COD)] Commission de l'agriculture et du développement rural. *Le vote a lieu à la fin du débat.*

de enmiendas entre comisión y Pleno depende en muchas ocasiones de la viabilidad de finiquitar el procedimiento en primera lectura.

Pero lo que ahora nos interesa es destacar el valor cualitativo potencialmente gozado por las enmiendas presentadas en Pleno, cuenten o no con el apoyo del ponente, sea o no el promotor de las mismas. La importancia radica en las expectativas de aprobación de las enmiendas en virtud del posicionamiento del ponente. Como muestra de lo dicho, el Presidente del PE, antes de la votación de las enmiendas, señala la posición a favor o en contra del ponente. Los partidos, quienes con anterioridad al comienzo de la sesión se han reunido para estudiar el debate en el Pleno y fijar su posición sobre el informe del ponente y la votación[105], fijan su posición, como es lógico, teniendo en cuenta el juego de ponentes en la sombra. El apoyo o rechazo a las enmiendas pivota en relación con el ponente, salvo excepción provocada por la marginación de grupos en el contexto de la colaboración con la ponencia.

La propia intervención del ponente puede determinar la evolución del resto del debate, independientemente de que la Presidencia tenga un turno de peticiones de intervención de parlamentarios. Ello sin olvidar que los grupos políticos, durante las reuniones de preparación del Pleno y decisión del voto, manejan casi siempre el posicionamiento definitivo del ponente. Por el contrario, no se tiene la misma certeza sobre la posición de los colegisladores, entre otros motivos porque su participación no es segura. El Presidente puede demandar expresamente a la Comisión y/o al Consejo su posicionamiento. En este caso, la Presidencia cederá la palabra a los representantes de dichas instituciones. La intervención del Consejo brilla por su ausencia, exactamente por los mismos motivos que en las comisiones competentes sobre el fondo.

La Comisión actúa en Pleno con mayor discreción a la hora de pronunciarse sobre la posición del Consejo, dando líneas generales sobre la aceptabilidad de las enmiendas por el Consejo, sin entrar normalmente en posicionamientos nacionales; es decir, sin hablar de supuestas minorías de bloqueo eventualmente coaligables al interés parlamentario. En cuanto a la suya propia, dependerá mucho del estado de cosas, tanto sobre las enmiendas introducidas en comisión, del PE, como sobre la viabilidad de finalizar el procedimiento en primera lectura. Lo último debe ser siempre puesto en relación con la

---

[105]    Estas reuniones se producen antes del comienzo de la sesión en el día que se celebren las votaciones, generalmente el último de la semana. Dicho hecho se puede contrastar en cualquier acta de esos días.

debilidad de la incidencia de la Comisión en el Comité de Conciliación, así como la divergencia entre los textos comunes de él emanados con respecto a la propuesta inicial de la Comisión.

Como indicamos, la primera lectura es el momento álgido de influencia de la Comisión; pese a ello, poco puede hacer para enmendar en el Pleno aquello que no pudo sacar adelante en comisión. En estos casos, la intervención puede realizarse esencialmente para resaltar las partes cardinales de la propuesta a respetar en posteriores fases del procedimiento; también para pronunciarse sobre las enmiendas presentadas en Pleno. Con respecto a éstas, dependiendo de la posición del ponente y del resto de partidos, la Comisión puede esperar a pronunciarse o hacerlo de nuevo una vez que todos los partidos se hayan pronunciado.

La Comisión, en cualquier caso, sin caracterizarse como el Consejo por no pronunciarse en sede parlamentaria, opta eventualmente por no hacerlo convirtiendo el debate en Pleno en un intercambio intraparlamentario. Dicha pasividad por parte de ambas instituciones puede cobrar sentido por táctica, o al haberse alcanzado por acuerdo, pero no por desacuerdo, al menos no en la Comisión.

Ejemplo del silencio táctico se dio en el informe Papayannakis[106]. El ponente pidió al Consejo que precisara su posición sobre la solicitud (realizada al Consejo por la Comisión dos días antes del debate) de presentar una nueva propuesta con otro fundamento jurídico. Ello hubiese permitido, según el ponente, prescindir del acuerdo con el Parlamento[107]. Pese a la importancia tan crucial del cambio del fundamento jurídico, ni el Consejo ni la Comisión intervinieron[108].

Es difícil encontrar un ejemplo más claro de falta de colaboración interesada que el anteriormente expuesto. Del mismo modo encontramos aquí un ejemplo de lo ya dicho: la Comisión es primigeniamente una aliada de sí misma en el procedimiento de codecisión. Si bien su filosofía prointegracionista le hace coaligarse en muchas ocasiones con el PE, las cohabitaciones interinstitucionales dependen de la realidad concreta de cada expediente. Su papel mediador brilla dependiendo de lo conciliadora que sea su posición con respecto a la de los colegisladores.

---

[106]   A5-0101/1999.
[107]   Ver acta de la sesión del jueves 16 de diciembre de 1999, PE 282.374, p. 7.
[108]   *Ibid.*, p. 8.

El debate en Pleno, aparte de al ponente, Consejo y Comisión, está abierto al resto de los eurodiputados. Como norma general, el debate está copado por los portavoces o especialistas de los grupos parlamentarios en el ámbito sectorial sobre el que verse el informe. Éstos, lógicamente, son los representantes de los grupos parlamentarios en la comisión competente sobre el fondo, de suerte que el debate tiende a ser endogámico y repetitivo, particularmente si no se han introducido enmiendas en el Pleno[109].

Una vez que se han producido todas las intervenciones pertinentes, el Presidente da por cerrado el debate y abre la votación, o en caso de producirse ésta en día distinto, indica al día de la votación. La votación, de acuerdo con el apartado 2 del artículo 67 del Reglamento del PE, se produce sobre cuatro aspectos: enmiendas a la propuesta, propuesta, enmiendas al proyecto y, por último, proyecto legislativo.

El orden de la votación refleja la lógica de la conformación de la Resolución legislativa. Los distintos apoyos recibidos por las enmiendas presentadas a la propuesta, pueden configurar tres propuestas diferentes de cara a la votación: una propuesta modificada con todas las enmiendas; una modificada parcialmente con la aprobación solamente de parte de las enmiendas; y por último la propuesta tal y como la concibió la Comisión en caso de que ninguna enmienda fuese aprobada. No es necesario recordar las repercusiones políticas y económicas que la redacción de un artículo puede llegar a tener. Tal realidad, puesta a la luz de las tensiones y equilibrios pendientes de una propuesta, explica la votación por parte de ciertas enmiendas a petición de un grupo parlamentario[110], o las intervenciones de eurodiputados explicando el curso que se debiera dar a una enmienda.

La votación demuestra que la primera lectura del PE no termina hasta que se vota y aprueba la Resolución legislativa, pues de no aprobarse, como veremos, se derivan otras repercusiones. Pero antes de ver aquéllas, entremos en las repercusiones de la aprobación de enmiendas a propuesta de la Comisión.

---

[109] La coincidencia mayoritaria entre miembros de la comisión sobre el fondo e intervinientes en el Pleno se puede contrastar consultando cualquier acta con los miembros de la comisión parlamentaria. Los miembros de las comisiones parlamentarias pueden consultarse en http://www.europarl.eu.int/committees/es/default.htm

[110] Ver a título de ejemplo la propuesta y retirada de votación por partes realizada por el Grupo PSE de una enmienda en el contexto del informe Aparicio Sánchez - A5-0075/1999, Acta de la Sesión del miércoles 15 de diciembre de 1999, PE 282.373, p. 15.

## 1.2.6.3. La aprobación de enmiendas a propuesta de la Comisión

La Comisión y el PE comparten, aún con distinta intensidad, el interés por aprobar el proyecto en primera lectura. De ahí surge una filosofía compartida por encontrar el punto óptimo de consenso: maximización en el alcance de los objetivos de su agenda y aprobación del proyecto en primera lectura. Para alcanzar tal propósito, el Parlamento debe, por un lado, presionar a la Comisión para lograr su objetivo, pero por otro, no minusvalorar la importancia del apoyo de la Comisión a sus enmiendas. No contar con el apoyo de la Comisión supone asumir un riesgo de llegar a la conciliación.

Como hemos repetido, el Consejo debería en primera lectura actuar por unanimidad para apoyar al PE allí donde se enmendó la propuesta de la Comisión sin su beneplácito. La unanimidad en sede del Consejo se consigue con bastantes dificultades en los procedimientos tradicionales, allí donde el Consejo sólo debe prestar atención a la Comisión. Consecuentemente, no resulta difícil entender que la dificultad se redobla aquí al demandarse la unanimidad del Consejo en apoyo a las más distantes posiciones parlamentarias.

Debido a la indicada necesidad de presionar, el Reglamento parlamentario posibilita al Pleno azuzar al máximo a la Comisión, permitiéndole aprobar cuantas enmiendas se propusieran en comisión y en Pleno contra la voluntad del ejecutivo comunitario. Complementariamente, por los riesgos intrínsecos al divorcio con la Comisión, se fuerza al PE a recapacitar. Por un lado, aplazando la votación sobre la Resolución legislativa hasta que la Comisión se haya pronunciado sobre todas las enmiendas[111]; y en caso de que la Comisión declare no estar preparada para pronunciarse en esa sesión, aplazando la votación[112].

La espera al posicionamiento de la Comisión no es una formalidad. Si se posiciona en contra de una o varias de las enmiendas, el Reglamento faculta

---

[111] Artículo 69.1. "Cuando la propuesta de la Comisión se apruebe en su conjunto, pero con introducción de enmiendas, se aplazará la votación sobre el proyecto de resolución legislativa hasta que la Comisión haya manifestado su posición sobre cada una de las enmiendas del Parlamento.
Si la Comisión no estuviere en condiciones de manifestar su posición al final de la votación del Parlamento sobre su propuesta, comunicará al Presidente o a la comisión competente el momento en que podrá hacerlo; en este caso, la propuesta se incluirá en el proyecto de orden del día del período parcial de sesiones siguiente a esa fecha".
[112] Ibid.

al Presidente de la comisión competente o al ponente a solicitar al Presidente del PE la suspensión de las deliberaciones en Pleno[113]. En dicho contexto, el Pleno puede decidir aplazar la votación, considerándose así el informe automáticamente devuelto a la comisión para su reexamen. El Pleno también fijará un plazo para el reexamen[114].

La devolución del informe a la comisión tiene un carácter extraordinario, tan excepcional como el error de cálculo de la comisión parlamentaria. Sólo esto justifica el hecho de que los grupos parlamentarios mayoritarios, valedores necesarios del informe en comisión, decidan no finiquitar la primera lectura parlamentaria en Pleno. El error referido se plasmaría en la aprobación de enmiendas tácticas dirigidas en gran parte a doblegar en el Pleno la posición de la Comisión, no habiendo podido hacerlo en comisión[115].

Una forma de hacerlo sería introduciendo enmiendas de transacción, las cuales eventualmente permitirían pasar otras de mayor calado. Como hemos indicado, la votación de la propuesta modificada representa el clímax de la tensión entre ambas instituciones. Si allí la Comisión permaneciese pasiva, el reexamen podría iniciarse con el objetivo de promover un replanteamiento menos ambicioso por parte del Parlamento.

Volviendo al hilo del procedimiento, la comisión receptora de la devolución dispone de un plazo, siempre inferior a dos meses[116], para replantear el

---

[113] Artículo 69.2. "Cuando la Comisión manifestare que no acepta todas las enmiendas del Parlamento, el ponente de la comisión competente o, en su defecto, el Presidente de dicha comisión hará una propuesta formal al Parlamento sobre la oportunidad de votar el proyecto de resolución legislativa. Antes de hacer dicha propuesta formal, el ponente o el Presidente de la comisión competente podrá pedir al Presidente que suspenda las deliberaciones".

[114] Artículo 69.2: "Si el Parlamento decidiere aplazar la votación, el asunto se considerará devuelto para nuevo examen a la comisión competente".

[115] Otra fuente de desacuerdo a estas alturas del procedimiento puede venir por la inclusión de enmiendas en Pleno. Pero posibilitándose reglamentariamente la posposición de la votación por mor de dar tiempo a la Comisión para reflexionar, dichas enmiendas deberían, para provocar el reenvío, entrar a jugar en un contexto ya conflictivo entre las dos instituciones.

[116] Artículo 69.2: En este caso, dicha comisión informará de nuevo al Parlamento oralmente o por escrito en el plazo que éste hubiere fijado, que no podrá exceder de dos meses.
Si la comisión competente no pudiere respetar este plazo, se aplicará el procedimiento previsto en el apartado 4 del artículo 68.

enfoque de la propuesta. El reenfoque de la comisión parlamentaria debe ir encaminado a conseguir el acercamiento con la Comisión; de suerte que "en esta fase solamente se admitirán las enmiendas de la comisión competente que tiendan a lograr un compromiso con la Comisión"[117]. Éste es el objetivo primordial del nuevo estudio en comisión, lo que refrenda lo anteriormente dicho sobre el conflicto en las instituciones.

El Pleno, si opta por devolver el estudio a la comisión, lo hace para poder ofertar a la Comisión un proyecto de Resolución legislativa más condescendiente con la propuesta de la Comisión. Así, el Reglamento parlamentario, pese a preferir evitar aquí un replanteamiento general de lo ya aprobado por el Pleno[118], no puede ignorar absolutamente la necesidad de dejar una puerta abierta: "no obstante y por razón del efecto suspensivo de la devolución, la comisión dispondrá de la mayor libertad y, cuando lo considere necesario para el logro de un compromiso, podrá proponer que se examinen nuevamente las disposiciones que hayan sido objeto de una votación favorable en el Pleno"[119].

La comisión competente tiene un amplio margen jurídico de maniobra, inversamente, el margen político pasa por una costosa claudicación sobre las posiciones ambiciosas; además, debemos añadir la autocrítica necesaria para encarar un replanteamiento como el tratado. Una vez que la comisión ha finalizado el estudio, se reinicia la andadura del informe en Pleno.

### 1.2.6.4. El rechazo de la propuesta de la Comisión

La primera lectura parlamentaria, aun iniciada la votación, no finaliza hasta la votación del proyecto legislativo. Hemos visto cómo el número y/o la intensidad de las enmiendas pueden forzar un replegamiento del PE. Actitud

---

[117] Reglamento del PE, Artículo 69.2.
[118] Reglamento del PE, Artículo 69.3:" Una comisión a la que se devuelva un asunto en virtud del apartado 2 del presente artículo, deberá ante todo, según los términos del mandato que éste confiere, informar en el plazo señalado y, en su caso, presentar enmiendas que tiendan a lograr un compromiso con la Comisión, *sin que por ello deba examinar nuevamente la totalidad de las disposiciones aprobadas por el Parlamento*". Énfasis añadido.
[119] Reglamento del PE, Artículo 69.3.

provocada por una posición táctica ambiciosa de la comisión parlamentaria y el inmovilismo de la Comisión. Ahora abordamos una cara más sencilla, a saber, el desencuentro total.

El PE puede afrontar una propuesta poco atractiva de la Comisión de formas diversas. Puede introducir tantas enmiendas que transformen el expediente en inviable; puede hacer uso de la ausencia de plazo en la primera lectura para presionar, o puede instar a la Comisión a un replanteamiento de la propuesta. La ventaja de esta última opción es la claridad aportada al procedimiento; sin embargo, por difuminarse con el derecho de iniciativa de la Comisión, no está exenta de dificultades.

La comisión competente en estos casos realiza los pasos habituales desde el informe del ponente hasta el debate en comisión. El estado de cosas lleva a la comisión parlamentaria a concluir la inviabilidad de enmendar la propuesta de la Comisión dado el profundo desacuerdo con la misma. Decide así la conveniencia de invitar a la Comisión a presentar otra propuesta incluyendo los profundos cambios expresados durante el debate en comisión. Para hacer tal invitación, el Pleno es paso obligado. En él se parte de la ausencia de acuerdo en comisión, lo cual se transforma en el rechazo de la propuesta de la comisión en el Pleno. Tras ello, "el Presidente pedirá a la Comisión que retire su propuesta antes de que el Parlamento proceda a votar el proyecto de Resolución legislativa"[120].

Si la Comisión cediera, retirando la propuesta, el PE esperaría a la remisión de la nueva propuesta. En caso de no hacerlo, el Parlamento devolvería el asunto a la comisión competente sin proceder a la votación del proyecto de Resolución legislativa, dándole un plazo máximo de dos meses para informar al Pleno[121]. En ese tiempo, incluso en uno mayor, no caben grandes alteraciones; por consiguiente, la comisión parlamentaria debe enfocar el nuevo tratamiento con vistas al acercamiento con la Comisión. Una vez aquí, nos vale lo visto en el punto anterior.

---

[120]  Reglamento del PE, Artículo 68.1.
[121]  Reglamento del PE, Artículo 68.3.: "Si la Comisión no retirare su propuesta, el Parlamento devolverá el asunto a la comisión competente, sin proceder a la votación del proyecto de resolución legislativa.
En este caso, la comisión competente informará al Parlamento oralmente o por escrito en el plazo que éste hubiere fijado, que no podrá exceder de dos meses".

## 1.2.6.5. La aprobación del proyecto de Resolución legislativa

Lo habitual es que las enmiendas planteadas en comisión y en Pleno, dentro de unos parámetros de normalidad en cuanto a su contenido, sean finalmente aprobadas. Posteriormente se votarán las enmiendas al proyecto de Resolución legislativa; la existencia de las mismas depende esencialmente de si hubo enmiendas presentadas en Pleno y aprobadas. Todo ello culmina en un proyecto de Resolución legislativa definitivo presentado a votación.

El proyecto de Resolución legislativa se encabeza con la referencia al documento propuesta de la Comisión[122]. A continuación se introduce la fórmula "esta propuesta ha sido aprobada con las modificaciones siguientes". Dicha fórmula viene seguida por las enmiendas aprobadas, las cuales se presentan en una disposición de doble columna: a la derecha el texto de las enmiendas enumeradas; a la izquierda la propuesta de la Comisión enmendada, o nada, si la enmienda no tenía precedente en la propuesta[123]. Ello fuerza a tener ambos textos para entender el alcance de lo que el PE denomina "propuesta modificada", que no será formalmente "propuesta modificada" salvo que la Comisión lo decida.

El proyecto de Resolución legislativa no hace referencia a la posición adoptada por la Comisión en relación con las enmiendas. La primera lectura ya es pretérita: nada más por negociar, pues, en primera lectura. De presentarse una oportunidad de volver a tratar en Pleno dicha materia, será en la segunda lectura. La única opción para un nuevo tratamiento del tema en Pleno durante una primera lectura pasaría por la retirada de la propuesta de la Comisión. Debido a tal posibilidad, tras la aprobación de la propuesta siempre se incluye la siguiente fórmula: el Parlamento Europeo "pide que se le consulte de nuevo, en caso de que la Comisión

---

[122]  Por ejemplo: "Propuesta de Reglamento del Parlamento Europeo y del Consejo que modifica el Reglamento del Consejo (CE) n° 820/97 por el que se establece un sistema de identificación y registro de los animales de la especie bovina y relativo al etiquetado de la carne de vacuno y de los productos a base de carne de vacuno (COM (1999) 487 - C5-0241/1999-1999/0250(CNS))".

[123]  Ver a título de ejemplo los textos aprobados en la sesión del Miércoles 15 de diciembre de 1999, PE 282.376, pp.: 14-15; textos aprobados en la sesión del Jueves 16 de diciembre de 1999, PE 282.377, p.29; textos aprobados en la sesión del Viernes 17 de diciembre de 1999, PE 282.375, p. 6.

se proponga modificar sustancialmente su propuesta o sustituirla por otro texto"[124].

## 1.3. La primera lectura en el seno del Consejo

### 1.3.1. Introducción

El proyecto de Resolución legislativa del PE llega al Consejo en forma de dictamen. Si recordamos, la Comisión envía su propuesta al unísono a los dos colegisladores, por consiguiente no cabe hablar de consulta del Consejo al PE. En apoyo de lo dicho, vale la redacción del párrafo primero del artículo 251.2 TCE.

La comunicación a los colegisladores de la propuesta provoca, como vimos, el inicio de su estudio en sede del Consejo. Esta realidad se contrapone con el desarrollo formal del procedimiento; según éste, la primera lectura del Consejo empieza sobre la base del dictamen parlamentario. Sin embargo, el estudio se inició sobre la base de la propuesta de la Comisión. Tal hecho tiene un aspecto positivo y otro negativo.

El problema de la dilación en el tratamiento de los expedientes es uno de los grandes problemas en codecisión, pudiendo verse agravado en primera lectura por la ausencia de plazo[125]. Para combatir tal efecto, parece adecuado que el Consejo tenga una opinión lo más formada posible sobre la propuesta y sobre la posición del colegislador antes de posicionarse. Hay, por tanto, una cara positiva en el precoz estudio del expediente.

Pero el Consejo, independientemente del contexto legislativo en el que se encuentre, afronta primigeniamente la articulación de intereses dentro del mismo. No es éste el lugar para describir las dificultades e implicaciones de conseguir una posición de consenso, una mayoría cualificada o una minoría de bloqueo. Nos interesa, por el contrario, resaltar las implicaciones de los posicionamientos previos a la recepción del dictamen del PE. Las implicaciones

---

[124] Ver a título de ejemplo el texto aprobado en relación con las estadísticas agrícolas comunitarias, A5-0089/1999, texto aprobado en la sesión del Viernes 17 de diciembre de 1999, PE 282.375, p. 8.
[125] Recordar lo dicho en el tratamiento del particular durante el estudio de la primera lectura del PE. Allí vimos que la ausencia de plazo, en tanto sirva para alcanzar la finalización del procedimiento en primera lectura, ahorra tiempo.

pueden ser beneficiosas si el dictamen parlamentario llega a un Consejo con posicionamientos preconcebidos coincidentes. Pero, desafortunadamente, los colegisladores pueden partir de perspectivas dispares, de suerte que la formación de voluntades en el Consejo durante el tiempo de realización de la primera lectura del PE tenderá a enquistar voluntades irreconciliables con el PE. El mejor respaldo para esta reflexión se da en los tradicionales desencuentros entre Consejo y Comisión, pese a que el Consejo conoce plenamente la propuesta.

El hecho de que se produzcan posicionamientos prematuros muy alejados de la voluntad del PE puede tener relación con un mal seguimiento de la primera lectura en dicha institución. Esta tarea, como todas las de información interinstitucional, es clave, en ella el Consejo depende esencialmente de la Dorsal codecisión. Su importancia en relación con la información recibida por el Consejo durante la primera lectura merece el detenimiento con que se analiza seguidamente.

### 1.3.2. *La Dorsal codecisión*

El procedimiento de codecisión, por la dimensión ahora tratada, así como por el resto de aspectos del procedimiento, requiere una estrecha cooperación entre la Secretaría General del Consejo, la Secretaría General del PE y los Servicios de la Comisión. De esto fue consciente el Consejo desde la inclusión del nuevo procedimiento en el Tratado de Mastrique, ayudando en buena medida a dicha concienciación la experiencia acumulada en el procedimiento de cooperación. Para responder a tal demanda, se creó en junio de 1995 una División encargada de la codecisión y la conciliación dentro de la DG F[126], denominada en la jerga comunitaria Dorsal codecisión (hoy DG FIII). Dicha división vela por la aplicación de las modalidades convenidas entre las tres instituciones para la elaboración de los actos de codecisión, garantiza la coordinación en la Secretaría General del Consejo y los contactos con su homónimo en la Secretaría del PE.

La tarea de la Dorsal consiste en informar al Consejo sobre el desarrollo y los resultados de la primera y segunda lectura del PE, acompañando los textos adoptados por el PE de una nota dirigida a las Delegaciones ("Information

---

[126]    Actualmente DG FIII.

152 JOSÉ MANUEL MARTÍNEZ SIERRA

Note for the File"). Ahí se incluye información sobre los hechos destacados en los debates del PE, tanto en el Pleno como en comisión, las posibles tomas de posición de los diferentes grupos políticos sobre determinadas enmiendas y una apreciación sobre la importancia política que el PE atribuye a las enmiendas propuestas.

Desarrollando otra dimensión, la Dorsal se encarga de organizar los contactos informales de la Presidencia con el PE con vistas a la preparación del procedimiento de conciliación y de asistir a la Presidencia en las reuniones tripartitas informales.

La Dorsal también se encarga de la Secretaría del Comité de Conciliación de forma conjunta con su homólogo parlamentario. Se ocupa de la organización y preparación técnica, así como del seguimiento de los trabajos de conciliación: establecimiento del proyecto común y de la carta de transmisión, adopción, firma y publicación del acto.

La Dorsal centraliza y sigue todos los expedientes de codecisión independientemente del seguimiento realizado por las DG sectoriales; encargadas del ámbito de la decisión[127]. Su aproximación y seguimiento de los expedientes está centrada sustantivamente en aspectos horizontales de la codecisión, pero no puede descuidar aspectos sectoriales; por ello, pese a ser en la actualidad una DG adjunta a la DG F, encontraría un mejor encuadre como Servicio del Consejo, al modo y uso del Servicio Jurídico. Pese a no tener dicho *status*, actúa *de facto* como tal.

### 1.3.3. *La toma de posición del Consejo*

El dictamen del PE llega al Consejo de Ministros, quien responde *de iure* por el Consejo de puertas afuera. De acuerdo con el procedimiento institucionalizado, éste remite dicho informe al Coreper (1ª o 2ª parte)[128] y, de ahí, a los Grupos de Trabajo para que se inicie el procedimiento. Posteriormente el expediente iniciará el camino inverso dependiendo del grado de madurez de la propuesta. En la práctica, el Grupo de Trabajo inicia el estudio de la

---

[127] Estas DG remiten a la Dorsal los documentos por ellas elaborados en relación con dossieres de codecisión. Dichos documentos se identifican como con la sigla CODEC.

[128] La inmensa mayoría de los casos son tratados por el Coreper I. El Coreper II en codecisión sólo trata los asuntos competencia del Ecofin.

propuesta de la Comisión desde que ésta ve la luz, la retiene y continúa su estudio durante su tratamiento parlamentario en primera lectura.

En principio, hasta que la Dorsal informa al Grupo de Trabajo sobre las evoluciones de la primera lectura parlamentaria, éste solamente dispone de la propuesta de la Comisión. La Presidencia, tras los primeros estudios de la propuesta de la Comisión, dependiendo del avance de los mismos, realiza un documento de trabajo. El documento de trabajo indica el estado de estudio de la propuesta. Es, por expresarlo gráficamente, la "propuesta anotada"[129]: dejando intactas aquellas partes asumibles por consenso; indicado aspectos genéricos que están bajo reserva de estudio por varias delegaciones; señalando donde proceden las posiciones discrepantes, así como el Estado miembro que las defiende; incluyendo formulaciones alternativas, bien propuestas por una delegación, bien por la Presidencia.

El documento de trabajo se modifica durante el transcurso de la primera lectura en el Consejo. Tal evolución requiere el conocimiento de la toma de posición del PE. La Dorsal, como vimos, puede asistir a todas las reuniones de las comisiones parlamentarias, así como a los plenos. Ello le facilita la tarea de información que tiene asignada. Los informes de la Dorsal son generalmente remitidos a la Presidencia y de ahí al resto de delegaciones de los EEMM. La Presidencia, bien remite el informe como tal a las delegaciones, bien lo transforma en un informe propio. Si bien no es lo más usual, puede tomar como base informes realizados por miembros de la Presidencia que acuden a la sede parlamentaria en paralelo a los miembros de la Secretaría[130].

A todo ello añadir los informes que realizan las DG sectoriales, quienes siguen los expedientes para asesorar técnicamente a la Presidencia. Pese a no tener el valor cualitativo de los informes de la Dorsal para la codecisión, aportan información muy valiosa. Además, un problema técnico puede ser

---

[129]  Ver a modo de ejemplo el Working Document ENV/99/157, sobre la "Proposal for a Directive of the European Parliament and of the Council on national emission ceilings for certain atmospheric pollutants, and Proposal for a Directive of the European Parliament and the Council relating to ozone in ambient air". Doc. 10232/99 ENV 262 CODEC 425.

[130]  Ver por ejemplo el informe presentado por la Presidencia finlandesa al Grupo de Trabajo de medio ambiente el 16 de diciembre de 1999. "List of amendments presented at the EP ENVI Committee", sobre la "Proposal for a European Parliament and Council directive relating to limit values for benzene and carbon monoxide in ambient air".

el origen de un desacuerdo interinstitucional tan importante como otro de carácter político[131]. De forma marginal, también pueden realizar informes el Servicio Jurídico y el de juristas-lingüistas[132], normalmente a petición del Grupo de Trabajo o del Coreper.

El momento crucial es el informe de la Dorsal sobre la votación del dictamen parlamentario. En él se informa a la Presidencia de todo lo acontecido en la sesión plenaria[133]: posicionamiento del ponente, del resto de parlamentarios y de los grupos políticos; posicionamiento de la Comisión; votación detallada de las enmiendas. El informe aneja las enmiendas aprobadas en la forma ya expuesta al explicar el proyecto de Resolución legislativa[134].

También en sede del Consejo, como ocurría en sede parlamentaria pero a la inversa, la Comisión informa en el Grupo de Trabajo sobre lo acaecido en el Pleno. Las externalidades negativas de una información sesgada, por ser parte en el proceso, se dan aquí como se dan en sede parlamentaria. La gran diferencia reside en que el Consejo accede a la información de primera mano, careciendo de la dependencia del PE para con la Comisión. Ello no evita los intentos de desinformar o informar parcialmente por parte

---

[131]  Ver a título de ejemplo el informe de la DG FI sobre las "Resoluciones, Decisiones y Dictámenes adoptados por el Parlamento Europeo en su período de sesiones celebrado en Bruselas en los días 3 y 4 de noviembre de 1999". Bruselas, 9 de noviembre de 1999, 12476/99.

[132]  Ver a título de ejemplo la "Contribución del Servicio Jurídico del Consejo a la continuación de los trabajos del Grupo "Medio ambiente" de los días 26 y 27 de enero de 1999", sobre el asunto de la "Fusión de la propuesta de Directiva del Consejo por la que se modifica la Directiva 94/66/CE relativa a la incineración de los residuos peligrosos", 5590/99.

[133]  Ver a título de ejemplo los informes de la DG FIII en relación con la: "Propuesta de Reglamento del Consejo por el que se modifica el Reglamento (CEE) 2913/92 del Consejo, por el que se aprueba el código Común Aduanero Comunitario. Resultados de la primera lectura del Parlamento Europeo (Estrasburgo, 13-17 de septiembre de 1999)", 6563/99; "Propuesta de Directiva del Consejo relativa a la comercialización a distancia de los servicios financieros y por la que se modifican las Directivas 97/7/ CEE del Consejo y 98/27/CE del Parlamento Europeo y del Consejo. Resultados de la primera lectura del Parlamento Europeo (Estrasburgo, 3-7 de mayo de 1999)", 7918/99.

[134]  Ver a título de ejemplo el informe de la DG FIII en relación con la "Propuesta de recomendación del Consejo sobre criterios mínimos de la inspecciones medioambientales en los Estados Miembros. Resultado de la primera lectura del Parlamento Europeo (Estrasburgo, 13-17 de septiembre de 1999)", 11328/99, pp. 3-9.

de la Comisión, pero asegura la "inmunidad" del Consejo frente a dichas actitudes.

La situación descrita se produce como sigue: la Comisión afirma que el PE aprobó 20 de las 22 enmiendas, lo que demanda un esfuerzo de generosidad por parte del Consejo de querer evitar la conciliación; a continuación, la Presidencia (con el informe de la Dorsal en mano) afirma que 8 de las 20 enmiendas aprobadas lo fueron por escasa mayoría, con la oposición de un grupo mayoritario, con escasa asistencia, incluyendo enmiendas agrupables, etc.[135]. En fin, al final el Consejo dispone de una información cualitativamente adaptada a su posición institucional en codecisión.

Una vez aquí, se inicia el camino ascendente de la propuesta. El Grupo de Trabajo puede realizar varias reuniones sobre el mismo tema. La aparición del dictamen del PE no suele significar un salto hacia adelante extraordinario. La conformación de posiciones en el Grupo de Trabajo ya está perfilada y el dictamen, siendo parcialmente conocido desde la celebración de la comisión parlamentaria, llega a completar la visión del Grupo de Trabajo, no a generar, *ex novo*, la conformación de ésta.

Los documentos de trabajo ahora son la propuesta de la Comisión, el dictamen del PE y el documento de trabajo elaborado hasta la fecha por el Grupo de Trabajo. No podemos dejarnos despistar por el artículo 251 TCE, pues si bien formalmente es el dictamen del PE el acto por aprobar, y las enmiendas allí contenidas la expresión de lo aceptable por mor del acuerdo en primera lectura, el Consejo sitúa el dictamen parlamentario al trasluz de los otros dos documentos. Una enmienda parlamentaria aprobada contra la voluntad de la Comisión sólo procedería si la unanimidad en el Grupo de Trabajo a estas alturas estuviese conformada a su favor. A ello añadir que las enmiendas citadas, y el resto, deben pasar por el tamiz de los acuerdos ya adoptados.

Lo dicho apunta a una clara realidad: el Consejo, no teniendo como máxima prioridad la aprobación del acto en primera lectura, sino el aprobarlo de

---

[135]   Tal disparidad de información se dio en el Grupo de Trabajo de medio ambiente celebrado el 17 de noviembre de 1999, al respecto de la votación sobre la "Proposition de directive du Parlement européen et du Conseil fixant des plafonds d'émission nationaux pour certains polluants atmosphériques, et Proposition de directive du Parlement européen et du Conseil relative à l'ozone dans l'air ambiant". Doc. 10232/99 ENV 262 Codec 425.

la forma más atractiva para las delegaciones (tanto en cuanto a tiempo como a contenido), no se afecta en la medida *a priori* presumible por el dictamen. En otras palabras, salvo en los pocos casos donde la ausencia de enmiendas permita el acuerdo en primera lectura, el dictamen parlamentario, lejos de ser un revulsivo para la finiquitación del procedimiento en ésta, se transforma en un elemento de trabajo excitador de nuevas fases, importante pero no transcendente.

La Presidencia continúa enriqueciendo los documentos de trabajo, en especial dejando constancia de los puntos consensuados y de los puntos pendientes. Destacan los documentos interinstitucionales procedentes del Grupo de Trabajo en la forma de "outcome of the proceedings", reflejo del estado del expediente, partiendo de la última reunión del Grupo de Trabajo. Se elabora, generalmente, por la DG sectorial de la materia, reflejando que son los aspectos técnicos intrínsecos al interés del Consejo los realmente importantes en primera lectura. En estos documentos de trabajo, aparece el texto de los artículos y los anexos de las propuesta de acto[136]; junto con ellos, los nuevos textos de compromiso alcanzados por la Presidencia, los cuales aparecen subrayados o resaltados sobre el resto del texto[137]. Además, se incluyen las posiciones de los EEMM, en forma de notas a pie de página[138]. No se refleja normalmente la posición del PE, si bien es cierto que la misma está presente durante el estudio realizado por el Grupo de Trabajo.

### 1.3.4. *Aprobación del acto en primera lectura*

En dicho contexto, cuando la discusión técnica se agota a nivel de Grupo de Trabajo y los problemas persistentes son de carácter más político, el Presidente del Grupo de Trabajo eleva al Coreper un informe diferenciado en dos partes. Parte I, donde se incluyen los acuerdos cerrados a nivel de Grupo de Trabajo, recomendando el visto bueno del Coreper sin discusión; Parte II, donde se relacionan los temas sobre los cuales el acuerdo no ha sido alcanzado.

---

[136] Ver Outcome of the Proceedings from the Working Party on Environment, on 17 November 1999. Interinstitutional File 98/0333 (SYN), No. Cion prod: 5518/99 ENV 14 PRO-COOP 10 - COM(1998) 591 final, SN 13104/99.

[137] *Ibid.*, p. 7, Artículo 2.1.

[138] *Ibid.*, notas al pie números: 1, 2, 3(p. 4); 4, 5 (p. 7) y 6 (p. 9).

El Coreper aporta una mayor perspectiva política al tratamiento de un expediente. Por un lado con respecto a los problemas políticos del propio expediente. Los embajadores pueden sacrificar, por mor del impulso político de un proyecto, posiciones indeclinables debido a su importancia técnica para los representantes en los Grupos de Trabajo. Por otro lado, el Coreper, especialmente la parte primera (encargada de la mayoría de los expedientes de codecisión), tiene la perspectiva global de las implicaciones de la codecisión; esto permite a sus miembros, frente a los del Grupo de Trabajo, ver el grado de concesión global realizado por una delegación en los temas transversales.

En estos temas, por ejemplo en el presupuestario, puede ocurrir que un Grupo de Trabajo apoye una dotación presupuestaria coherente con los intereses nacionales, pero que, puesto en el contexto de los incrementos presupuestarios, exceda el tope de las perspectivas financieras. Así, el Coreper, encargado de diluir los problemas existentes en la lista B, puede verse incapaz de hacerlo, o no aprobar un punto de la lista A. La segunda hipótesis se produce marginalmente, no por fragilidad del argumento descrito, sino por la coordinación existente entre el Coreper y los Grupos de Trabajo. Ello lleva a que el Grupo de Trabajo evite acuerdos en temas transversales pese a poder alcanzarlos.

El Coreper, por acuerdo de todos sus miembros[139] y de la Comisión[140], puede decidir remitir un proyecto final al Consejo dentro de la lista A de su orden del día. El fruto del acuerdo global culminará la redacción del texto final en las once lenguas oficiales, de suerte que el Consejo sólo tendrá que refrendarlo.

El Coreper suele, con más frecuencia en primera lectura, verse superado en su capacidad de acuerdo o decisoria. En dicho caso, remite el expediente al Consejo dentro de los puntos B del orden del día. La discusión en el Consejo se basa en una propuesta que no tiene el apoyo necesario en uno o varios de

---

[139]  Bastaría que un Estado miembro considerara necesaria la discusión en el Consejo para que ésta se produzca. Ello independientemente de que el resto de miembros tengan una posición tomada, lo cual transformaría en estéril dicho debate. Todo ello cobra sentido por ser el Consejo el único órgano que adopta actos jurídicos. El Coreper y los Grupos de Trabajo son organismos que no aportan vinculación *de iure*, ni siquiera de puertas a dentro del Consejo.

[140]  Estamos aquí ante el caso de los poderes connaturales a la iniciativa legislativa de la Comisión y a la delimitación del momento de su espiración. Sobre ello volveremos.

los puntos. Acuciando lo dicho con respecto a los embajadores, los Ministros no aportan soluciones técnicas milagrosas, sino soluciones eminentemente políticas de mayor calado. Éstas son tan laboriosas de alcanzar en codecisión como en otras facetas de la vida del Consejo; de suerte que, un expediente de codecisión complejo, puede pasar cinco veces por manos ministeriales antes de alcanzarse la posición común[141].

De forma extraordinaria, la dificultad extrema por alcanzar compromisos políticos puede paralizar al Consejo, llegando a requerir éste la intervención del Consejo Europeo. Así ocurrió en la primera lectura del "*Fourth research framework programme*", donde, ante la formación de bandos contrapuestos en el Consejo a propósito de la dotación presupuestaria[142], el Presidente de turno del Consejo, el Ministro belga Dehousse, anunció que el problema tendría que ser abordado por el Consejo Europeo[143]. Éste, en su reunión celebrada el 10 y 11 de diciembre de 1993[144], alcanzó una posición de compromiso intermedia que sería dotada posteriormente de cobertura jurídica por el Consejo a la hora de adoptar la posición común[145].

El proceso de ascenso de la posición común desde los Grupos de Trabajo al Consejo o Consejo Europeo no es un camino unidireccional. El Consejo normalmente remueve los obstáculos principales del proyecto y lo remite al Coreper, éste puede hacer lo propio con los Grupos de Trabajo. La remisión puede ir acompañada de un modo de proceder o simplemente de un objetivo a alcanzar. Una remisión mal cerrada puede provocar de nuevo una incapacidad de los Grupos de Trabajo y Coreper, y consecuentemente una nueva remisión al Consejo.

Durante este proceso ascendente y descendente, también tienen lugar los trílogos[146]. Los trílogos, en el contexto de la codecisión, son reuniones tripartitas con representantes de las tres instituciones implicadas en el procedimiento legislativo. Su fin esencial para los colegisladores es conocer a ciencia cierta

---

[141]   Ver Agence Europe de los días: 1.7.93, p. 8; 13.10.93, p. 7; 24.12.93, p. 6.

[142]   La mayor parte de los EEMM se mostraron preparadas para aceptar la propuesta de la Comisión 13.1 (ECU billion), mientras los tres países grandes deseaban una cifra entre 11 y 11.5(ECU billion). Ver Agence Europe, 22.12.93, p. 10.

[143]   The European Parliament and the Codecision: the Fourth Research Framework Programme, *cit.*, p. 35.

[144]   Ver Agence Europe 22.12.93, p. 10.

[145]   *Ibid.*

[146]   Artículo 70 del Reglamento del PE.

cuál es la posición presente del "contenido". También, cuando se realiza en un contexto cercano a la aprobación de la codecisión, el trílogo es mesa de negociación: las delegaciones pueden llevar proposiciones de acuerdo con sus respectivas instituciones.

El momento álgido del trílogo es, como veremos, la conciliación. Sin embargo, en primera lectura, el trílogo tiene muy mermada su capacidad de influencia. El Consejo no tiene margen de maniobra una vez que el PE cerró su primera lectura; pues no pudiendo éste cambiarla, el Consejo sólo puede aceptarla o rechazarla. Lo mismo cabe decir de la utilidad de los encuentros bilaterales.

### 1.3.4.1. La posición común

Para analizar la posición común, uno puede posicionarse en el sentido indicado por la letra del Tratado o por la de la práctica de la codecisión. El Tratado en su artículo 251.2 TCE, incluyendo la palabra "común", se refiere a que el texto surgido de la primera lectura es un texto "común" de los colegisladores. Si se asume dicha premisa como válida, se llega a la conclusión de que "la fijación de una posición común por parte del Consejo es una muestra de desequilibrio"[147]. Si bien es cierto que es el Consejo quien fija la "posición común", no lo es menos el que dicha institución, para hacerlo, parte de la propuesta de la Comisión y del dictamen del PE[148]. Por lo tanto, se trata de una "posición común" en cuya formación el PE interviene en la medida en que su dictamen "es preceptivo (no facultativo) y, por lo tanto, la no espera del mismo por parte del Consejo es causa de nulidad del procedimiento"[149].

Desde una perspectiva menos teórica, la llegada del dictamen a sede parlamentaria no provoca ninguna alteración en el devenir del procedimiento. Se incorpora al devenir de la primera lectura en sede parlamentaria; además, no provoca ningún cambio cualitativo. El dictamen del PE tendrá de forma general la fuerza de la coincidencia del posicionamiento con el Consejo, fuerza más complementadora que transformadora. De no darse la coincidencia, el Consejo no va a sacrificar sus pretensiones en primera lectura por satisfacer al PE o evitar

---

[147]  Gil-Robles, L.: "El nuevo procedimiento de codecisión tras el Tratado de Ámsterdam", *cit.*, p. 15.

[148]  *Ibid.*

[149]  *Ibid.*

el conflicto. De forma extraordinaria, la fuerza del dictamen puede crecer por tener el Consejo máxima urgencia en la tramitación. Aquí sí pudiese decirse que el PE ostenta mayor margen de maniobra en primera lectura que el Consejo.

La posición común, en la práctica, no deja de ser una denominación. El Consejo, a la hora de aprobar una posición común, fija su posición sobre los puntos básicos para ceder en los adjetivos a las posiciones parlamentarias. El Consejo es perfectamente consciente cuando la posición común no es asumida por el PE. Tan es así que, junto con la posición común propiamente dicha, el Consejo desarrolla en la forma de "comentarios específicos" aquellos aspectos de la posición común en los que se aparta de la propuesta de la Comisión[150]. Dichos aspectos, no lo olvidemos, han podido ser asumidos por el PE en primera lectura, no explicitándose en enmiendas; lo cual, *de facto*, implica apartarse no solamente de la posición de la Comisión sino de la del PE.

Junto con este desmarque implícito respecto de la primera lectura, el Consejo especifica las enmiendas "parcialmente adoptadas"[151] (parcialmente rechazadas) y las enmiendas "no incorporadas a la posición común"[152], es decir las rechazadas.

El reflejo en negro sobre blanco —por parte del Consejo— de la marginación para con el dictamen del PE no responde a un acto de cortesía interinstitucional sino a un mandato del Tratado: "el Consejo informará plenamente al Parlamento Europeo sobre los motivos que le hubieran conducido a adoptar su posición común"[153]. La información sirve al PE para afrontar la segunda lectura, pero ahora nos sirvió para mostrar la eventual inexistencia de "posición común". El hecho de la avenencia de diferencias entre los actores, justifica la existencia de margen para modificar las posiciones en primera lectura. A ellas nos dedicamos inmediatamente.

---

[150]  Ver punto 2.(a) "Principal changes made to the Commission proposal to take account of the specific nature of information society services" dentro del "Draft Statement of the Council's reasons" sobre la "Common position with a view to adopting a directive of the European Parliament and of the Council amending for the third time Directive 83/189/EEC laying down a procedure for the provision of the information in the field of technical standards and regulations", 12944/97 ADD 1, pp. 5-6.

[151]  *Ibid.*, punto 2(b)(i) "Amendments included in whole or in part in the common position", p. 7.

[152]  *Ibid.*, punto 2(b)(ii) "Amendments not incorporated in the common position", pp. 7-8.

[153]  Artículo 251. 2 TCE.

## 1.3.4.2. Alteraciones de la primera lectura

## 1.3.4.2.1. La reconsulta al Parlamento

La doctrina de la nueva consulta mantiene la necesidad de solicitar un nuevo dictamen del PE, siempre que la posición común adoptada por el Consejo se aparte sustancialmente del texto que se le presentó en primera instancia. A favor de tal opción puede argumentarse que en este procedimiento no es el Consejo quien consulta al PE, y en la medida en que la posición común se someta al Parlamento en segunda lectura, no resulta necesaria la nueva lectura. Ahora bien, en primera lectura el PE puede proponer enmiendas por mayoría de los sufragios emitidos, mientras que en segunda lectura sólo puede hacerlo por mayoría absoluta de sus miembros[154]. Introducir una modificación sustancial en el momento de la adopción de la posición común podría, por tanto, interpretarse como un agravio a las prerrogativas del Parlamento Europeo en primera lectura.

Pese al talante eminentemente teórico del ejemplo, podemos encontrar una afectación práctica, por ejemplo una fusión de Directivas. En el año 1997, la Comisión realizó una propuesta de Directiva por la que se modificaba la Directiva 94/67/CE relativa a la incineración de residuos[155], y al año siguiente otra sobre la misma materia[156]. Ambas estaban basadas en el fundamento jurídico del artículo 130 (antiguo 109 S) del TCE, afectado tras el TUE por la codecisión. El grupo de trabajo de medio ambiente consideró conveniente unificar ambas Directivas[157], solicitando al Servicio Jurídico del Consejo un dictamen sobre las consecuencias jurídicas de dicha unificación. En su contribución, el Servicio Jurídico señaló que, si bien la unificación en sí no modificaría sustancialmente las propuestas, considerándolas conjuntamente al haberse producido "de forma aislada", el Consejo modificaría sustancialmente la naturaleza de cada una de ellas en virtud de su fusión, dado que en ningún momento se puso un marco "general" que abarcara la incineración de los residuos peligrosos como de los no peligrosos[158]. Además, en último término, "cabría también considerar la derogación de la Directiva 94/67/CE como una

---

[154]   Artículo 251.2, tercer párrafo, letra d).
[155]   COM (97) 604 final de 21.11.1997.
[156]   COM (98) 558 final de 07.10.1998.
[157]   En su reunión de 7 de enero de 1999.
[158]   Esta era la principal divergencia entre ambas.

modificación sustancial"[159]. Por todo ello, el Servicio Jurídico sugirió que se "volviera a consultar al PE antes de aprobar la posición común"[160].

En todo caso, conviene plantearse la cuestión teniendo en cuenta que una interpretación que admita la nueva consulta podría dar lugar a cuatro lecturas, aparte de las que pudiera efectuar el Comité de Conciliación. La posibilidad de la reconsulta, debido a la inexistencia de plazo en primera lectura, no plantea problemas insalvables, devolviéndonos paralelamente a la doble lectura sobre la ausencia de plazo y la conveniencia de tener una extensa primera lectura, siempre que sea la finalizadora del proceso.

La cuestión en la práctica es difícil de resolver. Si se reconsultara, el dictamen del PE debería reabrir la primera lectura del PE; consecuentemente, el Consejo, al reconsultar, vendría forzado a esperar de nuevo un dictamen del PE antes de aprobar la posición común. De ahí las reticencias genéricas del Consejo a reconsultar; reticencias que tampoco se salvarán si la institución tuviese especial interés en una tramitación rápida, pues el acuerdo con el PE se haría por la vía informal.

El PE, por su parte, tiene una visión mucho más generosa de un procedimiento que le permite recuperar el protagonismo ya perdido en primera lectura. Por ello, tras la aprobación de su dictamen, no desaparece de la escena. El Presidente y el ponente de la comisión competente sobre el fondo siguen el curso de la propuesta hasta su adopción por el Consejo[161]. Si durante el seguimiento, el Consejo, apartándose del dictamen del PE, "modificare o se propusiere modificar de forma sustancial la propuesta inicial sobre la que el Parlamento hubiere emitido dictamen", el Presidente del PE, a petición de la comisión competente, pedirá al Consejo que consulte de nuevo al Parlamento[162]. Esta petición no obliga al Consejo a reconsultar, pero el no hacerlo podría tener repercusiones prácticas: ¿tendría valor una posición común del Consejo cuando debiendo no se reconsulta al PE?

La cuestión sigue estando abierta, aunque el Consejo viniera obligado a reconsultar, tendríamos el problema de la determinación de lo que es y no es

---

[159]   "Contribución del Servicio Jurídico del Consejo a los continuación de los trabajos del Grupo de medio ambiente de los días 26 y 27 de enero de 1999", 5590/99, punto 4, p. 2.
[160]   *Ibid.*
[161]   Ver artículo 70.1 del Reglamento del PE.
[162]   Ver artículo 71.2 del Reglamento del PE.

"una modificación sustancial". La experiencia adquirida demuestra la ausencia de reconsultas pese a la aprobación de posiciones comunes claramente alejadas del dictamen del PE. La mejor muestra de tal alejamiento es el hecho de que, en muchos expedientes, ni siquiera una segunda lectura puede solventar las diferencias entre el dictamen parlamentario y la posición común.

### 1.3.4.2.2. La modificación y retirada de la propuesta de la Comisión

De acuerdo con el apartado primero del artículo 250 TCE (ex 189A), "cuando, en virtud del presente Tratado, un acto del Consejo deba ser adoptado a propuesta de la Comisión, dicho acto no podrá introducir ninguna modificación a dicha propuesta", salvo si lo hace por unanimidad. El párrafo segundo del citado artículo, en sintonía, otorga a la Comisión la facultad de modificar su propuesta mientras duren los procedimientos que conduzcan a la adopción de un acto comunitario. Tal posibilidad mantiene vigencia "en tanto el Consejo no se haya pronunciado"[163].

El primer párrafo hace referencia a la adopción de un acto, y la posición común no constituye un acto definitivo. Pese a ello, el Servicio Jurídico del Consejo consideró que se debía seguir interpretando la disposición del apartado primero de tal forma que se aplique a las posiciones comunes del Consejo "que han de considerarse actos del Consejo con efectos jurídicos y han de adoptarse pues, por unanimidad, en tanto en cuanto discrepen de la propuesta de la Comisión (eventualmente modificada tras el dictamen del Parlamento Europeo)"[164]. Así, por un lado, las enmiendas parlamentarias asumidas por la Comisión tienen grandes posibilidades de pasar la primera lectura; por otro, deberemos aplicar un razonamiento inverso a aquellas enmiendas no respaldadas por la Comisión.

Con respecto al alcance del párrafo 2 del artículo 215 TCE, la Comisión dispone del poder de modificación "en tanto que el Consejo no se haya pronunciado". La determinación de este momento dista de estar clara. Para el Consejo, éste se pronuncia desde el momento en que adopta su posición común; por consiguiente, tras su adopción, ninguna modificación puede incidir en el procedimiento que se siga exclusivamente a partir de la posición

---

[163]   Artículo 250.2 TCE.

[164]   "NON-PAPER a la atención del Presidente y los Miembros del COREPER (1 y 2 parte)" de 3 de febrero de 1994, SN 1404/94, punto I.1.

común "acto del Consejo"[165]. Estas consideraciones, según el argumento del Consejo, son aplicables al derecho de retirada de la Comisión, que también deja de existir tras la adopción de la posición común[166].

La Comisión discrepa de ese argumento considerando, al menos formalmente, que dichos derechos se le mantienen hasta el Comité de Conciliación. En favor de dicho argumento puede apuntarse que el artículo 251.1 menciona que los derechos de la Comisión allí explicitados lo son "sin perjuicio de lo dispuesto en los apartados 4 y 5 del artículo 251"; es decir, sin perjuicio de lo estipulado durante la conciliación. *Sensu contrario*, durante la primera y segunda lectura, tan sólo la unanimidad del Consejo puede obviar la propuesta de la Comisión.

Con respecto a la retirada de su propuesta, la posición de la Comisión es menos defendible. Requiere, según disciplina el artículo 251.1, interpretar restrictivamente el amplio término "pronunciamiento del Consejo". Ciertamente, la posición común es un pronunciamiento del Consejo, independientemente de que el Tratado pretenda instaurar la ficción jurídica de su autoría compartida. Si por el contrario se asume por válida esa ficción, el interés de la Comisión puede encontrar asidero en la postulación de que la codecisión transforma la naturaleza dada por el artículo 250 al "pronunciamiento del Consejo".

En cuanto al PE, la capacidad de la Comisión a estas alturas del procedimiento le interesa tanto como la reconsulta. Es un mecanismo para evitar el abandono de su dictamen, tanto por parte del Consejo como de la Comisión; de ahí que el Reglamento parlamentario active mecanismos dentro del seguimiento de dicho dictamen. En concreto, se pretenden evitar algunas posibilidades negativas para el PE, por ejemplo: la retirada de la propuesta inicial por parte de la Comisión; o la modificación sustancial de la propuesta por parte de la Comisión; o por parte del Consejo, cuando hubiese variado sustancialmente la naturaleza del asunto a la que refiere la propuesta[167]. En el supuesto de darse alguno de los citados casos, la comisión competente podrá proponer al Presidente que se dirija a la Comisión para pedirle que le remita otra propuesta.

---

[165]   *Ibid*. I.3.
[166]   *Ibid*. El Servicio Jurídico del Consejo sigue en esta argumentación la doctrina que desarrolló a propósito del procedimiento de cooperación.
[167]   Ver artículo 71.1 del Reglamento del PE. Además de los motivos mencionados, se menciona el caso de convocatoria de elecciones, siempre que la Conferencia de Presidentes lo considerase conveniente.

El PE, como puede observarse en el procedimiento descrito, reconoce a la Comisión el poder de retirada de la propuesta *erga omnes*, aunque sea el Consejo y no la Comisión quien decida modificar sustancialmente la misma. Su interés se centra esencialmente en evitar que la Comisión anule el trabajo realizado en su primera lectura, y siempre que pueda, en coaligarse con la Comisión cuando sea el Consejo quien pretenda apartarse de la propuesta.

En relación con el último aspecto, el Reglamento del PE se involucra tácitamente en el fangoso terreno del poder de retirada de la Comisión tras la posición común, en concreto, al señalar "cuando la Comisión o el Consejo modificaren [...] sustancialmente la propuesta inicial [...]"[168]. No parece existir otro momento en primera lectura para la modificación de la propuesta por parte del Consejo que la "posición común". En coherencia, si tras dicho umbral el PE solicita a la Comisión el reenvío de la propuesta, implícitamente le está subrogando la disponibilidad sobre su propuesta más allá de la posición común. Volveremos sobre el particular en la segunda lectura.

### 1.3.4.3. La aprobación de la posición común

Independientemente de las vueltas dadas por la propuesta, la primera lectura del Consejo finaliza, bien con la finiquitación del proyecto, bien con el paso a la segunda lectura.

La aprobación del acto propuesto por el dictamen del PE puede producirse por dos vías según el artículo 251.2 TCE: si una mayoría cualificada de los miembros del Consejo acepta todas las enmiendas propuestas por el PE; o bien, si el Consejo respeta la propuesta de la Comisión, en caso de que el PE no introdujese ninguna enmienda.

En los casos en los que no introduce ninguna enmienda, sólo puede derivarse un problema de forma con respecto a la hipotética recepción de enmiendas por parte del Consejo. En previsión, el Presidente del PE verifica "que ninguna adaptación técnica introducida por el Consejo en la propuesta afecta a su contenido sustancial"[169]. Para acometer la tarea, puede apoyarse en la comisión competente sobre el fondo. Si la verificación fuese negativa, al encontrarse cambios sustanciales, el Presidente indicará al Consejo su desaprobación, indicando su

---

[168]  Segundo parágrafo del artículo 71.1 del Reglamento del PE.
[169]  Artículo 73.2 del Reglamento del PE.

disponibilidad para iniciar la segunda lectura. Esta situación extrema es fruto de la exigencia de precisión jurídica en una primera lectura. Dicha exigencia existente realmente tras Ámsterdam, pues con anterioridad siempre habría lugar a subsanar errores jurídicos en la segunda lectura.

El mecanismo de la verificación surgió en el nuevo Reglamento como solución frente a un problema preexistente. Cuando el PE puso de relieve su calidad de consignatario de los actos aprobados en codecisión, reivindicó una responsabilidad conjunta a la del Consejo para la verificación jurídico-lingüística de la totalidad del acto. Sin embargo, en la medida en que no disponía de un equipo de juristas-lingüistas, sino sólo de traductores y revisores, el PE expresó en varias ocasiones su deseo de crear un Servicio de juristas-lingüistas común para las tres instituciones implicadas en el procedimiento de codecisión (Consejo, Comisión y PE). El Consejo siempre rechazó tales peticiones al considerarlas contrarias a la autonomía institucional, y militó en contra de realizar cambios profundos en lo concerniente a la formalización jurídico-lingüística de la posición común del Consejo o de las enmiendas del PE aprobadas por el Consejo[170].

La situación hoy en sede parlamentaria, viene marcada por la existencia de un Servicio Jurídico encargado de asistir a la comisión competente sobre el fondo, para realizar una propuesta legislativa del modo mas completo posible[171]. Por ello, el Parlamento, en su dictamen, intenta dar el formato al acto jurídico a adoptar, realzando su papel de colegislador y reduciendo el margen de maniobra del Consejo. Todo ello converge en la disminución de los conflictos jurídico-lingüísticos y en la rápida aprobación de aquellas posiciones realmente comunes.

Por el contrario, las posiciones comunes que no son "realmente comunes" sino reflejo de la posición del Consejo frente al PE, o conjuntamente frente al PE y la Comisión, desembocan normalmente en la segunda lectura, que será la definitiva dependiendo de la flexibilidad de los colegisladores: del Consejo al adoptar la posición común y del PE al aprobar las enmiendas en su segunda lectura. Como veremos, lo irresuelto en estas dos etapas no podrá serlo durante la segunda lectura del Consejo.

---

[170]  Para clarificar la posición de la Secretaría General del Consejo ver la carta que su Servicio Jurídico remitió el 23 de febrero de 1996 al Coreper en relación con el "Seguimiento del procedimiento de codecisión", 4867/96, punto 2.

[171]  Fue el propio Servicio Jurídico el que alertó al PE sobre la necesidad de su asistencia en primera lectura, en su nota de 16 de septiembre de 1997, sobre la "Consecuencias del Tratado de Ámsterdam para el procedimiento de codecisión", pp. 2 y ss.

## 2. LA SEGUNDA LECTURA

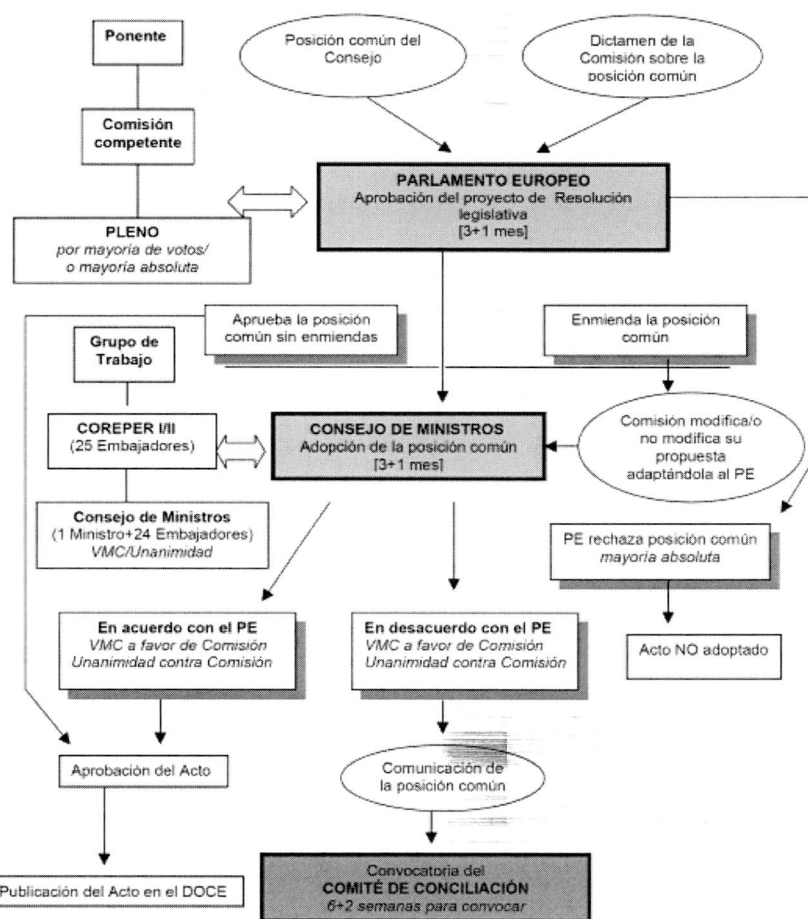

## 2.1. La Segunda Lectura del Parlamento

### 2.1.1. Introducción

La segunda lectura comienza cuando el PE ha recibido la posición común. Esta lectura, a diferencia de la primera, está sometida a un plazo máximo de tres meses, prorrogable por un mes. La recepción de la posición común en sede parlamentaria activa el plazo, de ahí el interés de precisar cuándo se produce dicha recepción.

En la perspectiva del Consejo, la fecha de la recepción de la posición común se produce "en principio, el lunes de las semanas de Pleno del PE"[172]. Para el PE, "la comunicación de la posición común al Consejo, conforme a lo establecido en los artículos 251 y 252 del TCE, tendrá lugar cuando el Presidente la anuncie en el Pleno"[173].

La disparidad de criterios provocada por la indeterminación del artículo responde esencialmente al interés del Consejo por dejar pasar con la mayor rapidez posible a la segunda lectura, y sobre todo evitar el hipotético retraso intencionado de la presentación de la posición común en Pleno. Para el PE, la posibilidad de retrasar el inicio del cómputo del plazo ofrece la ventaja de un tratamiento mayor. Por otro lado, no se puede negar que la existencia de este desencuentro, conocido y no resuelto por los colegisladores, tiene mucho que ver con el mantenimiento del poder institucional en la codecisión; no sólo por determinar el comienzo del plazo, sino por la posibilidad de que la interpretación del PE ofrecería a la dilación y/o congelación del expediente.

Pese a lo dicho, la visión del Parlamento es más sutil, su Reglamento vincula el anuncio del Presidente al Pleno cuando obre en posesión de los siguientes documentos[174]: la posición común propiamente dicha, todas las declaraciones en el acta del Consejo al adoptar la posición común, los motivos del Consejo para adoptarla y la posición de la Comisión a propósito de la posición común del Consejo.

El Derecho originario literalmente determina: "el Consejo informará plenamente al PE de los motivos que le hubieran conducido a adoptar la posición

---

[172]   Guía de la codecisión, *cit.*, p. 4.
[173]   Reglamento del PE, Artículo 74.1.
[174]   Todos especificados en el Reglamento, *Ibid.*

común. La Comisión informará plenamente sobre su posición común"[175]. La mera contrastación del Reglamento con el Derecho originario muestra el interés del Parlamento por especificar lo que el Tratado vagamente define como "información plena" del Consejo sobre la posición común. Ésta, sin duda, es la clave del inicio de la segunda lectura.

### 2.1.1.1. *La comunicación de la posición común*

Desde el comienzo del proceso de codecisión, el Consejo tomó la posición más cicatera posible con respecto a la información, comunicando simplemente al PE su posición *strictu sensu*. Ésta, *per se*, aportaba al colegislador base suficiente para iniciar la segunda lectura, pero no daba información con respecto al sentir más general del Consejo: posicionamiento, razones sobre el mismo de las delegaciones, etc. Tampoco informaba sobre las declaraciones y notas tantas veces adjuntadas a cualquier acuerdo del Consejo, ya sea legislativo o no.

Cuando el Consejo adoptó la *"Posted workers Directive"*[176], decidió incluir catorce declaraciones dentro de las actas de la sesión, doce de las cuales fueron declaraciones conjuntas del Consejo y la Comisión, una del Consejo y las restantes de la Comisión. Dichas declaraciones no fueron comunicadas al PE cuando se le comunicó el texto de la posición común y las motivaciones que conducían a ellas.

Sobre esta comunicación, el PE aprobó la posición común el 19 de septiembre de 1996. Cinco días después, el Consejo adoptó la Directiva de acuerdo con la posición común. En dicha adopción el Consejo decidió incorporar dentro de las actas las 14 declaraciones mencionadas. Además, con anterioridad y siguiendo el Código de conducta del 2 de octubre de 1995, el Consejo decidió hacer las declaraciones accesibles al público[177]. Coetáneamente, y como todas las otras declaraciones afectadas por el Código, fueron comunicadas al Parlamento[178].

---

[175]  Artículo 251.2 TCE.
[176]  "Directive on the secondment of workers Directive", cuya posición común se adoptó el 3 de junio de 1996.
[177]  "Legislative Transparency: Statements which may be released to the public" (September 1996), 10497/96.
[178]  *Ibid.*, pp. 9-14.

En dicho estado de cosas, los servicios de las secretarías ultimaron el texto definitivo de la Directiva[179] y la sometieron al Presidente del PE para su firma[180]. El entonces Presidente del PE Klaus Hänsch, remitió una carta al Presidente en ejercicio del Consejo, el Ministro de Asuntos Exteriores de Irlanda, Dick Spring. En ella afirmaba que pese a que la Secretaría del PE había encontrado el texto de la Directiva perfectamente correcto de acuerdo con lo adoptado, se le había llamado la atención sobre la inclusión de 14 declaraciones desconocidas por el PE hasta la fecha[181].

Al hilo de ello, el Presidente recapituló la posición institucional siempre mantenida por el PE. La institución, desde el comienzo de la codecisión, rechazó la práctica de la inclusión de declaraciones en las actas. Pese a ello y como mal menor, el Parlamento siempre requirió tales declaraciones junto con la posición común, incluso si tan sólo existieren en borrador. Ello por ser la única forma que permitiría al PE pronunciarse sobre un texto posterior en Pleno, conociendo todos los motivos que guían al Consejo a adoptarlo[182].

En el caso estudiado, el Parlamento tuvo conocimiento de la existencia de las declaraciones a través de la publicación de un documento del Consejo después de la adopción de la Directiva, acto legislativo que concierne a los colegisladores[183]. El resultado simplemente fue que, aunque ambos legisladores aprobaron el acto, sólo uno incluyó declaraciones siendo además el único que tuvo conocimiento de ellas. Si a ello añadimos el rechazo tradicional del PE por las declaraciones, es entendible que el Presidente del PE paralizara la firma (y con ello la entrada en vigor de la Directiva), y promoviera además un trílogo entre las tres instituciones.

El trílogo entre los Presidentes Hänsch (PE), Oreja (Comisario en sustitución del Presidente Santer, Comisión) y Spring (Consejo), vino marcado por el interés de los EEMM en la rápida aprobación de la Directiva[184]. Consecuentemente, el Consejo ofreció una solución flexible, aunque no ideal, al PE, defendiendo la importancia de las declaraciones en las actas como un

---

[179]   Documento LEX 58-COD 0346-COM (93) 0225 de 15 de junio de 1993.
[180]   De acuerdo con lo previsto en el antiguo párrafo primero del 189 B.
[181]   Carta fechada el 27.11.96.
[182]   Ver el párrafo 2 del antiguo 189 B TCE.
[183]   Documento ya citado de 8 de octubre de 1996.
[184]   Trílogo celebrado en Estrasburgo el 11 Diciembre de 1996.

importante instrumento promotor de la eficiencia en el proceso de toma de decisiones. De ahí que el Consejo considerase la necesidad de seguir haciendo declaraciones allí donde fuese necesario para alcanzar un acuerdo, y siempre bajo la cautela de hacer un uso selectivo de las mismas[185]. Por otro lado, en la línea de lo deseado por el PE, el Consejo hizo votos por mor de garantizar la plena información del colegislador en la aplicación del procedimiento de codecisión, comprometiéndose a remitirle las actas realizadas en el momento de la adopción de la posición común junto con el texto de la misma y las motivaciones[186].

Dicho acuerdo fue bienvenido por el PE, comprometiéndose su Presidente a firmar la Directiva[187], y atendiendo igualmente a la demanda del Consejo de mantener reserva sobre las actas, por no ser éstas accesibles al público[188].

El interés del Consejo y la ausencia de petición de respuesta a la carta citada por parte del Presidente Hänsch propiciaron que no se produjese una respuesta escrita y que el acuerdo del trílogo informal quedase como tal[189]. Con tal "acuerdo entre caballeros", profundamente marcado por el interés del Consejo en aplicar la "Posted workers Directive", los problemas no tardaron en rebrotar. El principal fue el relacionado con la tardanza en la remisión de los textos de las declaraciones que han de constar en las actas. Retraso debido tanto a las reticencias de los EEMM a que se conocieran sus posiciones, como a la ausencia del procedimiento adecuado para tan delicada tarea.

---

[185]    Speaking Note del 9 de diciembre de 1996 sobre el "Trilogue between the President of the Council, the President of the European Parliament and the President of the Commission", p. 2.

[186]    *Ibid.* p. 2.

[187]    "M.Hansch a dit qu'il était disposé à signer la directive sur le détachement des travailleurs, en insistant en même temps sur le besoin que les futures Présidences du Conseil respectent aussi les engagements pris par l'actuelle Présidences irlandaise". Ver la "NOTE A L'ATTENTION DE M.J. TRUMPF, SECRETARIE GENERAL" sobre el "Trialogue politique informel entre les Présidents du Parlement européen et du Conseil et la Commission" del 1 de diciembre de 1996.

[188]    Speaking Note del 9 de diciembre de 1996, *cit.*, p.3.

[189]    "In the light of the positive outcome of the Trilogue and having in mind that the Parliament tends to cover every exchange of letters with the Council in to an interinstitutional agreement, I think that a written replay should be avoided". En esos términos se sugería la intervención del Presidente del Coreper, ver la "Note for the attention of the Coreper", sobre el asunto "Transmission to the European Parliament of the statements".

En carta de 29 de abril de 1997[190], el Presidente del PE, Sr. Gil-Robles, demandó nuevamente la transmisión de las declaraciones de la Comisión y del Consejo al mismo tiempo que la posición común. Extendiendo el argumento de la vinculación entre declaraciones y posición común, el Presidente consideró que las declaraciones son parte de la posición común, y por consiguiente, el PE sólo la consideraría recibida cuando hubiese recibido también las declaraciones.

En la carta de respuesta (esta vez sí demandada por el PE)[191], el Presidente en ejercicio del Consejo, J.C.Juncker, abordó las dos principales cuestiones del problema. Reconoce el retraso, pero lo justifica por el hecho de que el Consejo, en aquel momento, todavía no había fijado su posición general sobre el propio principio de la transmisión de tales declaraciones afirmando que, como desde entonces se había admitido ya dicho principio, en el futuro el PE podría tener la seguridad de que todas las transmisiones se efectuarían con diligencia.

Por el contrario, discrepando de su homólogo parlamentario, sostuvo que del Tratado se infiere claramente que la posición común la constituye, exclusivamente, el texto adoptado sobre la base de la propuesta de la Comisión. En caso contrario, difícilmente se entiende cómo podrían aplicarse las disposiciones relativas a las enmiendas contenidas en el artículo 189 B, en relación con las declaraciones que constan definitivamente en el acta del Consejo y que no forman parte del acto que se va a adoptar[192]. Además, le recuerda que el plazo previsto en el apartado 2 del artículo 189 B comienza a partir del momento de la transmisión de la posición común[193].

El posicionamiento del Consejo, altamente estudiado y consensuado por el Consejo de Asuntos Generales, refleja la posición presente de la institución en relación con las declaraciones adjuntas a la posición común[194]. En cuanto al resto de información relacionada con la posición común, el nuevo Reglamento del Consejo es aperturista, según se colige del siguiente tenor:

---

[190]  Doc. 7933/97 PE L 47 CODEC 296.
[191]  Carta fechada el 8 de julio de 1997, Fiche n 0566/mfa.
[192]  "Et qui ne font pas partie de l'acte à adopter". *Ibid.*, p. 2.
[193]  "La transmission de la position commune et ne dépend pas d'une quelconque formalité de réception". *Ibid.*, p. 2.
[194]  Ver "Projet de lettre au Président du Parlement européen concernant la transmission des positions communes et des déclarations de la Commission et du Conseil au procès-verbal du Conseil", espec. sus dos anexos, PE 78 CODEC 329, 8874/97, de 26 de mayo de 1997 remitido del CAG al Coreper.

"Además de los casos en que las deliberaciones del Consejo estén abiertas al público en virtud del apartado 1 del artículo 8, cuando el Consejo actúe en su capacidad legislativa con arreglo al artículo 7, se harán públicos los resultados de las votaciones y las explicaciones de voto de los miembros del Consejo, así como las declaraciones consignadas en el acta del Consejo y los puntos de dicha acta relativos a la adopción de actos legislativos. Se aplicará la misma norma a: a) los resultados de las votaciones y las explicaciones de voto, así como a las declaraciones en el acta del Consejo y a los puntos de dichas actas que se refieran a la adopción de una posición común de conformidad con los artículos 251 o 252 del Tratado CE"[195].

### 2.1.1.2. La información de la Comisión

La Comisión, según el artículo 251.2 "informará plenamente sobre su posición al Parlamento Europeo". Para el PE, la perspectiva que tome la Comisión respecto a la posición común dista mucho de tener la transcendencia que tiene la del Consejo. Estamos de nuevo ante la necesidad de saber qué partes de la posición común no son asumidas por la Comisión. El PE, de coincidir con la Comisión, puede presionar más intensamente al saber el esfuerzo a realizar por el Consejo de querer apartarse de la Comisión en segunda lectura.

La información de la Comisión se remite al PE en forma de "comunicación". Las comunicaciones son bastante completas como pasamos a ver, permitiendo afirmar que, salvo nuevos acontecimientos, la información recibida aquí junto con la recibida del Consejo en forma debida permiten al PE tener base suficiente para una decisión.

La comunicación en primer lugar presenta la historia del expediente[196]. En ella se mencionan los principales hechos producidos hasta la posición común[197]: fecha de sometimiento de la propuesta de la Comisión y fundamento

---

[195]   Artículo 9.1 del Reglamento del Consejo. Reglamento del Consejo.

[196]   Ver a modo de ejemplo: "Comunicación de la Comisión al Parlamento Europeo con arreglo al párrafo segundo del apartado 2 del artículo 251 del Tratado CE acerca de la posición común del Consejo sobre la propuesta de la Directiva del Parlamento Europeo y del Consejo sobre el cumplimiento del horario de la gente de mar a bordo de los buques que utilicen puertos comunitarios". SEC (99) 1192 final.

[197]   Para facilitar el seguimiento de todos los documentos mencionados en una comunicación, seguimos la "Communication from the Commission to the European Parliament pursuant to the second subparagraph of Article 251(2) of the EC Treaty on the

jurídico[198]; fecha y sentido de opiniones de otras instituciones, por ejemplo el Comité Económico y Social[199] o el Comité de las Regiones;[200] fecha y sentido de la primera lectura del PE[201]; y, por último, fecha y referencia de la posición común del Consejo[202].

Posteriormente, realiza un breve resumen del objetivo de la propuesta original de la Comisión por mor de remarcar con posterioridad hasta qué punto pueden aún conseguirse los mismos objetivos y, lo más importante, para justificar las razones de su postura sobre la posición común.

En tercer lugar, se incluyen los comentarios a la posición común propiamente dicha, parte central de la comunicación[203]. Partiendo del análisis de las enmiendas introducidas por el PE en primera lectura sobre la propuesta primigenia de la Comisión[204], ésta desarrolla su estado actual indicando aquellas aceptadas por la Comisión e incorporadas en la posición común[205] y aquéllas

---

Common position of the Council on the proposal for a Directive of the European Parliament and of the Council on a Community framework for electronic signatures". SEC (1999) 1154 final 98/0191 COD.

[198]   "A Common Framework for Electronic Signatures", (COM (1998) 297 - C4-0376/98-98/195(COD)).

[199]   OJ C 40, 15.2.1999, p. 29.

[200]   OJ C 40, 6.4.1999, p. 33.

[201]   OJ C 104, 14.4.1999, p. 49.

[202]   COM (1999) 195 final.

[203]   Ver para mayor detalle la "Comunicación de la Comisión al Parlamento Europeo con arreglo al párrafo segundo del apartado 2 del artículo 251 del Tratado CE acerca de la posición común del Consejo sobre la propuesta de la Directiva del Parlamento Europeo y del Consejo por la que se modifica la Directiva 93/104/CE, de 23 de noviembre de 1993, relativa a determinados aspectos de la ordenación del tiempo de trabajo para incluir los sectores y actividades excluidos de dicha directiva". SEC (99) 1190 final, p. 2.

[204]   De forma menos usual, la Comisión puede referirse a las enmiendas del PE en primera lectura como "no relevantes", cuando por ejemplo no hubo modificaciones a las propuesta de la Comisión, en dichos casos, la propuesta de la Comisión es el referente para el PE. Un ejemplo de lo dicho en: "Communication from the Commission to the European parliament pursuant to the second subparagraph of Article 251(2) of the EC Treaty concerning the Common position of the Council on the proposal for a European Parliament and of the Council Directive concerning the enforcement of the seafarers' hours of work on board ships using community ports". SEC (1999) 1192 final, p. 3.

[205]   Ver por ejemplo las indicadas en la "Comunicación de la Comisión al Parlamento Europeo con arreglo al párrafo segundo del apartado 2 del artículo 251 del Tratado

aceptadas por la Comisión y no incorporadas en la posición común[206]. Junto a esto, se incluyen las nuevas provisiones y otras modificaciones introducidas por el Consejo en relación con la posición original, mencionadas desde la perspectiva de la Comisión, sin entrar normalmente en la compatibilidad con las posiciones defendidas por el PE en primera lectura[207].

Por último, la Comisión incluye las conclusiones de su comunicación. En ellas se resumen las razones expuestas y se toma posición, apoyando o no la posición común. Las conclusiones pueden ir acompañadas de un gráfico de tres columnas, en él se reflejan las enmiendas realizadas por el PE y su posterior evolución para hacer más gráficas las mismas. El apoyo a la posición común no tiene por qué ser un apoyo incondicional, puede perfectamente mostrar su desacuerdo con la falta de receptibilidad del Consejo para con las enmiendas del PE, pese a lo cual, considera que la posición común es digna de apoyo por mantener los elementos esenciales de la propuesta de la Comisión[208]. Por el contrario, el rechazo a la posición común es siempre parcial, pudiendo afirmarse, por ejemplo, que la posición común recoge ampliamente la propuesta de la Comisión y el enfoque general, pero que no sigue un determinado aspecto de importancia para la Comisión. Por ello, dichos elementos no son aceptables[209].

---

CE acerca de la posición común del Consejo sobre la propuesta de la Directiva del Parlamento Europeo y del Consejo por la que se establece un marco comunitario para la firma electrónica". SEC (1999) 1154 final 98/0191 COD.

[206] Ver por ejemplo las indicadas en la "Comunicación de la Comisión al Parlamento Europeo con arreglo al párrafo segundo del apartado 2 del artículo 251 del Tratado CE acerca de la posición común del Consejo sobre la propuesta de la Directiva del Parlamento Europeo y del Consejo por la que se establece un único instrumento de financiación y de programación en favor de la cooperación cultural. Primer programa marco de la Comunidad en favor de la Cultura (2000-2004), SEC(99) 1227 final COD 98/0169. También SEC (99) 1154 final COD 98/0191, cit., pp. 3-4.

[207] Ver por ejemplo las indicadas en la "Comunicación de la Comisión al Parlamento Europeo con arreglo al párrafo segundo del apartado 2 del artículo 251 del Tratado CE acerca de la posición común del Consejo sobre la propuesta de la Directiva del Parlamento Europeo y del Consejo por la que se establecen medidas para luchar contra la morosidad en las transacciones comerciales". SEC (99) 1398.

[208] Esta posición se refleja por ejemplo en las conclusiones de la comunicación SEC (99) 1154 final 98/0191 COD, cit., p. 7.

[209] "The Council has reached a Common Position in good time, which is broadly supportive of the Commission's proposal a general approach. The Commission regrets, however, that the Council did not follow the Commission's balanced proposals in

La comunicación de la Comisión es un buen reflejo del papel jugado por la institución en segunda lectura. Todavía es capaz de tener influencia, pero si se llega a la conciliación, perderá la fuerza poseída en relación con su iniciativa. Se ve así forzada a ser moderada en sus ambiciones durante la primera lectura del PE, no potenciando los conflictos si no quiere arriesgarse a que el Consejo rechace en bloque las enmiendas del PE y de paso la conciliación. Por otra parte, la Declaración común atribuye a la institución un papel moderador durante la segunda lectura: "la Comisión procurará favorecer los contactos y expresará su opinión con vistas a facilitar un acercamiento de las posiciones del Consejo y del Parlamento Europeo"[210].

## 2.1.2. La tramitación

La Declaración común sobre las modalidades practicadas en el nuevo procedimiento de codecisión disciplina que el PE, con ocasión de la segunda lectura, tendrá lo "más en cuenta posible"[211] la motivación del Consejo al aprobar la posición común, "así como el dictamen de la Comisión"[212]. El estudio de dichas aportaciones en sede parlamentaria, transcurre básicamente por los mismos pasos de la primera lectura.

Una vez que el Presidente del PE anuncie la posición común en el Pleno, se publicará en el acta de sesiones con indicación de la comisión competente sobre el fondo[213], entendiéndose remitida de oficio a dicha comisión[214]. La comisión tratará la posición común por primera vez, en su primera reunión posterior a la fecha de su comunicación[215]. La celeridad con la que se afronta dicho tratamiento responde a la necesidad de apurar al máximo el plazo, pues, como veremos, los tres meses no son en ocasiones suficientes, viéndose el PE obligado a solicitar una prórroga.

---

respect of doctors in training, sea-fishermen and the implementation period [...] It cannot accept these elements of the Common Position". SEC (99) 1190 final, p. 5.

[210]  "Declaración común sobre las modalidades practicadas en el nuevo procedimiento de codecisión", cit., punto II.3.
[211]  Ibid., punto II.1.
[212]  Ibid.
[213]  Reglamento del PE, artículo 74.2.
[214]  Reglamento del PE, artículo 76.1.
[215]  Reglamento del PE, artículo 76.4.

Como vimos al analizar la primera lectura del Consejo, tanto el Presidente de la comisión competente como el ponente, siguen todo lo cerca que el Consejo les permite la formación de la posición común. Por ello, el Reglamento del PE prevé que, salvo disposición en contrario de la comisión competente, el ponente de la primera lectura seguirá siéndolo en la segunda[216]. Ello facilita enormemente el seguimiento de la posición común y, algo más importante, permite continuar en la misma línea las posibles negociaciones con el PE. El ponente, partiendo de los documentos ya conocidos y de los posibles contactos con el Consejo, presenta su visión a la Comisión competente.

La comisión competente, junto con la aportación del ponente, puede "invitar al Consejo a que presente su posición común"[217]. El Consejo, representado al mismo nivel, toma la misma actitud pasiva anteriormente descrita. Igualmente, la Comisión asume eventualmente las labores de información sobre el Consejo y las suyas propias.

Una diferencia cualitativa entre la primera y segunda lectura es el alcance de las enmiendas. Tanto en comisión como en Pleno, los eurodiputados pueden presentar propuestas de rechazo de la posición común o enmiendas a la misma.

La propuesta de rechazo tiene por objeto paralizar el procedimiento, finalizando la segunda lectura y el procedimiento en su conjunto. Tan radical posicionamiento tendría sentido en un contexto en el que la posición común se ha apartado tan radicalmente de la primera lectura del PE, que no se vislumbra un acuerdo. Dicha posibilidad no se ha dado hasta nuestros días. De hecho, si se piensa en la globalidad del procedimiento, el PE siempre podría realizar una segunda lectura agresiva, corrigiendo la posición común drásticamente, lo que seguramente llegaría a la conciliación y en su caso, al fracaso de la misma. La posibilidad de llegar a la conciliación en estos casos apunta a que únicamente razones de lucha institucional podrían explicar dicha situación, razones de dudosa naturaleza y, por ello, difícilmente compatibles con el principio de colaboración interinstitucional demandado por el Derecho comunitario.

Sin embargo, como sabemos, el PE no goza de poder de iniciativa, de suerte que, en su nueva capacidad de legislador puede verse en la situación de

---

[216]    Reglamento del PE, artículo 76.3.
[217]    Reglamento del PE, artículo 76.2.

preferir el *statu quo* a cualquier acto legislativo en un determinado ámbito. La situación, tantas veces dada en sede del Consejo, responde a la peculiaridad de la separación de los roles legislativos en la Unión. El PE en primera lectura no parece tener mas vía de bloqueo que la dilación *sine die*, lo cual, debido a la ausencia de plazo, no sería tal. Por el contrario, una vez alcanzada la codecisión, el PE podría sin mayor esfuerzo evitar la aprobación del acto. La alternativa del bloqueo en segunda lectura, sin ser un hallazgo en los procesos de toma de decisiones, permite al PE intentar buscar en el Consejo refrendo por un cambio sustancial de una propuesta indeseada y, no encontrándolo, finiquitar la vida del acto sin necesidad de llegar a la conciliación.

La propuesta de rechazo sólo puede ser planteada al Pleno por la comisión competente, por un grupo político o por un mínimo de 32 miembros del PE si proceden de grupos distintos. El Pleno, lógicamente, deberá votar dicha propuesta antes de votar las enmiendas, requiriéndose para su aprobación la mayoría absoluta de sus miembros[218]. De aprobarse, el Presidente comunicará la suspensión del procedimiento[219].

Pasando a la diferencia cualitativa de las enmiendas, hemos de afirmar que también se encuadran en el contexto de la segunda lectura a través de cláusulas reglamentarias dirigidas a consolidar al máximo la primera lectura. La forma de hacerlo es limitando las orientaciones de las enmiendas, en concreto, habilitando tres vías.

De forma genérica pueden introducir tan sólo enmiendas que se dirijan a corregir la posición común con el objeto de recuperar la posición ya fijada por el PE en su primera lectura[220]. Con esta limitación genérica, se intentó evitar que se planteen enmiendas no planteadas en primera lectura. El interés de dicho objetivo radica en dar certidumbre al Consejo sobre los aspectos coincidentes entre los colegisladores en primera lectura. Dicha solución, si bien da certidumbre al procedimiento, elimina la capacidad negociadora con una lógica un tanto discutible, pues el proceso de negociación en sí puede no finalizar hasta el último suspiro, y hasta llegar a él, la negociación global, siquiera puntual, puede tener sentido. No se trataría del sentido de la renegociabilidad infinita, sino de no desligar aspectos vinculados por el mero hecho de la existencia de acuerdo sobre uno de ellos.

---

[218]   Reglamento del PE, artículo 79.1
[219]   Reglamento del PE, artículo 9.2.
[220]   Reglamento del PE, artículo 80.2 a).

Otras enmiendas aceptadas por el Reglamento son aquellas que tienen por objeto "lograr una transacción entre el Consejo y el Parlamento"[221]. Dichas enmiendas han de entenderse como distintas de las anteriores; es decir, con un plus distinto del de la vuelta a la posición defendida por el PE en primera lectura. Lógicamente, la segunda lectura ha de estar abierta a posibles acuerdos con el PE, acuerdos que parcialmente pueden significar un replanteamiento de las posiciones mantenidas en primera lectura, y por ello, no congruentes con el primer tipo de enmiendas analizado.

Las enmiendas de transacción proceden de los contactos bilaterales entre los colegisladores o los trílogos ya estudiados. Dichos contactos, debemos recordarlo una vez más, son la esencia de un procedimiento, como el de codecisión, que demanda continua negociación para poder finalizar en cualquiera de sus fases. En coherencia, las tres instituciones facultan el establecimiento de contactos con "objeto de comprender mejor las posiciones respectivas y de permitir una conclusión lo más rápida posible del procedimiento legislativo"[222].

Los contactos se producen en todos los niveles, implicando a ambas secretarías, al ponente y a los representantes de la Presidencia, o a los Presidentes del Coreper y de la comisión competente. Los contactos al máximo nivel son generalmente privativos de la codecisión.

Lo que se puede esperar de estos contactos es realmente difícil de asegurar por ser altamente dependientes de la realidad de los expedientes. Por un lado, resulta obvio que a la segunda lectura se llega por desacuerdo, ello *a priori* constata la dificultad de sacar el acto normativo adelante. Pero, desde otra perspectiva, la constatación del desacuerdo muestra el posicionamiento de las partes, y por ello, define y facilita el camino a seguir por éstas. Retrocedamos por un momento a la primera lectura.

La primera lectura, tal y como se concibió en Ámsterdam, sentó el ambicioso y positivo objetivo de posibilitar el acuerdo y finalización del procedimiento en dicha lectura. Sin embargo, tan loable objetivo encuentra un gran obstáculo en la incapacidad del PE para articular una posición firme al servicio del ponente. Mientras el Grupo de Trabajo comienza a formar su opinión, el PE puede no estar aún en período de sesiones, o el ponente no estar nombrado, o simplemente estarlo pero no tener una posición formada, o tenerla pero

---

[221]  Reglamento del PE, artículo 80.2 b).
[222]  "Declaración común sobre las modalidades prácticas del nuevo procedimiento de codecisión", *cit.*, punto II.2.

no poder dar garantías al Consejo de que dicha visión vaya a estar respaldada por el PE. De hecho, en muchas ocasiones, hasta la propia votación en Pleno no se puede tener certeza absoluta de la posición parlamentaria.

Con este estado de cosas, el Consejo no puede arriesgarse a tomar una posición minimalista cercana al acuerdo, pues podría llegar a comprometerse con mínimos no aceptados al final por el PE, pero cuya exposición debilitaría su capacidad de negociación futura. Esto no es excusa durante la segunda lectura. Ambas instituciones han fijado una posición institucional; a partir de ahí la duda no radica en las posiciones, sino en la flexibilidad de dichos posicionamientos. En la praxis pues, el campo es más propenso al acuerdo.

La situación descrita provoca la facilidad para recoger, vía enmienda de transacción, cualquier acuerdo alcanzado con el Consejo. Facilidad presente hasta la votación en Pleno, de suerte que, el Reglamento posibilita posponer la votación en Pleno de las enmiendas normales[223], en aras a que sean discutidas con el Consejo y puedan dar lugar a un acuerdo, el cual se cristalizaría antes de la votación en la forma de una enmienda de transacción presentada por el ponente.

Una tercera dimensión de enmiendas son aquellas destinadas a "modificar una parte del texto de la posición común no incluida en la propuesta presentada en primera lectura, o cuyo contenido sea distinto al de la misma"[224]. Con la inclusión de dichas enmiendas, el Reglamento trata de suplir el vacío producido por el primer tipo de enmiendas estudiadas, las de tipo general. Se trata de no dejar sin cobertura aquellos aspectos no existentes en la propuesta de la Comisión e introducidos por la voluntad del Consejo en la posición común. Éstos, en gran medida, suelen contar con la desaprobación del PE, quien normalmente sopesa en primera lectura la mayor parte de las posibilidades técnicas relacionadas con el acto. En dicho estudio, huelga recordar, se incluyen sólo las vías atractivas para el Parlamento, lo que *sensu contrario* significa que las perspectivas poco interesantes en sede parlamentaria, conforman el campo nutriente de las enmiendas del Consejo ahora estudiadas.

El cuarto y último tipo de enmiendas está compuesto por aquellas dirigidas a "tener en cuenta un hecho o una situación jurídica nueva surgidos después de la primera lectura"[225]. Estamos ante el caso de hechos nuevos, no ante el caso de

---

[223]   Reglamento del PE, artículo 6.5.
[224]   Reglamento del PE, artículo 80 c).
[225]   Reglamento del PE, artículo 80 d).

hechos de nueva percepción para el PE. Interpretar lo segundo sería entender esta dimensión como un cajón de sastre. Una interpretación *mens legislatoris* nos sitúa ante una limitación temporal no compatible con la aparición de multitud de novedades, ni en el ámbito sectorial del acto ni en el campo jurídico.

En conjunto, podemos afirmar la existencia de una filosofía evolutiva por parte del PE en la segunda lectura, entendiéndose como tal aquella enfocada a no reabrir temas cerrados por la primera lectura. Ello por supuesto no implica la denegación de réplica a la mal llamada posición común, tanto en aquellos aspectos en los que explícitamente el Consejo elimina las enmiendas parlamentarias en primera lectura, como en aquellos otros aspectos presentes en la posición común, los cuales: o bien fueron tácitamente rechazos por el PE, o bien no llegaron a ser estudiados.

### 2.1.3. La decisión en Pleno

El Pleno, como ya hemos citado y parcialmente desarrollado, tiene varias posibilidades. La primera, ciertamente la menos compleja, consiste en la aprobación de la posición común tal y como surge de la primera lectura del Consejo: si el PE "transcurrido el plazo de tres meses [...] aprobara la posición común o no tomara decisión alguna, el acto de que se trate se considerará adoptado con arreglo a esa posición común"[226].

Tras Ámsterdam, el Consejo no debe adoptar el acto. El mismo, recogido en la forma de documento LEX PE-CONS se presenta directamente para la firma de los Presidentes y Secretarios Generales del PE y del Consejo, y se publica en el DOCE[227]. Dicha forma incapacita al Consejo para volver sobre lo acordado; en concreto, en relación con la modificación de su posición común. La incapacidad es absoluta, lógicamente mayor que la analizada con respecto al PE.

La segunda opción en manos del PE es el rechazo de la posición común. Si la mayoría absoluta de los miembros así lo decide, la codecisión finalizará y "el acto propuesto se considerará no adoptado"[228]. Sólo podrá recuperarse el proyecto a través de una nueva iniciativa de la Comisión.

---

[226]  Artículo 251.2 a) TCE.
[227]  Ver "Guia de la Codecisión",*cit.*, p. 4.
[228]  Artículo 251.2 b).

Habiendo visto cuál es la razón de ser de dicha posibilidad, nos centramos ahora en el umbral gozado por el PE en este ámbito. Con anterioridad a Ámsterdam[229], el PE no podía simplemente rechazar la posición común, debía con anterioridad realizar lo que se denominaba "intento de rechazo". Éste daba paso a la llamada "pequeña conciliación", activable por Consejo mediante la convocatoria del "Comité de Conciliación". Éste ofrecía al Consejo una oportunidad para explicar su posición e intentar modificar el rechazo parlamentario. Tras la finalización de las actividades del Comité, el PE podía confirmar su rechazo o proponer enmiendas.

Desde un punto de vista jurídico, el objetivo del Comité era la explicación por parte del Consejo de su posición, estando en consecuencia incapacitado para modificar en dicho Comité su posición común. Si tenemos en cuenta las reflexiones hechas con respecto a los motivos que llevan al PE a rechazar dicha propuesta, constataremos la dificultad de activar con éxito tal fórmula.

Dichas consideraciones llevaron a que el mecanismo del antiguo artículo 189 B únicamente se aplicara en la práctica en dos ocasiones[230]. Su exclusión en Ámsterdam otorga un derecho irrestricto de veto al PE sin necesidad de acudir a la conciliación.

La tercera posibilidad abierta al Pleno es decidir por mayoría absoluta de sus miembros la aprobación de enmiendas sobre la posición común[231]. La presentación de las enmiendas y el desarrollo del Pleno tienen lugar bajo las mismas pautas de la primera lectura, con las salvedades ya explicadas sobre la autoría y el objeto de las mismas. Otra peculiaridad, también estudiada, hace referencia a la posibilidad de posponer la votación de las enmiendas habilitando un ínterin suficiente para que el ponente establezca los contactos pertinentes con el PE por mor de alcanzar un acuerdo. Éste, de alcanzarse, se cristalizaría en la introducción de una enmienda de transacción.

De no producirse el último paso indicado, antes de someter a votación las enmiendas, el Presidente pedirá a la Comisión que dé a conocer su posición y al Consejo que formule sus comentarios. Tras producirse la posible intervención de las instituciones (improbable por parte del Consejo), se producirá la votación. De prosperar las enmiendas, se dará curso a la segunda lectura en sede del Consejo.

---

[229]    De acuerdo con el antiguo 189 B.
[230]    "Guía de la Codecisión", cit., p. 4.
[231]    Artículo 251.2 c).

## 2.2. La segunda lectura del Consejo

### 2.2.1. *Introducción*

La segunda lectura del Consejo comienza con la recepción oficial de las enmiendas parlamentarias a la posición común del Consejo. Desde dicha fecha, la institución dispone de un plazo de 3 meses que es prorrogable a un mes más, para finalizar la segunda lectura. Para realizarla, el Consejo cuenta con tres documentos.

El primer instrumento con el que cuenta el colegislador es la posición común por él mismo realizada. La posición común es perfectamente conocida por las delegaciones y no demanda un estudio profundo. En segundo lugar, las enmiendas introducidas a la posición común por parte del PE, las cuales serán estudiadas en los mismos términos que las enmiendas de la primera lectura, teniendo en cuenta la literalidad, así como los informes presentados por la Dorsal codecisión. En tercer lugar, el Consejo cuenta con el dictamen que la Comisión realiza sobre las enmiendas del PE; el alcance de este dictamen merece un comentario adicional.

#### 2.2.1.1. *El dictamen del artículo 251.2 c)*

El artículo 251.2 c) prevé que el PE remitirá el texto modificado de la posición común "al Consejo y a la Comisión, que emitirá un dictamen sobre estas enmiendas". De la literalidad del precepto puede extraerse que la Comisión no dispone de un gran margen de maniobra ya que su dictamen debe limitarse a la emisión de una opinión sobre las enmiendas aprobadas por el PE y, consecuentemente, la Comisión no puede modificar ni retirar el texto parlamentario[232].

La primera interrogante a la citada posición defendida por el Servicio Jurídico del PE surge por la inexistencia de plazo para la emisión de dicho dictamen, y radica en la duda sobre la interpretación del silencio en el Derecho originario. De hecho, recibiendo el Consejo y la Comisión el texto

---

[232]    Seguimos aquí a Schoo, J. en el estudio del Servicio Jurídico del Parlamento Europeo emitido el 14 de julio de 1994 sobre el "Article 189 B du Traité CE: Procédure et problèmes", (p. 11) cuando afirma que "la marge de manœuvre de la Commission est ainsi limitée á l'émission d'un avis sur les amendements votés par le PE, la Commission ne peut donc ni modifier ni retirer sa proposition".

del PE a la vez, podemos encontrarnos ante el comienzo del tratamiento del texto, en sede del Consejo, junto con la dilación *sine die* del dictamen, por parte de la Comisión. Si bien se detrae del artículo 251 que este dictamen tiene razón de ser solamente en manos del Consejo, no se puede afirmar que el mismo sea preceptivo para la finalización del procedimiento. El Tratado no lo afirma, por el contrario, sí establece un plazo inmutable, el cual tan sólo puede prorrogarse un mes. La claridad del término no casa con la hipótesis de un poder de paralización del procedimiento, o de veto por parte de la Comisión.

Otra interrogante surge de la concepción que el dictamen tiene para la Comisión. La institución entiende el dictamen de la letra c) del apartado 2 del artículo 251 como una vía de modificación de la propuesta realizada en la comunicación hecha sobre la base del apartado 2 del artículo 251[233], modificación que deviene en lo que la Comisión denomina "propuesta modificada"[234]. A esta propuesta modificada, la Comisión se referirá incluso en la conciliación, pero, como veremos, con poco apoyo normativo. Nos centramos ahora en el contenido y la repercusión que el dictamen tiene en segunda lectura.

El dictamen contiene en primer lugar un repaso de los pasos vividos por el expediente idéntico al realizado en la comunicación del artículo 251.2. Habiéndolos analizado allí, obviamos aquí los pasos hasta la posición común, aspecto precisamente motivador de la comunicación y último analizado en la misma.

Tras la reseña de la posición común, el dictamen incluye sus puntos cardinales. En primer lugar, se centra en el análisis de las enmiendas y su opinión sobre ellas. A partir de su rechazo o aceptación, en segundo lugar, la Comisión desarrolla completamente la propuesta modificada.

---

[233]    La realizada según la posición común ya estudiada.

[234]    Para cerciorarse de lo dicho basta con revisar cualquier dictamen, éste se divide en dos partes: por un lado una denominada "Opinion of the Commission pursuant to article 251(2)(c) of the EC Treaty, on the European Parliament's amendments to the European Parliament's amendments to the Council's common position regarding the proposal for a European Parliament and Council Directive on minimum requirements for improving the safety and health protection of workers potentially at risk from explosive atmospheres;" y una segunda "Amending the proposal of the Commission pursuant to Article 250 (2) of the EC Treaty". COM(1999) 283 final.

El desarrollo se puede producir en la forma de texto corrido[235] o a doble columna incluyendo la posición común y el texto enmendado según la propuesta[236].

La fuerza del dictamen viene de la necesidad de la unanimidad en sede del Consejo cuando éste pretenda apartarse de la propuesta modificada. El propio Consejo, pese a rechazar la presentación por parte de la Comisión de la propuesta modificada[237], no puede sino afirmar que el Consejo, en segunda lectura, ha de actuar "siempre por unanimidad si las enmiendas han sido objeto de un dictamen negativo de la Comisión"[238]. Aquí radica la fuerza de la Comisión en segunda lectura, no en el poder de iniciativa, sino en lo que el PE gráficamente denomina "poder de procedimiento"[239]; a saber, la capacidad de alterar el quórum en el Consejo otorgándole por ello un papel clave. El poder de procedimiento fuerza a ambos colegisladores en la medida en que prioricen evitar la codecisión; obligando, si cabe, aun más al Consejo cuando reine el desacuerdo entre delegaciones.

De ello es consciente la Comisión, quien llega incluso a veces a incluir en sus dictámenes lo que denomina "referencias al Tratado". En ellas recuerda el mandato del artículo 251.3, en especial subraya que el Consejo "deberá actuar

---

[235]  Ver el punto 4 "Propuesta modificada" del "Dictamen de la letra c) del apartado 2 del 251 del Tratado CE, sobre las enmiendas del Parlamento Europeo a la posición común del Consejo sobre la propuesta de directiva del Parlamento Europeo y del Consejo por la que se establece un marco comunitario para la firma electrónica, por el que se modifica la propuesta de la Comisión con arreglo al apartado 2 del 251 del Tratado CE". COM (1999) 626 final.

[236]  Ver: "Proposition modifiée de la Commission, conformément à l'article 250, paragraphe 2 du Traité instituant la Communauté européenne, tel que modifié par le Traité su L'union européenne, tel que modifié par le Traité instituant la Communauté européenne, tel que modifié par le Traité sur L'union européenne". COM (1998) 329 final; y la "Amended Proposal" de la "Opinion of the Commission pursuant to article 251(2)(c) of the EC Treaty, on the European Parliament's amendments to the European Parliament's amendments to the Council's common position regarding the proposal for a European Parliament and Council Directive on minimum requirements for improving the safety and health protection of workers potentially at risk from explosive atmospheres amending the proposal of the Commission pursuant to Article 250 (2) of the EC Treaty", cit., pp. 8-27.

[237]  "Guía de la codecisión", cit., cita número 2.

[238]  Ibid., p. 5.

[239]  Manzella Report, cit., "Explanatory Statement" punto (ii), p. 9.

por unanimidad sobre aquellas enmiendas donde la Comisión ha emitido una posición negativa"[240].

Por otro lado parece menos claro que la Comisión pueda a estas alturas del procedimiento retirar la propuesta. Desde la perspectiva del Consejo, como ya vimos, la posición común es el pronunciamiento necesario demandado al Consejo por el artículo 250.2 para eliminar el monopolio poseído por la Comisión sobre su propuesta. Sin embargo, el propio Consejo reconoce la fuerza del dictamen en contexto de la presentación de enmiendas; contexto que, tornando algo contradictorio lo defendido por el Consejo, no encuentra distinción en el artículo 250.2 con respecto a la retirada de la propuesta.

En nuestra opinión, el artículo 250.2 se ve superado por el procedimiento de codecisión. Si se mantiene el poder de la Comisión éste, al menos, debería ser limitado por una posición realmente conjunta de ambos colegisladores, no solamente por el "pronunciamiento del Consejo". *Sensu contrario*, si el poder de retirada surge de la desviación extrema del interés comunitario representado en la propuesta de la Comisión, no parece sensato acortarlo vía posicionamiento unilateral del Consejo, ni en primera ni en segunda lectura. En conciliación, sin embargo, estamos tras Ámsterdam en una verdadera cohabitación colegisladora, la cual dota de coherencia a la limitación sufrida por la Comisión en el contexto de la conciliación.

### 2.2.2. La tramitación de la segunda lectura del Consejo

La segunda lectura del Consejo es básicamente decisoria, si se prefiere, es la fase con menos margen para la negociación de todo el procedimiento de codecisión. El Consejo no puede modificar las enmiendas introducidas por el PE a su posición común. El PE, por su parte, no puede durante ella retroceder sobre las enmiendas que aprobó en su primera lectura; consecuentemente, es inútil que el Consejo intente negociar con vistas a conseguir su agenda en segunda lectura. El tiempo de negociación fructífera para la segunda lectura pasó con la finalización de dicha lectura del PE; una vez que ésta tuvo lugar,

---

[240]    Ver punto 9. "Reference to the Treaty", en "Opinion of the Commission pursuant to article 251(2)(c) of the EC Treaty, on the European Parliament's amendments to the European Parliament's amendments to the Council's common position regarding the proposal for a European Parliament and Council Directive on minimum require-ments for improving the safety and health protection of workers potentially at risk from explosive atmospheres", *cit.*

el Consejo debe centrarse en considerar si aprueba las enmiendas del PE y con ella la posición común, o si da paso a la conciliación.

La realidad es sencilla, si el Consejo se opone frontalmente a una sola enmienda de las introducidas por el PE, la segunda lectura en sede del Consejo es un trámite, al menos desde la constatación del desacuerdo. ¿Cuándo se produce la constatación? La respuesta depende del expediente, pero en la mayoría de los casos se produce durante la segunda lectura del PE.

El Grupo de Trabajo, ya desde los primeros estudios del expediente y sobre todo desde la posición común, sabe cuáles son los puntos indeclinables para él. Por ello, permanece activo durante toda la segunda lectura del PE. Durante ella la Dorsal condecisión le nutre de información[241], tanto de lo acontecido en las comisiones parlamentarias como en lo relativo a los contactos informales mantenidos con el ponente, generalmente por la Presidencia del Consejo, bien a nivel del Grupo de Trabajo, bien a nivel de Coreper.

Durante la segunda lectura del PE, el Grupo de Trabajo maneja con frecuencia bocetos de enmiendas enviados por el PE[242]; con ellos, en muchas ocasiones el Consejo perfila una posición definitiva de rechazo sobre ciertas enmiendas en potencia, es decir, realiza unas conclusiones. Éstas, a su vez, se hacen llegar informalmente al PE con el fin de que conozca la posición antes de la votación en Pleno[243]. A partir de ahí, la celebración de una comisión con amplio acuerdo de los grupos sería suficiente para la constatación del desacuerdo; si el concierto entre los grupos no se diera, habría que esperar al Pleno para saber el futuro de la segunda lectura del Consejo.

La nota de información elaborada por la Dorsal codecisión sobre la votación de las enmiendas en Pleno incluye en muchas ocasiones una relación de las enmiendas asumibles y no asumibles por el Consejo, con referencia a la reunión del Coreper donde se alcanzó la posición sobre la enmienda citada. La realidad descrita permea el resto de características que distinguen la segunda lectura de la primera. Pasemos a verlas teniendo en cuenta que la tramitación se produce desde el punto de vista procedimental del modo desarrollado en primera lectura.

---

[241]  A través de las mismas "Note D'information-Information Note-" o "Note for the attention of the Chairman of the Permanent Representatives Committee" vistas en la primera lectura, pero en esta ocasión en referencia a los resultados de la segunda lectura.

[242]  Así queda reflejado por ejemplo en la "Note for the attention of the Chairman of the Permanent Representatives Committee", (1854th meeting - first part, 26 november 1999).

[243]  También queda reflejado en el Punto IV. "Possible Conclusion", *Ibid.*

En primer lugar, debemos recordar la existencia de un plazo, el cual demanda la agilización de los procedimientos, en particular disciplina la evolución ascendente del expediente del Grupo de Trabajo al Consejo. Ahora no hay tiempo material para las reiteradas consultas al Consejo, desde luego no al Consejo Europeo. Ello demanda localizar en los Grupos de Trabajo y en el Coreper la solución del mayor número de aspectos.

Otra diferencia en relación con la primera lectura radica en el hecho de que el Consejo no se pronuncia ni sobre la propuesta, ni sobre la posición común en su conjunto, ni sobre la analizada "propuesta modificada". El Consejo, como anticipamos, impugna la práctica seguida por la Comisión, quien trata de reenfocar la discusión de la segunda lectura del Consejo sobre la visión global contenida en la "propuesta modificada". El Consejo, haciendo caso omiso a dicha voluntad, centra la discusión y la votación sobre las enmiendas introducidas por la Comisión de forma individual.

Surge aquí la pregunta respecto de la obligatoriedad de pronunciarse sobre todas las enmiendas. Partiendo de la base de que la conciliación se inicia en cuanto no se acepta una enmienda, es necesario que cada una de ellas sea objeto de una decisión del Consejo. De no hacerlo así, podría llegarse a la conciliación por agotamiento del plazo a la segunda lectura; es decir, el Consejo no puede paralizar la llegada de aquel momento con la ausencia, deliberada o no, de pronunciamiento.

En la visión del Consejo, una votación final sobre la "propuesta modificada" supondría dos requisitos distintos: mayoría cualificada para ciertas enmiendas, unanimidad para otras. Podría ocurrir entonces que las abstenciones en caso de votación por unanimidad impidiesen alcanzar la mayoría cualificada. Ahora bien, desde un punto de vista jurídico, tal votación no es indispensable, y menos teniendo en cuenta que el apartado 3 del artículo de referencia dispone que, cuando el Consejo aprueba todas las enmiendas, "modifica en consecuencia su posición común"[244]. Dicha modificación no parece ser sino mera formalidad resultante de la adopción de cada una de las enmiendas.

Por otro lado, el tratamiento de dichas enmiendas está sensiblemente recortado en relación con la primera lectura. De acuerdo con el párrafo 3 del artículo 251 del Tratado, el Consejo puede aprobar o rechazar las enmiendas, no modificarlas. Las únicas reformas introducibles son mera-

---

[244]   Artículo 251. 3 TCE.

mente formales, cualquier modificación del Consejo sería controlable por el Presidente del PE, quien siempre deberá firmar el acuerdo antes de su entrada en vigor.

La no introducción de modificaciones en las enmiendas provoca que tampoco se pueda hablar de una culminación de las vías de negociación en primera lectura, ni entre los EEMM, ni en la relación bilateral o trilateral entre los actores. Los EEMM, si pretenden mantener su agenda y ésta dista de las enmiendas, deberán articular su debate en la perspectiva de la conciliación. Lo mismo ocurre, en el contexto de desencuentro descrito, donde los actores miran inmediatamente hacia la conciliación, una vez que el Consejo constata no transigir con el estado actual de las enmiendas. Dicha posibilidad se refleja perfectamente en la guía de la codecisión del Consejo: el tiempo "que va desde la constatación política de la imposibilidad de aceptar las enmiendas en segunda lectura hasta la aprobación de esta decisión por el Consejo, puede utilizarse para proceder a contactos técnicos y de negociación destinados a acercar posiciones antes de la primera reunión del Comité de Conciliación"[245].

Por último, debemos realizar un apunte sobre la influencia de la no emisión del dictamen por parte de la Comisión; en particular, sobre si el Consejo debe esperar a la recepción de la misma. Como sabemos, por imposibilidad material de alternativa, la recepción del dictamen se producirá siempre con posterioridad a la recepción de las enmiendas del PE en sede del Consejo.

Según el artículo 251.3, el Consejo se pronuncia como norma general por mayoría cualificada, salvo en lo que respecta a las enmiendas que hayan sido objeto de dictamen negativo de la Comisión, las cuales requieren unanimidad. Ello, según la perspectiva del Consejo[246], significa que, a falta de dictamen de la Comisión, puede proceder a la adopción del acto en cuestión por mayoría cualificada. En cualquier caso, cabe admitir que, tras un plazo razonable, el Consejo considere el silencio de la Comisión como aceptación tácita, siempre, claro está, que no haya emitido un dictamen desfavorable antes de (o a más tardar durante) la reunión del Consejo en cuyo orden del día figure la adopción del punto.

---

[245]  "Guía de la codecisión", *cit.*, p. 7.
[246]  "Non-Paper sobre el procedimiento del artículo 189 B del Tratado CE, denominado de codecisión", *cit.* punto 6 d).

## 2.2.3. La decisión final del Consejo

La segunda lectura es, dentro del procedimiento de codecisión, el momento que comporta menor carga para el Consejo. La institución puede simplemente aprobar todas las enmiendas, en cuyo caso, el documento PE-Cons se presenta directamente a la firma de los Presidentes y Secretarios de ambos colegisladores.

Si, por el contrario, decide no aprobar alguna, deberá dar paso a la conciliación. El PE no puede retirar sus enmiendas durante la tramitación de la segunda lectura del Consejo; consecuentemente, toda negociación, bilateral o trílogos, cobra sentido por mor de allanar la futura conciliación. A este fin también sirve el aprovechamiento máximo del plazo de la segunda lectura para evitar las indeseadas conciliaciones prematuras. Éstas, someten a los colegisladores a precipitar sus actividades por mor de no sobrepasar el plazo de la conciliación. Evitar este efecto negativo estuvo muy presente en la reflexión de las instituciones tras Ámsterdam[247].

El desencuentro en una sola enmienda nos llevaría a la conciliación. Siendo el Consejo el que *de facto* constata el desencuentro final, la convocatoria del Comité de Conciliación se inicia automáticamente en su sede: "si el Consejo no aprobara todas las enmiendas, el Presidente del Consejo, de acuerdo con el Presidente del Parlamento Europeo, convocará en el plazo de seis semanas una reunión del Comité de Conciliación"[248]. El Consejo, por decirlo gráficamente, asume la convocatoria cuando constata el desacuerdo; pero siendo la convocatoria común a los colegisladores, su Presidente transmite el resultado final de la segunda lectura al Parlamento.

En sede parlamentaria, el Presidente del Consejo "una vez consultados los Presidentes de los grupos políticos y el Presidente y el ponente de la comisión competente podrá acordar la fecha y el lugar de una primera reunión del Comité de Conciliación"[249]. De la letra del Reglamento no puede entenderse otra cosa que la existencia de una fórmula de cortesía. La convocatoria no depende de las consultas realizadas por el Presidente del PE, ni siquiera de su voluntad. La convocatoria, si bien se activa formalmente por ambos Presidentes, es una realidad fáctica desde la constatación del desacuerdo realizada en sede del Consejo en segunda lectura.

---

[247] Ver la "Resolución sobre el nuevo procedimiento de codecisión después de Ámsterdam", *cit.*, punto 7.2.
[248] Artículo 251.3 TCE.
[249] Artículo 81 del Reglamento del PE.

# 3. LA CONCILIACIÓN

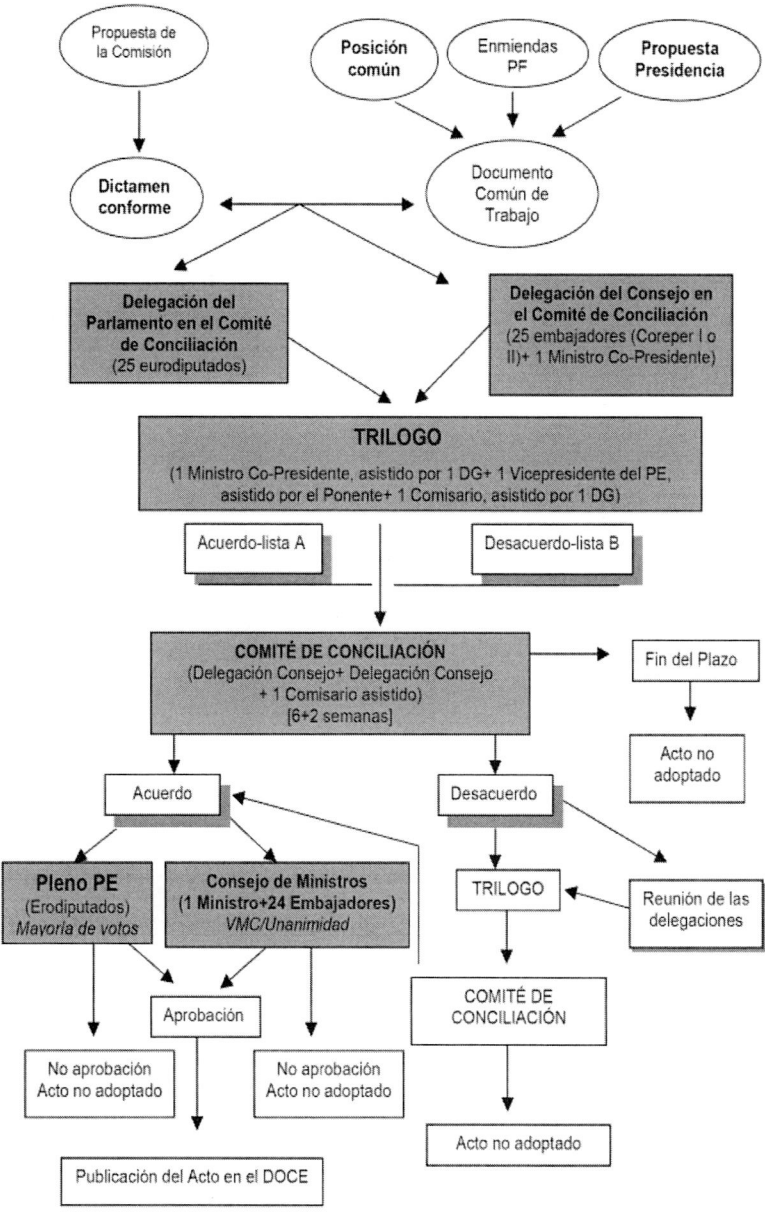

## 3.1. La Comisión en la conciliación

La Comisión participa activamente en la conciliación, si bien, como veremos, en un nivel de influencia muy inferior al de los colegisladores y con menor relevancia de la disfrutada por la institución durante las dos lecturas precedentes.

La Comisión está representada durante los distintos momentos de la conciliación por un funcionario, ya sea el Director General o el Comisario del ramo de la materia objeto de la codecisión. Dicha representación variará dependiendo del nivel del encuentro, éstos pueden ir desde las reuniones técnicas al Comité de Conciliación y los trílogos políticos. El Comisario se encuentra asistido normalmente por el Director General de la materia del Expediente y por el máximo responsable de la codecisión de su institución. Normalmente concurre con estos asistentes de máximo nivel a las reuniones del Comité de Conciliación y a los trílogos. Su participación en los Comités de Conciliación es prácticamente plena salvo que concurran incompatibilidades de agenda, en cuyo caso la delegación de la Comisión estará encabezada por el Director General o incluso otro Comisario (*Vid.* tabla nº 7 en anexos).

A veces los colegisladores se reúnen en el contexto del Comité de Conciliación de forma individual: en las reuniones preliminares a la celebración de un Comité de Conciliación, con el objetivo de preparar la misma; así como en encuentros que se celebran entre reunión y reunión del Comité de Conciliación con el fin de clarificar posiciones sobre la base de lo allí visto. Dichas reuniones se celebran al mismo tiempo; por ello, el Comisario, no pudiendo asistir a ambas, se hará representar por uno de los funcionarios mencionados en la reunión no atendida por él.

Entrando en sus funciones debemos referirnos a la Declaración común sobre la codecisión por ser la referencia más clara a las mismas, según ésta: "*la Comisión participará en los trabajos del Comité de Conciliación y adoptará todas las iniciativas necesarias para favorecer un acercamiento de las posiciones del Parlamento Europeo y del Consejo.* Dichas iniciativas podrán consistir, particularmente, en proyectos de textos de transacción que atiendan a las posiciones del Consejo y del Parlamento Europeo y respetando las funciones que le confiera el Tratado"[250]. El subrayado coincide literalmente con la letra del actual párrafo 4

---

[250] "Declaración común sobre las modalidades prácticas del nuevo procedimiento de codecisión", *cit.*, punto III.2. Énfasis añadido.

del artículo 251 TCE. De acuerdo con dicho artículo, la Comisión no goza de iniciativa legislativa tal y como se desprende del artículo 250 TCE, sino de la capacidad de adoptar "todas las iniciativas necesarias".

La adopción de iniciativas (no propuestas) se interpreta por los colegisladores como la facultad de presentar textos transaccionales destinados a facilitar el procedimiento de toma de decisiones de los colegisladores en el Comité de Conciliación; pero éstos en ningún caso quedarán obligados por lo estipulado en dichas iniciativas, siendo de su discreción la consideración y el grado de atención a la misma. No encontrándose la Comisión en el contexto de la iniciativa del artículo 250 TCE, se desactiva la regla según la cual el Consejo debe decidir por unanimidad cuando se aparte de su propuesta.

El Consejo, pues, por primera vez durante el procedimiento de codecisión, se libera de las repercusiones negativas de dicha regla. Por ejemplo, como sabemos, un único EEMM podría haber truncado en primera y segunda lectura una modificación de la propuesta de la Comisión, la cual, reflejando la voluntad del PE, podría haber adoptado el acto sin llegar a la codecisión. También se libera al PE de la influencia indirecta de contar obligatoriamente con todos los EEMM a su favor en dichos casos. Ahora, salvo en las excepciones aún regidas por unanimidad, el PE simplemente requiere el apoyo de un número de Estados suficientes para conformar la mayoría cualificada.

Las iniciativas de la Comisión, de acuerdo con lo dicho, no constituyen una propuesta legislativa, son "textos de transacción". Para su elaboración, la Comisión "tendrá en cuenta las posiciones del Consejo y del Parlamento Europeo". Este requisito no se incluyó en el primer "acuerdo interinstitucional" relativo al artículo 189 B, entonces vigente. En aquél, únicamente se hace referencia a que la Comisión "adoptará todas las iniciativas necesarias para favorecer un acercamiento de las posiciones del Parlamento Europeo y del Consejo"[251].

La diferencia entre ambos tratamientos reside básicamente en eliminar la poca discreción restante en manos de la Comisión, pues la mera referencia al objetivo del acercamiento de posiciones de los colegisladores no garantiza un uso objetivo de tal facultad por parte de la Comisión. Con la introducción de la referencia a las posiciones de los colegisladores como inspiración de las

---

[251]  "Acuerdo interinstitucional sobre las "Modalidades para el desarrollo de los trabajos del Comité de Conciliación previsto por el artículo 189 B", DOCE-C 329/141.

propuestas de la Comisión, se limita la posible subjetividad de la institución. Dicho matiz no es gratuito, dado que la Comisión no es en ningún momento árbitro plenamente neutro. Su interés estará más o menos presente dependiendo de las diferencias que guarda en el expediente con el colegislador. Incluso en la conciliación, no es extraño que la Comisión se remita a su "propuesta modificada", pese a que los colegisladores y el Tratado no otorgan ya ninguna fuerza vinculante al dictamen del artículo 251.2c).

Crombez considera incluso que la carencia de importancia de la Comisión en conciliación es menor que la poseída en Mastrique. En defensa de su opinión, argumenta que en el antiguo procedimiento de codecisión la Comisión conservaba una cierta capacidad de incidir en la agenda, pues el fracaso del colegislador en la persecución de un texto común convertía la propuesta de la Comisión en un texto de referencia de cara a la pequeña conciliación[252]. Por el contrario, la eliminación de esta última oportunidad en Ámsterdam provoca que el fracaso en alcanzar el texto común por los legisladores, liquide automáticamente toda posibilidad de revitalización de la propuesta de la Comisión como texto de referencia[253].

## 3.2. El Consejo en la conciliación

### 3.2.1. La composición de la delegación del Consejo

La delegación del Consejo en el Comité de Conciliación, de acuerdo con el Tratado, "estará compuesta por los miembros del Consejo o sus representantes"[254]. Partiendo de la base de la inclusión de un representante por cada EEMM existente en la UE en el momento de componerse el Comité de Conciliación, son varias las posibles formaciones de la delegación debido a la discreccionalidad de las delegaciones para nombrar a sus representantes; por ejemplo: todos los Ministros del ramo de la conciliación, los Ministros del ramo en unas delegaciones junto con representantes de otros Ministros en otras, y únicamente de los representantes en el Consejo más un Ministro que sería el del país que preside el Consejo.

---

[252]  Crombez, C.: *The treaty of Ámsterdam and the Codecision Procedure*, Rijksuniversiteit Groningen, Onderzoeksrapport Nr 9827, pp. 19-20.
[253]  *Ibid.*, p. 20.
[254]  Artículo 251. 4 TCE.

En general, el Tratado no establece ninguna formación exclusiva del Consejo de Ministros en su formación normal, y en lógica tampoco cabe aplicarla a la delegación del Consejo en el Comité de Conciliación. Tampoco se aplica a la delegación el Reglamento interno del Consejo, en particular, las disposiciones relativas al quórum[255]. Esta flexibilidad posibilita que en la práctica la delegación del Consejo sea el Coreper en su Parte I o II dependiendo del ámbito sectorial de la decisión. Junto a los miembros del Coreper, el Estado miembro que ostente la Presidencia, debiendo co-presidir el Comité de Conciliación, habilita al Ministro del ramo del expediente de la conciliación. El "Ministro-Copresidente" estará igualmente, y como norma general, presente en los trílogos y presidiendo las reuniones preparatorias del Comité de Conciliación.

El PE desea una representación del mayor nivel posible por parte del Consejo, pues ello sin duda eleva políticamente al PE; pero, como veremos, la intensa demanda presencial y disponibilidad de los representantes en el Comité de Conciliación tornan tal posibilidad inviable.

En días consecutivos pueden tener lugar varias reuniones del Comité de Conciliación. Finalizar una sesión del Comité de Conciliación fallida a las cinco de la madrugada y tener que seguir con ella al día siguiente por ausencia de plazo, es una realidad ya vivida. En los expedientes de mayor dificultad, el seguimiento de la conciliación y la preparación del Comité de Conciliación puede demandar la atención del Coreper varias veces durante un día; de suerte que el tratamiento de la conciliación se intercala con la sesión normal del Coreper. Ello por no hablar de aspectos como la necesidad de la visión global de la evolución de los distintos expedientes inmersos en la codecisión, lo cual se dificultaría enormemente con la formación de tantas delegaciones en el Comité de Conciliación como Consejos.

Por todo ello, como se observa en la tabla nº 9 (*Vid.* anexos), solamente los dos primeros Comités de Conciliación contaron con mayoría de Minis-

---

[255]   Ver el apartado 4 del artículo 9 del Reglamento interno del Consejo. Por lo demás, las reglas del quórum, cuando el Consejo actúa en funciones legislativas, tienen una profunda razón de ser, la cual, en principio, no encuentra razones de fondo para ser ignorada por el hecho de hallarnos en conciliación. Al fin y al cabo, en el Comité de Conciliación se legisla (colegisla) como en el Consejo. Sin embargo, sería mucho más complicado, por la intensa carga de trabajo, intentar forzar la presencia de ministros satisfaciendo las reglas del quórum.

tros en la delegación del Consejo[256]. Una vez finalizados ambos, los EEMM, al unísono y contrariando al PE, degradaron su representación del nivel de Ministros al de embajadores. En la práctica a nivel de embajadores suplentes, pues como ya es sabido, la mayoría de los expedientes están dentro del ámbito competencial de la primera parte del Coreper.

Sin entrar ahora en la crítica desde la perspectiva del déficit democrático, conviene resaltar la necesidad de mantener la máxima disponibilidad y flexibilidad procedimental en la toma de decisiones de las delegaciones del Comité de Conciliación. Obviamente, manteniendo en ambas la capacidad decisoria y de vinculación de sus respectivas instituciones. Al respecto decir que, siendo los miembros del Coreper los miembros de la delegación, lo acordado por ellos en el Comité de Conciliación debe ser objeto de refrendo por el Consejo. Tal proceso se sigue por el mismo mecanismo de los puntos A de un procedimiento legislativo normal. Como en aquellos casos, hasta que el Consejo no constata su refrendo, el acto adoptado por el Comité de Conciliación no está formalmente aprobado. Conviene aquí resaltar la generalizada aprobación de dichos puntos A, de suerte que, todos los acuerdos alcanzados por la delegación del Consejo en el Comité de Conciliación, han sido posteriormente refrendados en sede del Consejo.

El procedimiento de aprobación en sede del Consejo no cambiaría con una delegación compuesta por Ministros, pues el Tratado, sin entrar en distinciones sobre la composición de las delegaciones, establece que si "el Comité de Conciliación aprobara un texto conjunto, el Parlamento y el Consejo dispondrán cada uno de seis semanas a partir de dicha aprobación para adoptar el acto en cuestión conforme al texto conjunto"[257]. Es decir, independientemente de la composición de la delegación del Consejo en el Comité de Conciliación, la aprobación debe hacerse en sede del Consejo. A pesar de lo dicho, resulta aquí conveniente resaltar que una delegación formada por los Ministros del Consejo daría mayor representatividad a la delegación del Consejo que a la del PE, pues el PE depende en la forma y en el fondo del Pleno, y una delegación de Ministros sólo dependería en la forma de la aprobación en sede del Consejo.

---

[256]   Además debe de destacarse que ambos Comités de Conciliación versaron sobre la misma materia (Programa marco para la investigación), y fueron concluidos en el mismo mes (marzo de 1994).
[257]   Artículo 251.5 TCE.

### 3.2.2. *La representatividad de la delegación del Consejo*

Una vez sentada la ausencia de diferencias procedimentales, conviene desarrollar la realidad de la representación desde el mero contexto de la negociación. Debemos preguntarnos sobre las posibles implicaciones para el Consejo de estar representado en el Comité de Conciliación. Para Tsebelis y Money, el hecho de que el Consejo se haga representar en la delegación, coloca al PE en una situación desventajosa; ello porque frente a los Ministros, los burócratas no electos no pueden comprometerse y promover compromisos[258].

La posición de los actores citados ignora que el Coreper, como hemos visto en las otras fases de la codecisión, decide de forma plena. Dichas decisiones se plasman en puntos A del orden del día del Consejo, los cuales, de forma prácticamente absoluta, refrenda el Consejo sin discusión. Confirmando lo dicho, debemos recordar una vez más que el Coreper siempre ha compuesto la delegación del Consejo y que hasta hoy, el Consejo ha aprobado todos los textos conjuntos aprobados en el Comité de Conciliación.

No se puede negar que un Ministro tiene todo el margen de maniobra frente al Embajador, quien tiene el margen de maniobra otorgado por el Ministro a través de un mandato de negociación; pero dicho mandato no es menor del que un Ministro se daría a sí mismo. Además, en el caso de que el mandato llegara a su límite, el Embajador podría consultar a su Ministro incluso mientras el Comité de Conciliación tiene lugar. Es cierto que durante la negociación en el Comité de Conciliación hay embajadores que afirman no poder superar su mandato y tener que consultar a sus Ministros, pero muchos más afirman no poder superar el mandato porque es una posición gubernamental definitiva y consecuentemente están por demás las consultas. Estas dos posiciones demuestran que la cuestión no radica en un problema de comunicación entre delegación y Consejo, sino en otros factores: la expresión del mandato; la perfección alcanzada por la posición gubernamental, y la confianza depositada en el Coreper por sus Ministros.

Antes de llegar a la conciliación, se han producido dos lecturas del expediente, lo cual, habiéndose seguido los posicionamientos de las delega-

---

[258] "Ministers can promise and deliver compromises, whereas unelected bureaucrats cannot". Así lo expresan los autores en su libro "Bicameralism", Cambridge University Press, Cambridge, 1997, p. 204.

ciones y del PE, permite definir con nitidez la posición gubernamental. Si un Ministro define correctamente la situación, debe saber cuál es su interés real para adoptar el acto, y dónde está el límite al margen de la posible concesión. Existiendo certidumbre sobre el particular, se puede en la mayoría de los casos fijar un mandato de negociación tan completo como la propia posición del Ministro, si éste fuese el miembro de la delegación. Afirmamos en la "mayoría de los casos" porque normalmente la conciliación, como veremos, no procesa nuevas posiciones, presencia la reformulación de las ya existentes en las lecturas precedentes. Y no habiendo nuevas dimensiones, no hay necesidad de reformular las posiciones, y por ello, no debería haber motivos para la reconsulta.

Si en el contexto estudiado se dan motivos de reconsulta generalizadas, seguramente se deba a tácticas negociadoras. Para un Embajador, en momentos de tensión negociadora, es siempre mucho más cómodo sacar "la presión" de la delegación del Comité de Conciliación; para un Estado miembro es mucho más fácil mantener una posición de bloqueo frente al resto de delegaciones; cuando la persona que se niega a desbloquear la situación (el Ministro) no está presente en la sala, ello sin duda elimina mucha presión al Embajador.

Cuando la entonces miembro permanente de la delegación del PE, Nicole Fontaine, se quejaba de la falta de maniobra del Coreper en el Comité de Conciliación[259], no caía en la cuenta de que dicha maniobra viene relacionada con la ausencia de voluntad política del Consejo de avanzar más. Frente a lo que veremos en la delegación del Parlamento, la delegación (Coreper) y el Consejo son *de facto* indisolubles, el Coreper no es una delegación independiente y no puede ser juzgada como tal. Como afirma Varela, si los embajadores fijan su posición sobre la base de un determinado mandato, se puede deducir que los Ministros habrían actuado de una forma similar dado que el Consejo no puede nombrar representantes independientes en su delegación[260].

---

[259]    "Les échos du Parlement Euroéen", n° 103, Marzo 1995, p. 16.

[260]    "If ambasadors stuck to a given mandate then we can deduce ministers would have acted in a similar way. The Council cannot appoint independent representatives". Varela, D.: *Agenda setting through the appointment of independent conciliation committee delegations: The EP rules under Ámsterdam's co-decision*, Unpublished MSc dissertation, European Institute, London School of Economics, 2000, punto 3.

## 3.3. El Parlamento y la conciliación

### 3.3.1. La composición de la delegación del Parlamento

La delegación del PE en el Comité de Conciliación tiene, de acuerdo con el Tratado, tantos miembros como la delegación del Consejo, en la actualidad 25[261]. Como vimos, la delegación del Consejo puede ser el mismo Consejo, lo cual garantizaría una representatividad total; es decir, cada EEMM está representado y tiene la misma capacidad de decisión (léase peso de voto) que la dispuesta en el Consejo. En la práctica, pese a ser sus representantes (Coreper) los miembros de la delegación, el mandato y el contacto permanente entre Ministros y embajadores no permite hablar de grandes repercusiones debido a la representación: el Coreper es el Consejo con otras personas.

Frente a la realidad del Consejo, los veinticinco eurodiputados que componen la delegación del PE son estrictamente delegados del conjunto del PE. La necesidad de estudiar su composición y mandato es por ello, si cabe, mayor que la realizada con respecto al Consejo.

**Tabla nº 5: Composición y participación media en las reuniones de conciliación**

| Composición delegación PE | Titulares | Suplentes | Distribución | | | | | |
|---|---|---|---|---|---|---|---|---|
| Antes ampliación a 25 EEMM (1) | 15 | 15 | PPE - ED | PSE | ELDR | GUE/NGL | V/ALE | UEN TDI EDD |
| | | | 6 | 5 | 1 | 1 | 1 | 1 (por turnos) |
| Tras ampliación (2) | 25 | 25 | PPE - ED | PSE | ALDE | V/ALE | GUE/NGL IND/DEM UEN | |
| | | | 10 | 8 | 3 | 3 | 1 | |

(1) Antes de la ampliación a 25 EEMM, la delegación del PE en el Comité de Conciliación estaba compuesta por 15 miembros titulares y 15 suplentes, distribuidos, atendiendo a la composición del Pleno, de la siguiente manera: 6 PPE - DE, 5 PSE, 1 ELDR, 1 GUE/NGL, 1 V/ALE. Los grupos UEN, TDI y EDD tenían un miembro y un suplente por turno.
(2) Tras la ampliación, la delegación del PE en el Comité se compone actualmente de 25 miembros, que tras las elecciones al PE de junio de 2004 están distribuidos de la siguiente forma: 10 PPE/ED, 8 PSE, 3 ALDE, 3 V/ALE y 1 GUE/NGL, IND/DEM y UEN.

---

[261]  Ibid.

| Tipo de reunión | Comité de Conciliación | Delegación Consejo (2) |
|---|---|---|
| Bélgica | 1 | 1 |
| Rep. Checa | 1 | 1 |
| Dinamarca | 1 | 1 |
| Alemania | 1 | 1 |
| Estonia | 1 | 1 |
| Grecia | 1 | 1 |
| España | 1 | 1 |
| Francia | 1 | 1 |
| Irlanda | 1 | 1 |
| Italia | 1 | 1 |
| Chipre | 1 | 1 |
| Letonia | 1 | 1 |
| Lituania | 1 | 1 |
| Luxemburgo | 1 | 1 |
| Hungría | 1 | 1 |
| Malta | 1 | 1 |
| Países Bajos | 1 | 1 |
| Austria | 1 | 1 |
| Polonia | 1 | 1 |
| Portugal | 1 | 1 |
| Eslovenia | 1 | 1 |
| Eslovaquia | 1 | 1 |
| Finlandia | 1 | 1 |
| Suecia | 1 | 1 |
| Reino Unido | 1 | 1 |
| Irlanda | 1 | 1 |
| **Participación media** | **25** | **25** |

(2) Antes de la ampliación a 25 EEMM, la delegación del Consejo en el Comité de Conciliación estaba compuesta por 15 titulares, uno por Estado miembro; tras la ampliación, está compuesta por 25 titulares. En la práctica la delegación está compuesta por 1 Ministro (el Presidente de la delegación en su condición de Ministro del ramo del Estado miembro que ostenta la Presidencia) y 24 miembros del Coreper en su parte I o II, dependiendo del ámbito competencial del expediente tratado.

**Fuente:** Guía de la conciliación y la codecisión.

Como se aprecia en la tabla nº 5, la formación de la delegación se basa en la composición política del PE en el momento de conformarse la misma. La Conferencia de Presidentes, teniendo en cuenta los grupos políticos representados en el PE, "fijará el número exacto de miembros de cada grupo político que compondrán la delegación"[262].

Una vez que los grupos políticos conocen el número de miembros que les corresponden, elegirán a los miembros que consideren oportunos de su grupo para estar presentes en la conciliación pertinente. Si bien los grupos políticos tienen total discrecionalidad para elegir los miembros de la delegación, éstos, como norma general, se eligen de entre los miembros del grupo presentes en la comisión parlamentaria sobre el fondo competente del expediente objeto de la codecisión. Esto responde a la coherencia demandada con respecto al seguimiento y conocimiento del expediente en anteriores fases del procedimiento, así como a la preexistente confianza depositada en esos miembros.

En la práctica, como observamos en la Tabla nº 9 (*Vid.* anexos), los miembros de la comisión permanente sobre el fondo vienen siendo mayoría en todas las delegaciones parlamentarias en el Comité de Conciliación. Por ello, su apoyo en bloque a la aprobación del acto no necesita normalmente del apoyo de los eurodiputados de otras comisiones parlamentarias miembros de la delegación. Tal hecho por lo demás no resulta transcendente en la práctica, pues son aquí los dos partidos mayoritarios, como en la comisión y en Pleno, los artífices de la mayoría. La importancia de la obtención de la mayoría del Comité de Conciliación, puede observarse en el diferencial de asistencia de los eurodiputados a éste en relación con la reunión de la delegación parlamentaria, pese a que en el 95% de los casos una va precedida de la otra, no habiendo incompatibilidad de las agendas justificadora del dispar seguimiento a ambas[263].

La transcendencia pues de la distinción entre miembros de la comisión competente y resto de eurodiputados radica en el plus que los primeros aportan en el estudio del expediente. Como es sabido, la representación de los grupos políticos en las comisiones parlamentarias se supone basada en la capacidad especial del eurodiputado para seguir ciertas políticas sectoriales, además de la connatural confianza del grupo parlamentario en todos sus miembros. Dichas bases no encuentran motivos de alteración a la hora de elegir a los miembros de la delegación. De todo ello, resulta lógico que la elección de los representantes del grupo político en la delegación se realice *ad hoc* para cada

---

[262]   Artículo 82.2 del Reglamento del PE.
[263]   EP activity report 2002-2003.

conciliación, pues son muy diversas las comisiones parlamentarias envueltas en las conciliaciones.

La discreccionalidad de los grupos políticos en la elección de sus representantes sufre algunos recortes. Por un lado, el Reglamento sienta el principio de que "el Presidente y el ponente de la comisión competente serán miembros en cada caso concreto"[264]. Ahí, el precepto limita la discreción en la elección de uno o dos miembros por parte del grupo parlamentario al que pertenezcan el ponente y el Presidente. Si bien éstos normalmente pertenecen a un grupo parlamentario mayoritario, puede que, sobre todo en el caso del ponente, pertenezcan a un grupo minoritario al que la Conferencia de Presidentes no hubiese otorgado ningún miembro bajo la lógica de la representatividad cuantitativa de la delegación. En dicho caso, el Reglamento hace prevalecer una representación cualitativa con toda lógica.

Como hemos visto, ponente y Presidente de la comisión competente son los verdaderos seguidores del expediente y de los contactos con las otras instituciones; en buena medida, son los responsables de que el expediente haya llegado a codecisión. Son pues los mayores conocedores del expediente y de las posiciones del contrario, y en consecuencia los más capacitados para llevar la negociación en sede del Comité de Conciliación. En conclusión, su incorporación a la delegación es coherente y adecuada a los intereses del PE.

La segunda limitación a la discreción de los grupos políticos, afecta a los denominados "miembros permanentes" de la delegación. Los grupos políticos, independientemente de lo dicho hasta ahora, deben elegir de entre los Vicepresidentes del PE, tres eurodiputados que serán "miembros permanentes" de las delegaciones del Comité de Conciliación. Los Vicepresidentes encargados de la conciliación, una vez elegidos, "son miembros permanentes de las delegaciones sucesivas por un período de doce meses"[265]. Es decir, son miembros permanentes en todas las conciliaciones que tengan lugar en el período indicado, independientemente del ámbito sectorial.

El puesto de Vicepresidente de conciliación se ha convertido en un puesto prestigioso y de promoción dentro del PE. Buen ejemplo de ello es el caso de Nicole Fontaine, quien pasó de ser Vicepresidenta de conciliación en una legislatura, a Presidenta en la siguiente. Dicha importancia y el hecho de

---

[264]    Artículo 82.2 del Reglamento del PE.
[265]    Ibid.

limitar la discrecionalidad de los grupos políticos determinan que no pueda haber más de dos miembros permanentes de un grupo político, es decir, se garantiza que los dos grupos mayoritarios tengan al menos un representante[266]. Dicha distribución refuerza el papel político por ellos representado, el cual transciende de la Co-presidencia del Comité de Conciliación. De ahí que por norma general, junto al miembro permanente que co-preside el Comité de Conciliación asiste otro Vicepresidente; a veces incluso la delegación cuenta con la presencia de los tres miembros permanentes (*Vid.* tabla nº 9, anexos).

En efecto, el PE dota a su delegación en el Comité de Conciliación de tres miembros permanentes del máximo nivel por una doble razón: para incrementar el nivel político de la delegación parlamentaria, de un lado; y para dar coherencia a la posición del PE en el conjunto de las conciliaciones, de otro. Con respecto al papel político, no podemos olvidar que en teoría la delegación del Consejo podría estar compuesta por 25 Ministros. Dicha posibilidad es más de lo que puede darse en una comisión parlamentaria nacional, la cual nunca tendrá enfrente a un Consejo de Ministros (órgano colegiado nacional) prácticamente en Pleno en ninguna negociación.

De no preverse la inclusión de los Vicepresidentes y del Presidente de la comisión competente en la delegación parlamentaria, la descompensación podría ser demasiado acuciada, e independientemente de la presencia del Coreper en el Comité de Conciliación, la necesidad de la máxima representación política está siempre presente, y con ella, la necesidad de la presencia de dichos miembros en la delegación parlamentaria. Dicha necesidad está presente de forma destacada en la Co-presidencia del Comité de Conciliación. Como dijimos, siempre habrá un Ministro en la co-presidencia del Comité de Conciliación, y como veremos, los Co-presidentes son quienes protagonizan los transcendentes trílogos. Por la importancia de dichos roles, el Reglamento del PE prevé: "la delegación estará encabezada por el Presidente o por uno de los tres miembros permanentes"[267].

Hemos mencionado también la necesidad de dotar de coherencia y globalidad a la posición del PE en la conciliación. No nos referimos aquí a la coherencia durante una conciliación concreta, sino a la actitud tomada

---

[266] "Los tres miembros permanentes serán designados por los grupos políticos entre los Vicepresidentes y representarán al menos a dos grupos políticos diferentes". *Ibid.*
[267] Artículo 82.6 del Reglamento del PE.

por el PE en el conjunto de las conciliaciones. Si todos los miembros de la delegación parlamentaria variaran de conciliación a conciliación, estaríamos ante una situación de ausencia de perspectiva sobre aspectos transversales y estructurales de diversas conciliaciones. Ello llevaría a la delegación parlamentaria a aislar cada conciliación del resto, favoreciendo posiciones maximalistas fomentadoras del desacuerdo.

El aspecto presupuestario es el mejor ejemplo para explicar lo dicho, por aparecer en la gran mayoría de las conciliaciones. El Consejo, al fijar su posición, tiene en cuenta tanto el presupuesto como las perspectivas financieras. El margen de estas se acorta a medida que se suceden las distintas conciliaciones; de ello ha de ser consciente la delegación parlamentaria, pues erraría considerando los objetivos del programa como único referente para negociar un aumento de dotación presupuestaria. Esta errónea visión llevaría a la delegación a no calcular cuál es la máxima dotación presupuestaria realmente alcanzable por el Consejo, o en otras palabras, a tomar posiciones maximalistas fomentadoras del desacuerdo. Aquí aparece la necesaria visión de conjunto de los miembros permanentes, quienes, por el hecho de tener la perspectiva de conjunto de las conciliaciones, conocen mejor cuál es el posible punto de encuentro entre las delegaciones, matizando los objetivos del PE y minimizando el riesgo del desacuerdo. Ambos objetivos, no lo olvidemos, son también perseguidos por los miembros no permanentes de la delegación, si bien por falta de visión de conjunto al diseñar la táctica negociadora.

Además, y por último, los miembros permanentes canalizan las negociaciones de la forma que sólo permite la experiencia. Tal realidad provoca que dichos miembros sean normalmente renovados en sus puestos durante la legislatura, incluso de una legislatura a otra, como ocurrió con Renzo Imbeni, miembro permanente en tres legislaturas.

### 3.3.2. La determinación de la agenda

La delegación, una vez nombrada, goza de un amplísimo margen de maniobra, negocia y decide en sede del Comité de Conciliación. Ello se produce no solamente por el amplio margen de su mandato de negociación, sino porque el propio ritmo de trabajo del Comité de Conciliación, los plazos de la conciliación y las sesiones parlamentarias impedirían en muchas ocasiones una consulta de la delegación al Pleno.

El artículo 251.5, como vimos en relación con el Consejo, disciplina el obligatorio refrendo del PE sobre el acuerdo alcanzado por su delegación en el Comité de Conciliación. En relación con el PE, a diferencia del Consejo, no hay duda de que el refrendo se justifica en la clara existencia de un representante y un representado. Una primera reflexión al respecto parece apuntar a la supeditación necesaria de la delegación al mandato parlamentario, dado que el Pleno siempre tendría la última palabra, pudiendo eventualmente dejar sin valor el acuerdo alcanzado por la delegación.

Una segunda reflexión nos indica que el Pleno es tan dueño como rehén de su delegación, pues en la práctica, la única opción posible para el PE es aceptar o rechazar el texto común negociado por la delegación. No puede, pese a discrepar del acuerdo alcanzado por su delegación, alegar una mala representación; con lo cual, en la práctica podría verse obligado a optar, entre el *statu quo* legislativo (con el desprestigio institucional de no poder articular una delegación creíble) y el refrendo al mal acuerdo alcanzado por su delegación, el cual será por norma general preferible al *statu quo* legislativo.

La situación de independencia de la delegación llevó al PE, en su Resolución sobre el nuevo procedimiento de codecisión, a proponer "la introducción de una nueva obligación para la delegación del Parlamento en los Comités de Conciliación de informar al Pleno en el caso de fracaso de la conciliación"[268]. El actual Reglamento establece que "la delegación informará oportunamente al Parlamento de los resultados de la conciliación, incluidas cualesquiera enmiendas o compromisos propuestos, con objeto de que *el Parlamento pueda llevar a cabo cualquier otro trámite de procedimiento del Tratado CE*"[269].

Teniendo en cuenta esta última referencia al Tratado, está claro que no se trata de una remoción o sustitución de los miembros de la delegación o un cambio del mandato, parece referirse más bien a la posible ampliación del plazo a solicitud del PE según el párrafo 7 del artículo 251. Pero si hiciéramos abstracción de estas razones y partiéramos de la hipótesis de que ésta es una cláusula cercenadora del margen de maniobra de la delegación parlamentaria, el problema no estaría resuelto. Como hemos avanzado, muchos acuerdos se alcanzan en la última reunión posible del Comité de Conciliación antes de

---

[268]   "Resolución sobre el nuevo procedimiento de codecisión después de Ámsterdam", *cit.*, punto 8. ii).
[269]   Artículo 82.8 del Reglamento del PE. Énfasis añadido.

la finalización del plazo, no habiendo tiempo material para que la delegación pueda informar al Pleno.

La independencia de la delegación parlamentaria es un hecho. Partiendo de dicha independencia, algún autor ha aventurado una teoría sobre la capacidad del PE de incidir en la agenda de la conciliación. Varela afirma que el mero hecho de nombrar delegaciones independientes con su correspondiente derecho de veto es lo mismo que restringir, antes de empezar la conciliación, el espectro de posibles soluciones de la conciliación[270]. Por ello, conocer el grado de independencia y el talante con el que las delegaciones afrontan la codecisión, nos dirá qué institución determina la agenda. A partir de ahí, el autor afirma que la delegación del PE es más independiente que la del Consejo por el mero hecho del mecanismo de elección. Mientras el Consejo elige a sus representantes en base individual nacional, la elección de la delegación del PE es un dificultoso acuerdo político entre los grupos; consecuentemente, es mucho más difícil para el PE alterar su delegación durante la conciliación que para el Consejo, lo cual dota a la primera delegación de más credibilidad a la hora de hacer uso de la inamovilidad de su posición[271]. En conclusión, siendo más verosímil la amenaza de veto por parte de la delegación del PE, ésta conseguirá imponer con mayor frecuencia sus posiciones, y las impondrá en mayor medida cuanto más agresivo sea el talante de la delegación[272].

En nuestra opinión, la construcción teórica descrita tiene algunos puntos débiles. La práctica de la conciliación demuestra que la mayor presión impuesta por una institución viene, no por lo independiente que sea una delegación para poder imponer su agenda, sino por el interés real de una institución en aprobar el acto legislativo. Las delegaciones, así ha ocurrido hasta ahora, prefieren un mal acuerdo conforme a su agenda que el *statu quo* legislativo. Esto es especialmente cierto para el PE pues, mientras no se extienda la codecisión *erga omnes*, se ve en la obligación de demostrar que es

---

[270]　Varela, D.: *Agenda setting through the appointment of independent conciliation committee delegations: The EP rules under Ámsterdam's co-decision, cit.*, punto 3; ver también del mismo autor *The Co-decision Procedure for Adopting Legislation in the EC*, Unpublished MSc dissertation, European Institute, London School of Economics, 1988, pp. 25-26.

[271]　Varela, D.: *Agenda setting through the appointment of independent conciliation committee delegations: The EP rules under Amsterdam's co-decision, cit.*, punto 4.

[272]　"High demanders can secure a better deal for the Parliament (for its median voters) wen they reduce the room for compromise with the Council". *Ibid.*, punto 5.

un "buen colegislador", pudiendo así presentar dicha tarjeta en las venideras reformas del Tratado.

Por otro lado, la posición de presión entre las delegaciones se dará sobre la base de la incompatibilidad de las posiciones de las instituciones y su talante negociador. Aquí, la presencia de los Vicepresidentes juega contra la teoría de Varela. Se puede argumentar que la estabilidad de los miembros permanentes juega en contra, porque precisamente la toma de conciencia de la diversidad de expedientes resueltos o por resolver en la delegación del PE, permite a la delegación contraria introducir aspectos transversales con mayor sentido. Una delegación repleta de miembros de la comisión competente sobre el fondo tendería a ser lo que Varela denomina "extremist delegation".

Tampoco podemos olvidar la importancia del margen de renuncia a la agenda de las instituciones. El PE, por regla general, quiere alcanzar con el acto a aprobar, mayores cuotas "pro-integracionistas" de las deseadas por el Consejo, incluso mayores de las deseadas por la Comisión. Esto convierte la mayoría de las negociaciones del Comité de Conciliación en una cuestión sobre cuánto puede obtener el PE y cuánto dar el Consejo. Como norma general, en el contexto estudiado el sacrificio y el margen de "dejar de obtener" no es tan grande como el de "tener que dar".

La realidad arriba descrita, sitúa al PE en muchas ocasiones con un mayor margen para ceder. Por ejemplo, el PE puede aceptar un acuerdo dejando constancia en una Declaración de la insuficiencia de la dotación presupuestaria para cubrir los objetivos del acto aprobado. El Consejo se encuentra en muchas ocasiones ante limitaciones presupuestarias impuestas por el Ecofin, las cuales, pueden incluso haber sobrevenido tras la fijación inicial de los objetivos del acto por adoptar.

Las votaciones requeridas en ambas delegaciones también indican una mayor capacidad de llegar a acuerdo entre los representantes del PE que en la delegación del Consejo. A la delegación parlamentaria le basta la mayoría cualificada para ceder, mientras la delegación del Consejo requiere la mayoría cualificada, y a veces incluso la unanimidad. Tal hecho simplemente denota una mayor flexibilidad del lado parlamentario.

Resumiendo, la delegación del PE tiene tanta independencia como la delegación del Consejo, cuestión distinta es que la corresponsabilidad de la delegación del PE sea menor que la del Consejo. En la práctica esa realidad no ha tenido gran repercusión, pues sólo en una ocasión el Pleno no aprobó el texto acordado en el Comité de Conciliación y, como veremos, tal desenlace no se produjo simplemente por falta de corresponsabilidad. Ello demuestra un alto grado de representatividad de la delegación parlamentaria, lo cual demanda cautela a la hora de pronunciarse sobre las potencialidades de tener delegaciones independientes. La capacidad de presión de una delegación sobre otra, depende de una pluralidad *de facto*res tan variopintos que debemos atender a cada expediente para saber quién alcanzó o no su agenda.

## 3.4. La negociación en la conciliación

### 3.4.1. Introducción

La conciliación, como ya sabemos, transciende al Comité de Conciliación. Si bien dicho Comité es, desde el punto de vista del Derecho originario, la única fuente del texto conjunto, dicho texto puede ser fruto de acuerdos alcanzados o fraguados en otros momentos de la conciliación, incluso en momentos precedentes a la conciliación. La segunda lectura, como vimos, una vez se ha constatado la imposibilidad de llegar a acuerdo alguno, puede ser sede consciente de negociaciones realizadas con vistas a la conciliación. La razón de ubicar las negociaciones mencionadas en la segunda lectura responde a la necesidad de ahorrar el máximo tiempo posible al plazo disponible por el Comité de Conciliación. Las seis semanas (prorrogables una sola vez por un máximo de dos semanas) a disposición del Comité de Conciliación para alcanzar el texto conjunto, pueden no ser suficientes debido a una pluralidad *de facto*res. Por ello, las instituciones, estando casi siempre interesadas en evitar el *statu quo* legislativo, posponen la convocatoria del Comité de Conciliación evitando el comienzo de la contabilización de su plazo.

Debemos pues tener en cuenta que los frutos del Comité de Conciliación pueden estar sembrados en el período de tiempo que va desde la constatación del fracaso de la segunda lectura hasta la convocatoria del Comité de Conciliación. La convocatoria implica el comienzo del plazo dispuesto para la adopción del texto conjunto en sede del Comité de Conciliación, pero no supone necesariamente la reunión del mismo. Desde el momento en que dicho plazo comienza, estamos en lo que convenimos en llamar "conciliación" *lato sensu*.

En la conciliación, así entendida, se dan básicamente tres escenarios distintos a la consecución del texto conjunto: las reuniones preparatorias de las delegaciones del Comité de Conciliación; los trílogos, y el Comité de Conciliación propiamente dicho. Los dos primeros forman parte de la consuetudo del Comité de Conciliación. Le sirven pese a no estar recogidos en el Tratado, y normalmente tienen lugar precediendo una "sesión del Comité de Conciliación"[273].

La determinación de la fecha de la reunión y los órdenes del día del Comité de Conciliación se realiza de común acuerdo por los colegisladores[274], pero la institución anfitriona del Comité de Conciliación es la que invita a las otras dos instituciones intervinientes a su sede para la celebración del Comité[275]. En una carta dirigida al otro colegislador y a la Comisión, la institución anfitriona señala la fecha, sede y hora del comienzo del trílogo, indicándose que, tras el mismo, se realizará la reunión del Comité de Conciliación.

Las instituciones por su parte, de forma absolutamente discrecional y autónoma, realizan una reunión preparatoria antes de la celebración del trílogo. Dicha reunión se realiza en el mismo edificio de celebración del Comité de Conciliación, el cual por norma general y debido a razones de logística, suele ser la sede del PE en Bruselas, ello independientemente de que se prevea la alternancia de sedes dependiendo de quien sea la institución anfitriona.

Las reuniones preparatorias tienen una asistencia del 100% del lado del Consejo[276], al igual que las del Comité de Conciliación; mientras, del lado parlamentario, se observa una asistencia mayor a las reuniones del Comité de Conciliación que a las reuniones preparatorias. Ello se debe, por un lado, a que el peso de los expedientes en general, y de las reuniones preparatorias en particular, es llevado por los miembros de la delegación que lo son a su

---

[273]   Definimos "sesión del Comité de Conciliación" como el conjunto de todas las reuniones del Comité celebradas en la misma convocatoria y versando sobre el mismo tema. Decimos tema y no dossier porque dos dossieres pueden ser objeto de una conciliación conjunta. Es también necesario que especifiquemos "misma convocatoria" y no "mismo día" porque algunas reuniones finalizan en la madrugada siguiente al día de la convocatoria.

[274]   "Declaración Común sobre las modalidades practicadas del nuevo procedimiento de codecisión", *cit.*, punto III.2.

[275]   *Ibid.* Consejo y Parlamento son alternativamente los anfitriones del Comité de Conciliación. Sin embargo, la carencia de instalaciones adecuadas del Consejo provoca que sean las instalaciones del PE en Bruselas la sede habitual. Esta excepción a lo previsto en la declaración común tiene sólo efectos de sede.

[276]   EP activity report 2002-2003.

vez de la comisión competente sobre el fondo. Por otro lado, se debe a que el PE, frente al Consejo, tiene mucho más definida la posición común a defender en el Comité de Conciliación: por la posición institucional de conjunto adoptada dentro y fuera de la codecisión; por haber realizado más reuniones preparatorias que el Coreper antes del día del Comité de Conciliación; y por tener un grado mayor de descentralización y confianza en el ponente y en el Presidente de la comisión competente sobre el fondo.

### 3.4.2. Documentos base para la conciliación

Los documentos base de la conciliación están presentes desde el comienzo de las negociaciones destinadas a encontrar un acuerdo en codecisión. Como sabemos, tal hecho es realidad antes de la celebración del Comité de Conciliación, de ahí la necesidad de abordar su tratamiento con anterioridad al análisis del mismo.

Conforme al acuerdo interinstitucional sobre la codecisión, "el Comité dispondrá de la propuesta de la Comisión, de la posición común del Consejo y de las enmiendas aprobadas por el Parlamento Europeo". Este primer desarrollo del antiguo artículo 189 B no previó la importancia que tendría el período existente entre la constatación del desacuerdo en la segunda lectura y la primera reunión del Comité de Conciliación. En dicho período, las negociaciones técnicas no tienen sucesión de continuidad. Las reuniones técnicas se celebran generalmente entre el Presidente del Grupo de Trabajo (asistido por la Secretaría del Consejo DG-Dorsal) y el ponente, en presencia de los funcionarios de la Comisión[277].

En dichos contactos normalmente sólo se logran avances de alcance menor, siendo lo importante la definición de las posiciones. La definición de las posiciones se plasma en un documento de trabajo, el cual refleja cuándo la conciliación está lo suficientemente madura para que las delegaciones negociadoras eleven su nivel. En caso de darse tal salto cualitativo, las negociaciones pasan a ser seguidas por el Presidente del Coreper del lado del Consejo; por el ponente parlamentario y eventualmente el Presidente de la comisión parlamentaria sobre el fondo por parte del PE; y por el Director General del ramo por parte de la Comisión[278].

---

[277]   Seguimos aquí la "Guía de la codecisión", *cit.*, p. 15.

[278]   *Ibid.*, p. 15, cita 6.

Desde las primeras negociaciones, dicho documento se mostró elemento básico de trabajo, de suerte que la nueva Declaración común lo incluyó entre los documentos a disposición del Comité de Conciliación denominándolo "documento común de trabajo"[279]. El documento común de trabajo incluye cuatro columnas: en la primera se contiene el texto de la posición común; en la segunda las enmiendas introducidas por el PE en segunda lectura; en la tercera, la propuesta de compromiso de la Presidencia del Consejo; y en último lugar, la posición del equipo negociador del Parlamento.

El documento común de trabajo incluye todos los documentos de trabajo ya indicados en el acuerdo institucional y en la Declaración común; pero no incluye la propuesta de la Comisión. Tal exclusión es fiel reflejo de la nueva realidad de la conciliación. La posición de la Comisión ha pasado a ser adjetiva; pese a ello, la Declaración común establece que "la Comisión presentará su dictamen, por regla general, dentro de las dos semanas siguientes a la recepción oficial del resultado de la votación del Parlamento Europeo y, como muy tarde, antes del comienzo de los trabajos de conciliación"[280]. Tal redacción tiene en cuenta que los "trabajos de conciliación" empiezan antes de la celebración del Comité de Conciliación con lo que demandan a la Comisión emitir su dictamen lo antes posible si quiere ser tenida en cuenta.

En cualquier caso, el colegislador puede o no seguir las propuestas de la Comisión. El seguimiento de las mismas dependerá de su formulación y contenido, y no de la autoridad de la institución. Concretando, si las propuestas de la Comisión aportan una nueva salida a un punto muerto, formulando adecuadamente un punto medio entre las posiciones de los colegisladores, podrán ser recogidas por ésta. En ningún momento debe entenderse que existe obligatoriedad por parte del colegislador, ni siquiera en relación con la recepción del dictamen.

El colegislador, pues, se centra básicamente en el documento común de trabajo, fusión de los otros documentos, tanto durante las negociaciones preliminares como durante el propio Comité de Conciliación. En ambos estadios el documento es a la sazón tanto fuente como reflejo de la negociación.

---

[279]  "Declaración común", *cit.*, punto III.4.
[280]  *Ibid.*

### 3.4.3. Las reuniones preparatorias del Comité de Conciliación

### 3.4.3.1. La reunión preparatoria de la delegación del Consejo

La Presidencia del Consejo sigue hasta el momento las negociaciones e informa al resto de las delegaciones de los avances. Dichas informaciones se realizan insertas en las reuniones habituales del Coreper y pueden tener por objeto la mera información o la solicitud de la Presidencia de un nuevo mandato por mor de alcanzar un acuerdo. Pese a que dichas informaciones mantienen al Coreper al día sobre el estado de las negociaciones, la reunión preparatoria es un paso necesario tanto por la información aportada, como por las conclusiones allí adoptadas.

La reunión preparatoria se inicia con la intervención de la Presidencia. En su intervención, expone al resto de las delegaciones y a la Comisión cuáles han sido los avances realizados en los diálogos informales a tres bandas, hasta la fecha. Dichos avances han podido darse dentro del mandato que el Coreper dio a la Presidencia o superando el mismo. De hecho, "la primera oferta de negociación del Consejo se hace frecuentemente en forma de transacción de la Presidencia, [es decir] el Presidente del Coreper adopta iniciativas de negociación bajo su responsabilidad personal en la que sólo se compromete la Presidencia"[281]. En caso de que la Presidencia, durante dichos diálogos, haya aventurado las denominadas "transacciones de la Presidencia", y las mismas no hayan sido refrendadas en alguna reunión anterior del Coreper, éste sería el momento de hacerlo. Por ello, la Presidencia expone allí el alcance de los mismos.

Tras la intervención de la Presidencia, ésta otorga la palabra a la Comisión así como a los miembros de la delegación. Los miembros de las delegaciones actúan en la forma y en el fondo como representantes de los EEMM. Tras las intervenciones de los EEMM, la Presidencia, partiendo del consenso y casi nunca haciendo uso de votación, retoma la palabra defendiendo la posición mayoritaria del Consejo y a raíz de ella, delineando y exponiendo una propuesta de posición negociadora. Los EEMM que lo consideren oportuno vuelven a intervenir, y tras ellos, el Ministro que ocupa la Presidencia concluye la posición negociadora del Consejo de cara al trílogo y al Comité de Conciliación, explicitando tanto la forma de llevarlos a cabo, como los umbrales máximos de concesión en cada uno de los puntos de conflicto.

---

[281]   "Guía de la codecisión", cit., p. 16.

### 3.4.3.2. La reunión preparatoria de la delegación del Parlamento

Por el lado del PE, el seguimiento y la negociación se realizan mientras duran los contactos informales por los mismos protagonistas de todo el proceso: el ponente primigeniamente y el Presidente de la comisión parlamentaria de forma complementaria. A ellos se incorpora de forma relevante el Vicepresidente que encabeza la delegación[282]. Este último, encabezará también la representación de la delegación en los trílogos formales y co-presidirá el Comité de Conciliación; consecuentemente empieza a jugar su papel en la reunión preparatoria.

La reunión preparatoria cobra generalmente mayor importancia del lado del PE. Mientras el Coreper es una institución permanente con "sombrero de delegación" durante la codecisión, la delegación parlamentaria es una institución *ad hoc* tanto jurídicamente como a efectos prácticos. Esto puede acarrear externalidades negativas si los grupos políticos eligen a representantes no familiarizados con el expediente, o que no han vivido ninguna conciliación. Independientemente de tal posibilidad, la delegación parlamentaria siempre habrá de reunirse específicamente para ser informada por sus representantes en las negociaciones informales. También el ponente, como norma general, tiene mayor margen que la Presidencia del Consejo para proponer y responder a las propuestas transaccionales del Consejo. Así, la reunión preparatoria suele aportar más novedades a los miembros de la delegación del PE que a los delegados del Consejo.

La reunión preparatoria del PE se produce de forma parecida a la del Consejo, destacando las diferencias relacionadas con el papel del ponente y del Vicepresidente. El primero se encarga de realizar la tarea de información sobre el estado de cosas de la negociación, y de presentar para aprobación *ab referendum* los acuerdos transaccionales pertinentes. Complementariamente, el miembro permanente encargado de encabezar la delegación realizaría la exposición relativa a la táctica negociadora de cara al trílogo y al Comité de Conciliación.

### 3.5. El trílogo formal

### 3.5.1. Composición y desarrollo

Una vez que los Co-presidentes del Comité de Conciliación tienen un mandato de sus respectivas delegaciones, se inicia el trílogo. Al trílogo acuden:

---

[282]   Artículo 82.6 del Reglamento del PE.

214 JOSÉ MANUEL MARTÍNEZ SIERRA

el Ministro de la Presidencia del Consejo, asistido generalmente del Presidente del Coreper y el Director General de la Dorsal; el Vicepresidente del PE asistido por el ponente y/o por el Presidente de la comisión competente, y por el responsable de la codecisión; y el Comisario asistido por el Director General del ramo del expediente y por el responsable de la codecisión en la institución. Lo normal es que sólo intervengan los máximos representantes. Éstos cuentan con dos tipos de documentos para articular su intervención: la última versión del documento común de trabajo, tal y como quedó tras la conciliación; y las *"speaking notes"* que cada secretaría elabora a su Co-presidente[283].

Se busca el 1+1 por delegación en aras de generar la máxima distensión posible, intentando hacer válida la máxima de las negociaciones, según la cual, el tamaño de la sala es inversamente proporcional a la flexibilidad negociadora. El trílogo no tiene la virtud de generar soluciones novedosas que supongan la cuadratura del círculo; tampoco se encuentran los Co-presidentes en situación de superar su mandato negociador. Sin embargo, el trílogo es el momento ideal para que los Co-presidentes hagan uso máximo de su mandato.

El mandato generalmente es una horquilla con un mínimo deseable y un máximo soportable por cada delegación, ya sea en cifras o en un intercambio de enmiendas. El mandato de las delegaciones fuerza a los Co-presidentes a pelear por el mínimo, pero mientras en el Comité de Conciliación las delegaciones marcan la actuación de su representante y conocen la posición mantenida por el contrario, en el trílogo los Co-presidentes tienen mucha menor presión. En la práctica, no faltan los casos en los que un Co-presidente realiza la máxima oferta directamente, haciendo una interpretación muy peculiar del mandato. Dicha actitud obviamente depende, entre otros, de la posición del contrario, del margen de maniobra existente, y del interés de la Presidencia. En la conciliación, como en otras muchas facetas de la vida del Consejo, la Presidencia conlleva sus ventajas.

El trílogo genera ese margen a la hora de ceder, pero también a la hora de hacer uso de la inflexibilidad. La afirmación demanda un ejemplo práctico. Durante el Comité de Conciliación, el Presidente de la delegación del Consejo

---

[283] Para que estos documentos estén redactados debemos obviamente encontrarnos en un trílogo celebrado en una fecha distinta al Comité de Conciliación, es decir, siempre estaremos en presencia de al menos un Comité de Conciliación precedente. Si estuviésemos en un trílogo celebrado sin sucesión de continuidad tras el Comité, se trabajaría en su caso con bocetos de acuerdo realizados sobre la marcha.

asume la posición común de la delegación; como tal, sólo puede argumentar con razones y no con referencias a las posiciones nacionales. Dicha regla de oro puede ser contraproducente a la hora de alcanzar un acuerdo pero, a discreción del Presidente de la delegación del Consejo, dicha regla puede fenecer en el trílogo por la sencilla razón de que sobre lo allí ocurrido no quedará constancia.

Se ha dado el caso de que alguna delegación, haciendo uso de la unanimidad para vetar un aumento en la dotación presupuestaria en un determinado ámbito, ha impedido la realización de la agenda del resto de EEMM y del PE. Tal hecho ha provocado, pese a la opinión mayoritaria del resto de delegaciones (expresada en la reunión preparatoria del Comité de Conciliación por parte de la delegación del Consejo), que el Presidente se viese obligado a defender como mandato una postura inmovilista del Consejo, sin explicar el verdadero motivo de tal inmovilismo.

Tras el fracaso de la reunión se ha pasado al trílogo, allí el Presidente de la delegación del Consejo ha explicado que su institución es rehén de una delegación y que esta delegación prefiere el fracaso del expediente a ceder. Ante dicha confesión, la delegación del PE optó por aceptar la posición del Consejo.

Dichas extralimitaciones del mandato se hacen obviamente solicitando la máxima discreción, pese a ello, el representante de la delegación que cede, debe justificar su posición ante su delegación, lo cual puede desembocar en una referencia indirecta al hecho cardinal en el Comité de Conciliación definitivo. En el caso explicado por ejemplo, se hizo una referencia al uso egoísta de la unanimidad sin hacer referencia a la delegación.

## 3.5.2. Las conclusiones del trílogo

Un trílogo tiene tres posibles finales. El más deseado sin duda es el acuerdo total de los Co-presidentes, el cual transformaría el acuerdo en un punto A del Comité de Conciliación. Puede también producirse un desacuerdo global, es decir, que no se logre ningún avance, lo cual podría dar paso a consultas de los Co-presidentes con sus respectivas delegaciones para volver a un nuevo trílogo, o convocar de nuevo al Comité de Conciliación. Podemos, en tercer lugar, encontrarnos ante un acuerdo parcial, el cual se plasmaría en el documento común de trabajo, en él se sustituirían los dos últimos cuadros del documento de trabajo incorporando las posiciones de las dos instituciones después del trílogo. Con dicho documento se podrá proceder a otro trílogo tras las consultas respectivas, o directamente al Comité de Conciliación.

Al Comité de Conciliación se remitirá el documento común de trabajo en la forma de puntos A (lo acordado) y B (lo pendiente de aprobación)[284], siendo la parte de desacuerdo el objeto de discusión tal y como veremos una vez inmersos en el estudio del Comité de Conciliación. Lo dicho no impide en algunas ocasiones la imposibilidad de distinguir los puntos A y B de forma tan nítida, por ejemplo en aquellos casos en que los miembros de la delegación realizan un mandato a su Co-presidente en el cual se hacen concesiones a condición de la aprobación global del paquete. Es decir, o se acuerda todo o se renegocia todo, no ha lugar la distinción de acuerdos y desacuerdos en el Comité de Conciliación ulterior al trílogo.

Si se alcanza un acuerdo en el trílogo se hace bajo la responsabilidad de los máximos representantes de ambas delegaciones, así, independientemente del margen de los mandatos de los Co-presidentes, el acuerdo es "político"[285]. El Comité de Conciliación es, de acuerdo con el Tratado, el único órgano que puede aprobar el texto conjunto; consecuentemente, aunque sólo requiera el breve tratamiento de un punto A, el acuerdo "político" debe ser refrendado por el Comité de Conciliación.

Lo normal es que el Comité de Conciliación se vuelva a reunir para realizar el acto de aprobación. Dicho acto se produce inmediatamente si el trílogo se ha celebrado en la misma sesión del Comité de Conciliación, ya sea antes o después de su primera reunión, lo importante es la presencia de las delegaciones en la misma sede y fecha. Si no es así, es decir, si el trílogo se ha celebrado cualquier otro día en la misma o distinta sede, lo normal es que se evite otra reunión de "ese Comité de Conciliación". La aprobación se producirá por "otro Comité de Conciliación"[286], ello independientemente de

---

[284]   El documento se presenta con la referencia a la propuesta inicial lo que requiere ambos documentos, propuesta y documento de trabajo común para conocer la situación presente del estado de cosas. Por ejemplo "Part B: Amendment on which agreement still has to be found - Progamme SAVE II (97/0371/COD)".

[285]   De hecho en la jerga comunitaria los trílogos al máximo nivel (Ministro-Vicepresidente-Comisario) se denominan "trílogos políticos".

[286]   Por ejemplo el acuerdo alcanzado en el trílogo político de los programas "SAVE (1998-2000) y ALTENER (1998-2000)" celebrado el 1.12.1999, se aprobó como punto A del Comité de Conciliación de CULTURA 2000 celebrado el 9.12.1999.

que las delegaciones del Comité tengan la misma composición o mandato, lo cual obviamente no es el caso[287]. Aquí se hace necesaria una simple reflexión sobre la naturaleza jurídica del Comité de Conciliación.

Del Tratado y del Reglamento del PE se deduce que el Comité de Conciliación surge por una fallida segunda lectura y finaliza con la adopción de un "texto conjunto" o con una finalización del plazo para la adopción. Es decir, el expediente, el texto conjunto y el Comité de Conciliación son un paquete, respondiendo el órgano Comité de Conciliación y sus delegaciones a un objetivo, teniendo un mandato y un plazo de actuación.

El hecho de que, como a veces ocurre, un Comité de Conciliación adopte formalmente el texto conjunto "de otro Comité" tiene poco sostén jurídico. De hecho, en estas "aprobaciones por delegación", los Co-presidentes hacen referencia a la comunicación que los Co-presidentes del otro Comité de Conciliación le hacen, no ciertamente sobre la reunión del Comité de Conciliación no celebrada, sino sobre el trílogo. El hecho de que dicha ficción salga adelante, encuentra cobertura legal en la siempre necesaria ratificación del Consejo y del PE, y por supuesto en la ficción de que la naturaleza jurídica del Comité de Conciliación no depende ni de sus delegaciones, ni de sus mandatos. La cuestión de los plazos es sin duda peculiar, pues si se pudiese hacer abstracción de todos los vínculos del Comité de Conciliación primigenio, también se podrían hacer del plazo. Llegados aquí, la respuesta más coherente sería pensar que no se puede hacer abstracción de ninguno de los elementos.

## 3.6. El Comité de Conciliación

El Comité de Conciliación propiamente dicho se produce siempre tras un trílogo, independientemente de que las reuniones preliminares de las delegaciones hayan tenido lugar con inmediata anterioridad y en la misma sede, o ya se hubiesen celebrado en distinto día y sede. Ello, como hemos visto, facilita la labor del Comité de Conciliación, pero no solamente con la consecución de acuerdos. Una dimensión importante no estudiada hasta ahora es la canalización del desacuerdo.

---

[287]  Fijándonos en los dossieres indicados en la cita anterior podemos fácilmente deducir que del lado del Parlamento estamos ante distinta delegación.

Los Co-presidentes tienen como casi toda Presidencia una dimensión neutra tendente a la consecución del objetivo de la institución u órgano al que sirven. Los Co-presidentes conjuntamente velan por conseguir el texto conjunto, dicho esfuerzo debe compatibilizarse con su papel principal, a saber, la representación de los intereses de su institución. La forma de compatibilizar ambos, se plasma en una presentación del conflicto de la forma más neutra posible, resaltando los acuerdos viables y ordenando el estudio de las enmiendas de una forma adecuada, por ejemplo postergando los temas más conflictivos. El indicado talante también se refleja en las matizaciones que ambos Co-presidentes pueden realizar sobre los intervinientes.

Entrando en el desarrollo propio del Comité de Conciliación, el primero en intervenir es el Co-presidente de la institución anfitriona del Comité quien, tras la fórmula de cortesía pertinente, realiza un resumen de la situación, lo alcanzado hasta la fecha y la posición de su institución. Tras dicha intervención se inicia una ronda de intervenciones que normalmente incluye al otro Co-presidente, al ponente y al Comisario. Tras éstas se abre un turno de intervenciones mayor en el que pueden intervenir el resto de delegados.

Con respecto a la intervención de la Comisión, conviene señalar que normalmente, y no por casualidad, recibe el turno de palabra una vez el colegislador se ha posicionado a través de las intervenciones de los Co-presidentes. Tal circunstancia, así como su asistencia a los dos estadios precedentes de la conciliación, le sitúan ineludiblemente en el conocimiento amplio de la posición de las delegaciones, extremando el papel mediador que le concede la Declaración común y recortando al máximo el margen de reavivar su posición. Ello porque como vimos, las propuestas transaccionales que pudiesen presentar deben "favorecer el acercamiento de las posiciones del Parlamento y del Consejo [...] teniendo en cuenta las posiciones del Consejo y del Parlamento Europeo"[288].

De forma general conviene señalar la descompensación cuantitativa de intervenciones en ambas delegaciones. Así, por la delegación del PE siempre intervienen el Co-presidente y el ponente, además con bastante frecuencia interviene el Presidente de la comisión permanente y algún otro miembro, tanto miembros permanentes como ordinarios. Por el contrario, del lado del Consejo la monopolización del debate es en más ocasiones absoluta por parte del Co-presidente.

---

[288] "Declaración común", *cit.*, punto III.2.

Las intervenciones del PE, frente a lo que se pudiera pensar, no responden a distintas posiciones de los parlamentarios dependiendo de su procedencia partidista; por norma general son intervenciones complementarias con distinto tono y aportando muchas veces distintos argumentos. De entre dichas intervenciones suele destacar la intervención del ponente, sin duda el delegado de todo el Comité de Conciliación con mayor conocimiento del tema, que eleva el tono por parte del PE y abre los distintos aspectos por donde el resto de miembros de su delegación pueden entrar e incidir.

Frente al abanico de intervenciones del PE, con gran frecuencia, vemos como solamente el Co-presidente del Consejo contrapone argumentos. La razón básica por la que dicho monopolio se da es la necesidad de contraponer a la delegación del PE una posición de bloque por parte del Consejo. Dicho objetivo, en muchos casos, no se facilitaría con la participación masiva de delegaciones. Si uno asiste a las reuniones preparatorias de la delegación del Consejo puede constatar la disparidad, generalmente bipolarizada, entre las delegaciones. Dicha disparidad precisamente es en muchas ocasiones el motivo por el cual el expediente ha debido llegar a segunda lectura.

La bipolaridad existente da sentido a la reunión preparatoria, pues ahí se define la posición que se opondrá al PE, una posición común que en muchas ocasiones es una media con una altísima desviación típica. Las intervenciones de los delegados del Consejo, frente a las de los delegados del PE, representan la opinión de un Estado, en muchas ocasiones disonante a la de otros miembros de su delegación. Por ello, una intervención generalizada de los delegados traería, por un lado, intervenciones más alejadas del acuerdo con el PE, lo que violentaría en exceso a la delegación parlamentaria; y por otro, posiciones condescendientes con la postura parlamentaria, lo cual sería contraproducente, pues daría argumentos al PE desde el lado del Consejo para mantener una postura inflexible.

Durante el Comité de Conciliación, una clave para adoptar la pauta adecuada de negociación y optimizar la agenda, radica en el conocimiento sobre la posición real mantenida por la delegación contraria. A mayor división en la delegación contraria, mayor posibilidad de optimizar la agenda propia. La importancia de la posición del contrario está siempre presente: no faltan delegaciones que aseguran tener contactos con eurodiputados de su país y conocer que hay margen de presión; e incluso en el mismo Comité de Conciliación, intervenciones del lado del PE se dirigen a dinamitar la eventual minoría de bloqueo inmovilista contraria a la posición del PE. Los eurodiputados, no conviene olvidarlo, pueden conocer vía partidos nacionales la posición de su Gobierno.

Nos encontramos, pues, ante la situación única en la toma de decisiones comunitaria, de acuerdo con la cual, el PE y una minoría de EEMM podrían tener una agenda distinta a la de una mayoría cualificada del Consejo; también podría darse el caso de que la mayoría simple de la delegación del PE mantenga una posición contraria a la minoría de su delegación y a la mayoría cualificada del Consejo. Este marco teórico se da con relativa frecuencia en relación con las dotaciones presupuestarias, donde la minoría de EEMM beneficiarios netos del presupuesto comunitario, comparten los aumentos de dotación solicitados desde las filas parlamentarias. Esta situación, potencialmente conflictiva, procura no trasladarse al Comité de Conciliación. Normalmente se solventa en las reuniones de la delegación, donde dichos EEMM, sin romper la unidad del Consejo ni la adopción de posición por consenso, se apoyan indirectamente en los argumentos del PE como justificadores, reforzando así argumentos que en otro contexto legislativo sólo tendrían la fuerza de los EEMM que la apoyaran.

La unidad dentro de las delegaciones es indudablemente la cara a mostrar por ambas delegaciones en el Comité de Conciliación, y es generalmente la cara mostrada. La centralización de las intervenciones del lado del Consejo en la Presidencia es simple consecuencia de la idiosincrasia de una institución hoy por hoy suma de intereses y no fuente de interés común. La idiosincrasia del Parlamento es ciertamente la de una institución con voluntad propia, menos dividida que un Parlamento nacional por los Grupos Parlamentarios. Pese a todo lo dicho, se han dado y se darán expedientes que dividan a ambas instituciones sobre la base de intereses nacionales. En dichas ocasiones, el Comité de Conciliación ha visto cómo la mayoría y la minoría dentro de cada delegación se expresa con voz propia.

### 3.6.1. *Ámbito y límites de la negociación*

Una vez fracasada la segunda lectura, el acuerdo del Comité de Conciliación sobre un texto conjunto es la única vía. En lógica cabe pensar que cualquier acuerdo bueno para las partes debe ser recogido en la forma que el acto final demande, siempre que se cumplan los requisitos formales dentro del Comité de Conciliación y sobre todo siempre que el texto conjunto sea refrendado por ambas instituciones.

De acuerdo con la redacción del antiguo artículo 189 B, parecía claro que el Comité no estaba limitado por los trabajos anteriores en su búsqueda de un texto conjunto. Es decir, tenía la capacidad de introducir todas las modificaciones que desease en la posición común sin que la Comisión pudiese oponerse[289]. Sin embargo, Ámsterdam pareció *a priori* limitar el amplísimo margen existente al disciplinar que el Comité de Conciliación, en su intento por alcanzar un acuerdo sobre un texto conjunto, "examinará la posición común sobre la base de las enmiendas propuestas por el Parlamento Europeo"[290].

Por un lado "parece que esta nueva disposición trata de dar respuesta a la cuestión planteada de saber si el Comité de Conciliación debía examinar, además de la posición común del Consejo y de las enmiendas adoptadas por el Parlamento, otros elementos, como por ejemplo las enmiendas del Parlamento no aprobadas por la mayoría requerida, fórmulas de compromiso, etc."[291]. Pero por otro lado, el precepto demanda preguntarse sobre los límites del Comité de Conciliación. Lo importante no es tanto saber cuáles son los documentos base manejados en aras a obtener el acuerdo, como saber si las negociaciones pretéritas que en otras fases del procedimiento desembocaron en dichos documentos, tienen vigencia. La respuesta aquí debe ser lógica y práctica.

Parece lógico que aquellas fases pretéritas, como norma, tienen validez porque tienden hacia el acuerdo por la orientación que conlleva. En la práctica, si el colegislador puede desligarse de la propuesta de la Comisión, cabe preguntarse si el artículo 251 prima la voluntad del colegislador para encontrar el texto conjunto, o si dicho texto respeta estadios pretéritos del procedimiento. A nuestro entender, la primera respuesta es la adecuada, y de no serlo, no parecen claras las vías por las que un texto conjunto aprobado por los legisladores pudiese ser recurrido.

### 3.6.2. *El texto conjunto surgido del Comité de Conciliación*

La aprobación del texto conjunto comienza por su aprobación en el seno del Comité de Conciliación. Para su aprobación en dicha sede se requiere que la mayoría cualificada (o unanimidad) de los miembros de la delegación

---

[289] Así se expresaba el Servicio Jurídico del Consejo en relación con dicho artículo, *Vid.* NON-PAPER, SN 1404/94, punto 7.
[290] Párrafo 4 del artículo 251 del TCE.
[291] Gil-Robles, L.: "El nuevo procedimiento de codecisión tras Ámsterdam", *cit.*, p. 22.

del Consejo (*Vid.* tabla n° 1) y una mayoría simple de los miembros de la delegación del PE así lo decidan[292].

### 3.6.2.1. *La no aprobación del texto conjunto en sede del Comité de Conciliación*

Si dentro del plazo establecido para dicha aprobación "el Comité de Conciliación no aprobara un texto conjunto, el acto propuesto se considerará no adoptado"[293]. Estaremos pues por segunda vez en la vida de la codecisión ante un punto de no retorno; ninguna institución podrá hacer nada por revitalizar el proyecto legislativo, dependiendo toda medida futura sobre el mismo tema de la hipotética emisión de una iniciativa legislativa fresca por parte de la Comisión, la cual deberá ser seguida nuevamente de todo el proceso. La simplicidad de este precepto debe ser resaltada por ser sin duda la novedad de mayor calado de las introducidas en Ámsterdam. Como vimos, el diseño de Mastrique otorgaba la posibilidad al Consejo de volver a dar vigencia a su posición común, subvirtiéndose la carga de la denegación explícita en el PE.

La carga negativa de aquel precepto era patente. Por un lado, introducía en sede parlamentaria la necesidad de replantearse la opción entre el *statu quo* legislativo y el "mal acuerdo". Por otro lado, de forma bastante sutil, alteraba la igualdad en el Comité de Conciliación, ya que el Consejo, conociendo la importancia de la aprobación de un acto para el PE, podía forzar su posición sabiendo de la existencia de una vía de escape. El PE por su parte, en circunstancias de prioridad en la agenda por la adopción del acto, podía replantearse a la baja la negociación, buscando un "mal acuerdo," pero evitando verse sometido a sopesar la posición común de nuevo, posición que eventualmente, pese a simbolizar la agenda del Consejo, podría ser más deseable que el *statu quo* para el PE.

Es difícil saber qué hubiese supuesto el mantenimiento de la primera formulación del procedimiento. Dado el buen funcionamiento del procedimiento y el sentido de la responsabilidad de los colegisladores, no hubo prácticamente Comités de Conciliación fallidos antes de Ámsterdam; y solamente en uno de ellos el Consejo reafirmó su posición común. Allí el PE, como veremos ulteriormente, rechazó la posición común, pero lo hizo desde el plano de la

---

[292]   Artículo 251.5 TCE.
[293]   Artículo 251.6 TCE.

lucha institucional: rechazando la existencia de esa posibilidad y enviando una señal a la CIG por venir sobre la voluntad firme del PE de convertir dicho mecanismo en una vía muerta. Es decir, el PE ni siquiera se planteó la elección entre el *statu quo* legislativo y la posición común como mal menor.

De haberse mantenido tal precepto tras Ámsterdam, todo hubiese dependido de la actitud de las instituciones, pero no cabe duda de que un uso constante, si bien esporádico por parte del Consejo, de presión negociadora seguida de la revitalización de su posición común, hubiese introducido la dinámica explicada en el PE. Ello porque no hubiese podido mantener la estrategia del veto permanente a largo plazo, ya que tal actitud hubiese repercutido en sus aspiraciones futuras sobre el aumento del ámbito decisorio disciplinado por la codecisión.

### 3.6.2.2. La aprobación del texto conjunto y la tercera lectura

Cuando ambas delegaciones apoyan con mayoría suficiente un texto común se inicia el siguiente paso en el procedimiento de aprobación. La Secretaría de la institución anfitriona de la primera reunión del Comité de Conciliación prepara, en principio en la lengua utilizada a lo largo de las negociaciones, el proyecto legislativo definitivo[294].

Debemos aquí recordar que en la última reunión del Comité de Conciliación han podido circular varios bocetos de acuerdo sobre cada uno de los puntos conflictivos, e igualmente se han podido acordar oralmente declaraciones a ser introducidas por la Comisión. Todo ello debe ser articulado en un texto jurídico definitivo. Éste pasará por las manos de los juristas-lingüistas del PE y Consejo, quienes realizarán "la puesta a punto de los textos [...] en estrecha colaboración"[295]; tras dicha puesta a punto, el texto "será sometido a la aprobación de los Co-presidentes"[296]. El proyecto común se envía a los Presidentes del PE y del Consejo mediante carta firmada por los Co-presidentes del Comité de Conciliación; dicha carta hace las veces de acta del Comité de Conciliación[297].

---

[294]   Seguimos aquí la "Guía de la Codecisión", *cit.*, p. 17.
[295]   "Declaración Común", *cit.* punto IV.2.
[296]   *Ibid.*, punto III.8.
[297]   *Ibid.*, punto III, 10.

Una vez aquí, nos encontramos en la actual tercera lectura; como pasamos a ver, bastante más sencilla e integracionista que la existente con Mastrique. El PE y el Consejo dispondrán de seis semanas desde la aprobación del texto en el Comité de Conciliación para adoptar el acto en cuestión[298]. El plazo podrá prorrogarse dos semanas, si fuese estrictamente necesario, a petición de cualquiera de las dos instituciones. La institución promotora de la prórroga deberá informar al Presidente de la otra institución[299].

Por el lado del Consejo, el texto común del Comité de Conciliación aparece como punto A del orden del día del Consejo correspondiente. Como indicamos, la indisoluble vinculación entre la delegación de la institución y el Consejo de Ministros propiamente dicho, ha provocado que hasta la fecha todos los textos comunes aprobados por el Comité de Conciliación hayan sido aprobados en plazo por el Consejo.

En sede parlamentaria, el texto conjunto se incluirá en el orden del día del Pleno del Parlamento que se celebre dentro de un plazo de seis semanas (o de ocho si hubiese habido prórroga) a partir de la fecha de la aprobación del mismo[300]. Una vez en el Pleno, el ponente, como norma general, realiza lo que el Reglamento del PE denomina "acuerdo sobre el texto conjunto"[301]. En dicha declaración, el ponente recuerda al Pleno el objeto del acto a adoptar, además de hacer especial mención a lo acontecido desde la segunda lectura en Pleno y, por último, explicita las razones por las que la delegación solicita el apoyo del Pleno al texto común.

Tras la exposición del ponente se procede al debate en Pleno. Dicho debate tiene desde su concepción reglamentaria una vocación limitada: habrá de ser un "debate breve"[302] y en él no "podrán presentarse enmiendas al texto conjunto"[303]. Dicho debate, pues, versa sobre si se debe o no aprobar el texto común, lo cual implícitamente implica debatir sobre si se apoya o no la labor realizada por el Comité de Conciliación. Las intervenciones, por norma general, se realizan por los miembros de los partidos representados en la delegación y apoyando la defensa del proyecto, ello a salvedad de la intervención de

---

[298] Ver los apartados 5 y 7 del artículo 251 TCE.
[299] "Declaración Común", cit., punto IV.1.
[300] Artículo 65.1 del Reglamento del PE.
[301] Artículo 65.1 del Reglamento del PE.
[302] Ibid.
[303] Artículo 65.3 del Reglamento del PE.

aquellos partidos que se opusieron en la delegación a la adopción del acto, o de aquellos que eventualmente no tuvieron representante en la delegación parlamentaria del Comité de Conciliación.

No cabe duda de que dicha aprobación en Pleno tiene un grado de incertidumbre proporcional a la representatividad de la delegación en el contexto del expediente indicado. Aquí, como ya adelantamos, debemos constatar que la historia del procedimiento de codecisión ha demostrado el respaldo del Pleno a todos los textos comunes que le han presentado salvo a uno. Como veremos al repasar los expedientes no aprobados, ni siquiera la no aprobación de dicho expediente es exclusivamente imputable a la falta de representación de la delegación.

Una vez finalizado el debate, a diferencia de lo ocurrido en la primera y segunda lectura, el Pleno realizará una única votación sobre la integridad del texto común. De alcanzarse la mayoría absoluta de los votos a favor, se iniciarán los trámites conducentes a la publicación; ello, claro está, si el Consejo ha aprobado el texto común con anterioridad. En caso contrario, habrá que esperar a la aprobación en sede del Consejo. La aprobación requiere el refrendo de las dos instituciones, y el fallo en la consecución del mismo por cualquier colegislador conlleva la finalización infructuosa del proceso.

# IV. CONCLUSIÓN

## 1. LAS CIFRAS DE LA CODECISIÓN

### Tabla nº 6: las cifras de la codecisión[304]

| ACTOS LEGISLATIVOS APROBADOS EN LAS TRES LECTURAS | | | | |
|---|---|---|---|---|
| Período de sesiones | Total | 1ª Lectura | 2ª Lectura | 3ª Lectura |
| 1994-1999 (media anual)[305] | 30 | ... | 18 (60%) | 12 (40%) |
| 1999-2000 | 68 | 13 (19%) | 39 (57%) | 16 (28%) |
| 2000-2001 | 67 | 19 (28%) | 28 (42%) | 20 (30%) |
| 2001-2002 | 76 | 18 (24%) | 37 (49%) | 21 (28%) |
| 2002-2003 | 87 | 24 (28%) | 48 (55%) | 15 (17%) |
| 2003-2004 | 105 | 41 (39%) | 48 (46%) | 16 (15%) |
| 2004-2006 (6ªleg) | 109 | 69 (63,30%) | 31 (28,44%) | 9 (8,25%) |
| TOTAL | 542 | 184 | 249 | 109 |

**Fuente**: EP activity report 1999-2004 & OEIL

Desde la entrada en vigor del TUE hasta el día de hoy, son más de 500 los actos legislativos que han sido tratados bajo el procedimiento de codecisión

---

[304] Las principales fuentes de información utilizadas: "Informe de actividades de las delegaciones en el Comité de Conciliación, del 1 de mayo de 1999 al 30 de abril de 2004 (5ª Legislatura)", DV\530227ES.doc, PE 287.644; "Rapport d'activité du 1er novembre 1993 au 30 avril 1999 de l'entrée en vigueur du traité d'Ámsterdam des délégations au Comité de conciliation. La procédure de codécision sur la base de l'article 189 B du Traité de Maastricht". Présenté par les vice-présidents Nicole Fontaine, Renzo Imbeni, y Josep Verde i Aldea, 6-4-1999, DOC_FR/DV/377/377982, PE 230.998; "Activity Report-1 May 1999 to 31 July 2000" of the delegations to the Conciliation Committee presented by Vice-Presidents Renzo Imbeni, James Provan and Ingo Friedrich, 418584EN. Dichos informes se completan a través de: L'Observatoire législatif (OEIL) del Parlamento Europeo, disponible en su página http://www.europarl.eu.int/oeil/; así como de la actualización diaria sobre la codecisión del Consejo accesible en su dirección de INTRANET: HTTP://DOMUS/CODEC/HTML/DEUX_PE.htm. El resto de fuentes serán citadas cuando proceda.

[305] No se incluyen aquí los 12 expedientes aprobados desde la entrada en vigor del TUE, del 1 de noviembre de 1993, hasta el comienzo de la cuarta legislatura.

en alguna de sus fases (*Vid.* tabla 6). En concreto: 162 desde la entrada en vigor del Tratado de Mastrique hasta la entrada en vigor del Tratado de Ámsterdam, período que incluye la cuarta legislatura (1994-1999)[306], lo que supuso el 22,5% de la actividad normativa de la Comunidad; 403 en la quinta (1994-2004)[307], lo que supuso el 22,5% de la actividad normativa, y 109 en los dos primeros años de la sexta[308].

Esta progresión ascendente guarda estrecha relación con el aumento de los fundamentos jurídicos sometidos al procedimiento por medio de las distintas reformas. Cuando el procedimiento de codecisión legislativa se introdujo en el artículo 189 B del Tratado de la Unión Europea, que entró en vigor el 1 de noviembre de 1993, se aplicó a 15 fundamentos jurídicos. El Tratado de Ámsterdam entró en vigor el 1 de mayo de 1999, justo antes de las elecciones europeas y del inicio de la quinta legislatura del Parlamento Europeo. Dicho Tratado extendió su uso a 38 ámbitos de acción comunitaria (*Vid.* tabla 1).

El Tratado de Niza entró en vigor el 1 de febrero de 2003, tras su firma en diciembre de 2000, con lo cual introdujo un aumento sustancial en el ámbito de la codecisión durante la quinta legislatura (1994-2004). Con la entrada en vigor del Tratado, sólo cinco disposiciones nuevas dieron lugar directamente a la aplicación del procedimiento de codecisión: el apartado 2 del artículo 13, el artículo 65, el apartado 3 del artículo 157, el apartado 3 del artículo 159 y el artículo 191. Una segunda serie de disposiciones del Tratado se incorporarían tras el período transitorio (*Vid.* Tabla 3).

Este continuo proceso de aumento de las bases legislativas, añadida a los elementos de reforma procedimental, esencialmente los incorporados en Ámsterdam, imposibilitan un análisis unitario de las cifras de la codecisión. A dicha reflexión coadyuva el hecho de que solamente dos legislaturas (la cuarta y la quinta) se hayan completado durante la vida de la codecisión. Por el lado positivo, siempre en el plano metodológico, el hecho de que la entrada en vigor del Tratado de Ámsterdam coincidiera con inicio de la quinta legislatura del

---

[306] "Informe de actividades de las delegaciones en el Comité de Conciliación, del 1 de noviembre de 1993 al 30 de abril de 1999, desde la entrada en vigor del Tratado de Maastricht hasta la entrada en vigor del Tratado de Ámsterdam", DOC_ES\ DV\377\377982, PE 230.998.

[307] "Informe de actividades de las delegaciones en el Comité de Conciliación, del 1 de mayo de 1999 al 30 de abril de 2004 (5ª Legislatura)", DV\530227ES.doc, PE 287.644.

[308] Fuente OIEL.

PE, convierte dicho momento en el punto de inflexión para el análisis, dado que divide dos legislaturas que, por el hecho de ser las únicas completadas, son un referente necesario.

Entre el 1 de mayo de 1999 y el 30 de abril de 2004 se adoptaron un total de 403 actos legislativos en el marco del procedimiento de codecisión, de los que 86 expedientes pasaron por conciliación en la legislatura (*Vid.* tablas 6 y 9). Tan sólo dos expedientes (la Directiva sobre ofertas públicas adquisición de empresas en 2001 y la Directiva sobre servicios portuarios en 2003), es decir, un 0,5% del total, no fueron adoptados. Incluso éstos, como veremos en mayor detalle, fueron aprobados en el Comité de Conciliación, y sufrieron el rechazo en tercera lectura por el Pleno del PE. En comparación, durante el período de vigencia del Tratado de Mastrique, como también veremos, la fase de conciliación fracasó en tres ocasiones (dos, por no llegarse a un acuerdo en el Comité: telefonía vocal en 1994 y Comité de Valores en 1998, y una, en la tercera lectura del Parlamento: biotecnología en 1995), lo que representa un 1,8% del total.

Dentro de la quinta legislatura del PE, la que arranca con el Tratado de Ámsterdam y ve la entrada en vigor del de Niza, el número de expedientes sometidos al procedimiento de codecisión ha venido aumentando constantemente en términos absolutos (*Vid.* tablas 6 y 9), pasando de 68 expedientes tramitados durante el primer año de esta legislatura hasta la cifra sin precedentes de 105 expedientes tramitados durante su último año. El total de procedimientos de codecisión es dos veces y media superior al número de expedientes tramitados en codecisión en la cuarta legislatura (1994-1999), en el que estaban vigentes las disposiciones de Mastrique. El promedio anual de expedientes de codecisión aumentó de 33 en virtud del Tratado de Mastrique a 80 con arreglo al Tratado de Ámsterdam.

Entre los dos periodos de referencia se observa, en relación con la fase y el tiempo de finalización de los procedimientos, un aumento del peso de las fases iniciales en la aprobación de los actos legislativos.

Durante la fase disciplinada por el Tratado de Mastrique, un 40% de los expedientes requirió conciliación, mientras que el total del actual quinquenio ha descendido a un 22%. Dicha diferencia está profundamente marcada por la imposibilidad de alcanzar un acuerdo en primera lectura durante la era Mastrique. Pero dicha realidad, a la luz de los datos, corrobora el análisis ya avanzado, según el cual, la primera lectura no solamente sirve para finalizar el procedimiento sino también para preparar el acuerdo de cara a la segunda lectura.

Durante la era post-Mastrique, la primera lectura vio aprobarse el 28% (115 expedientes) de los procedimientos. De ellos, un 10% eran prácticamente en su totalidad estrictamente técnicos[309], aprobando el Consejo la posición del Parlamento sin enmiendas a la propuesta de la Comisión. Sin embargo, el 18% restante, en el que había expedientes no técnicos, fueron aprobados por los colegisladores introduciendo enmiendas a la iniciativa de la Comisión.

La segunda lectura, beneficiándose de la prolongación de su convocatoria y de las negociaciones en sede de la primera, tal y como explicamos, se refuerza como el núcleo central de la codecisión en términos cualitativos y cuantitativos. En concreto, el 50% del total de procedimientos concluyeron en segunda lectura (200 expedientes). Se ha de recordar una vez más que, aunque en la etapa anterior a la entrada en vigor del Tratado de Ámsterdam, la segunda lectura vio aprobarse el 60% de los expedientes, en dicho porcentaje han de incluirse los expedientes técnicos y menos conflictivos que, como acabamos de ver, a partir de la entrada en vigor del mencionado Tratado y tras Niza han supuesto casi el 20% del total.

Es de destacar que de los 200 expedientes aprobados en la segunda lectura, el 25% se aprobasen por el Parlamento dando por buena la posición común del Consejo, que recordemos cierra la primera lectura en sede del Consejo, modificando la primera lectura en sede del Parlamento. Dicho dato incide una vez más en dos hechos analizados en el capítulo tercero del trabajo: las potencialidades de la primera lectura más allá de la aprobación de los expedientes técnicos; la importancia de la inexistencia de un plazo fijo para finalizar la primera lectura, pues ahí radica buena parte del último porcentaje analizado. El otro 25%, huelga mencionarlo, se aprobó en segunda lectura del Consejo, aprobando éste las enmiendas introducidas por el PE.

Por último, el 22% del total (84 expedientes)[310], concluyeron tras el procedimiento de conciliación. De entre ellos dos procedimientos no obtuvieron la aprobación en sede de tercera lectura en el Pleno del PE. Este 22% de promedio en la quinta legislatura, es prácticamente la mitad de los expedientes terminados en primera lectura en la cuarta legislatura (*Vid.* Tablas 6 y 9). Si vemos la tabla 6, es igualmente destacable que el porcentaje ahora resaltado

---

[309] A modo de ejemplo sobre el carácter técnico, valga el "Règlament du Parlement européen et du Conseil, du 25 mai 1999, relatif aux enquêtes effectuées par l'Office de lutte antifraude (OLAF)".

[310] En mayo de 1999 se adoptaron formalmente tras conciliación otros cuatro actos, que corresponden técnicamente a la cuarta legislatura.

es media de toda la legislatura, siendo resultado del progresivo descenso desde los dos primeros años de la legislatura (28 y 30% respectivamente), hasta el 17 y 15% de los dos últimos.

El decrecimiento, que guarda una relación inversamente proporcional con el crecimiento de las finalizaciones de actos en la primera y segunda legislaturas (*Vid*. Tabla 6), es probablemente el dato que más gráficamente demuestra la maduración de la colegislación, máxime si se considera que ha venido acompañada de un incremento proporcional, tanto de la cantidad de los ámbitos de competencia como de la sensibilidad política de los expedientes.

El crecimiento del porcentaje de los acuerdos en primera lectura ha tenido la incidencia del elevado porcentaje de expedientes concluidos en primera lectura durante el último año de la legislatura[311], habida cuenta de que la coincidencia de las inminentes elecciones con la ampliación de la Unión, excitó a los colegisladores a sacar parte de la agenda preampliación, en la certeza de que las demandas de los nuevos miembros dificultaría el acuerdo.

Sin embargo, la correlación entre la segunda y la tercera lectura se justifica en mayor medida en el mejor engranaje de los mecanismos de relación entre las dos instituciones, tal y como estudiamos en el tercer capítulo. Dichas relaciones se actualizan, en buena medida, en el número de enmiendas presentadas y su resultado, particularmente en la conciliación. A ellas se dedica la Tabla número 7.

### Tabla n° 7: Enmiendas presentadas

| ENMIENDAS PRESENTADAS POR EL PARLAMENTO EN CONCILIACIÓN | | | | | | | | |
|---|---|---|---|---|---|---|---|---|
| Enmiendas | 1994-1999 | 1999-2000 | 2000-2001 | 2001-2002 | 2002-2003 | 2003-2004 | 1999-2004 | 2004-2006 |
| Aceptadas | 27% | 22% | 18% | 19% | 26% | 28% | 23% | 22% |
| Transacciones | 51% | 66% | 70% | 62% | 53% | 51% | 60% | 59% |
| Retiradas | 22% | 12% | 12% | 19% | 21% | 21% | 17% | 16% |

**Fuente:** EP activity report 1993-1999, EP activity report 1999-2004 & OEIL

---

[311]     Así lo estima el PE en su "Informe de actividades de las delegaciones en el Comité de Conciliación, del 1 de mayo de 1999 al 30 de abril de 2004 (5ª Legislatura)", *cit*. p. 12.

Si recordamos los datos precedentes, durante la quinta legislatura se adoptaron 86 procedimientos en conciliación. Estos procedimientos fueron provocados por las 1.344 enmiendas aprobadas por el Parlamento en segunda lectura, sobre éstas: un 23% (307 enmiendas) fueron aprobadas durante el procedimiento de conciliación sin modificaciones; un 60% (809 enmiendas) fueron aprobadas mediante una transacción; un 17% (228 enmiendas) fueron retiradas durante el procedimiento de conciliación.

Si analizamos los datos todo apunta a la mesura y racionalidad del PE a la hora de utilizar sus prerrogativas, así como al buen funcionamiento de los contactos entre los legisladores con todos los ponentes: ponente, comisión, trílogo, etc. Un 17% de enmiendas retiradas, con un pico de 21% en la quinta legislatura (siendo 22% la media en la cuarta legislatura), refleja dos hechos cruciales. Por un lado, haciendo una lectura inversa, destaca el éxito final de al menos el 80% de los expedientes, bien sea a través de una aceptación de las enmiendas, bien sea a través de una transacción. Por otro lado, la responsabilidad legislativa del PE, ha provocado que todos los rechazos definitivos de enmiendas se hayan convertido en abandono de posiciones, nunca en bloqueo del procedimiento. Este hecho, aunque sea una apuesta por la responsabilidad parlamentaria de la que el propio Parlamento ha hecho gala[312], denota muchas renuncias por parte del PE a posiciones más neutras por mor de legislar. Esta renuncia, cuantificable en el 20% de los expedientes, se formaliza, como sabemos, por la delegación del PE en el Comité de Conciliación, teniendo luego que pasar por el Pleno de la institución. Por ello, el hecho de que dicho Pleno solamente haya rechazado tres acuerdos alcanzados en conciliación por su delegación, no solamente demuestra la responsabilidad legislativa de la institución sino la alta representatividad de la delegación del PE en el Comité de Conciliación.

Lo que tampoco pueden reflejar las cifras es la pugna entre los dos colegisladores, a veces hasta altas horas de la madrugada del último día hábil de la codecisión, para saber si una enmienda finalmente cae del lado de la

---

[312]     "Por su parte, el Parlamento Europeo, con ocasión de la ratificación del Tratado de Maastricht, carecía de una verdadera responsabilidad legislativa directa, y quizás tenía costumbres "maximalistas" en razón de su pasado como órgano fundamentalmente consultivo. El procedimiento de codecisión legislativa constituyó la ocasión para que el Parlamento Europeo demostrara mayores responsabilidades y disciplina de trabajo". "Informe de actividades de las delegaciones en el Comité de Conciliación, del 1 de noviembre de 1993 al 30 de abril de 1999", cit., p. 6.

retirada o del lado de la transacción. Por eso, las transacciones, que cubren la mitad de los acuerdos alcanzados respecto del total de enmiendas presentadas por el Parlamento, ofrendan una forma diversa: las aceptadas por medio de una transacción, las de nueva redacción, las transferidas de un artículo a un considerando, etc.

En conclusión, las cifras de la codecisión permiten despejar la duda de la carga fundamental que el procedimiento tuvo en su génesis, el de ineficiencia legislativa. Estos hechos, que son datos, junto con el momento constituyente que los líderes europeos quisieron ver, provocaron el resultado de la reforma de la codecisión en el Tratado Constitucional: por un lado, no cambiando un procedimiento que funciona en los términos deseados por sus promotores, presumiendo lo democrático del mismo y esperando su eficacia; por otro lado, ampliando el contenido para reforzar el carácter democrático de las decisiones de la Unión.

**Tabla nº 8: Las tres fases del procemimiento de codecisión en cifras**

**PROCEDIMIENTOS DE CODECISIÓN ANTES Y DESPUES DE LA ENTRADA EN VIGOR DEL TRATADO DE ÁMSTERDAM**

| Situación antes de la entrada en vigor del Tratado de Ámsterdam | | |
|---|---|---|
| Comisión | Número de Procedimientos | % |
| BUDG | 0 | 0 |
| CONT | 0 | 0 |
| ECON | 43 | 26,6 |
| JURI | 30 | 18,1 |
| ENER+REX | 11 | 6,6 |
| EMPL | 1 | 0,6 |
| ENVI | 60 | 36,3 |
| AGRI | 1 | 0,6 |
| REGI+TRAN | 5 | 3,03 |
| CULT | 13 | 7,8 |
| DEVE | 0 | 0 |
| FEMM | 0 | 0 |
| LIBE | 1 | 0,6 |
| Total | 165 | 100 |

| Desde la entrada en vigor del Tratado de Ámsterdam: fase del procedimiento en que se produce el acuerdo |||||||
|---|---|---|---|---|---|---|
| Del 1 de mayo de 1999 al 31 de abril de 2004 (5ª legislatura) |||||||
| Comisión | 1ª lectura || 2ª lectura || 3ª lectura | Nº proced. | % |
| | Sin enmiendas a la propuesta de la Com. | Con enmiendas a la propuesta de la Com. | Sin enmiendas a la propuesta de la Com. | Con enmiendas a la propuesta de la Com. | | | |
| AFCO | | 1 | 1 | | | 2 | 0,5 |
| AFET | | | 1 | 1 | | 2 | 0,5 |
| AGRI | 6 | 2 | 3 | 1 | 1 | 13 | 3,2 |
| BUDG | 3 | | 6 | 1 | | 10 | 2,5 |
| CONT | | 2 | | | | 2 | 0,5 |
| CULT | 4 | 2 | 5 | 7 | 3 | 21 | 5,2 |
| DEVE | 1 | 7 | 1 | 1 | 2 | 12 | 3,0 |
| ECON | 2 | 5 | 12 | 12 | 1 | 32 | 7,9 |
| EMPL | | 3 | 4 | 5 | 8 | 20 | 5,0 |
| ENVI | 6 | 16 | 25 | 30 | 40 | 117 | 29,0 |
| FEMM | | | 1 | 3 | 1 | 5 | 1,2 |
| ITRE | 3 | 11 | 3 | 19 | 3 | 39 | 9,7 |
| JURI | 12 | 7 | 11 | 10 | 8 | 48 | 11,9 |
| LIBE | | 4 | 2 | 1 | 1 | 8 | 2,0 |
| RETT | 5 | 13 | 23 | 11 | 20 | 72 | 17,9 |
| Total | 42 (10,42%) | 73 (18,11%) | 98 (24,32%) | 102 (25,31%) | 88 | 403 | 100% |
| | 115 (28,5%) || 200 (49,6%) || (21,8%) | | |
| Del 1 de mayo de 2004 al 31 de septiembre de 2006 (6ª legislatura) |||||||

| COMISIÓN | 1ª lectura | | 2ª lectura | | 3ª lectura | Nº proced. | % |
|---|---|---|---|---|---|---|---|
| | Sin enmiendas a la propuesta de la Com. | Con enmiendas a la propuesta de la Com. | Sin enmiendas a la propuesta de la Com. | Con enmiendas a la propuesta de la Com. | | | |
| BUDG | | 1 | | | | 1 | 0,9 |
| CULT | | 3 | 2 | | | 5 | 4,7 |
| DEVE | | 5 | | | | 5 | 4,7 |
| ECON | | 5 | 1 | | | 6 | 5,7 |
| EMPL | 1 | 2 | 2 | | 1 | 6 | 5,7 |
| ENVI | 2 | 15 | | 5 | 5 | 27 | 25,5 |
| FEMM | 1 | | 1 | | | 2 | 1,9 |
| ITRE | 3 | 4 | | 4 | | 11 | 10,4 |
| JURI | 5 | 4 | | | | 9 | 8,5 |
| LIBE | 1 | 7 | | 2 | | 10 | 9,4 |
| TRAN | | 7 | 4 | 3 | | 14 | 13,2 |
| REGI | 1 | | 2 | | | 3 | 2,8 |
| INTA | | 1 | | | | 1 | 0,9 |
| IMCO | 1 | | 1 | 4 | | 6 | 5,7 |
| Total | 15 (13,76%) | 54 (49,54%) | 13 (11,92%) | 18 (16,51%) | 9 | 109 | 100% |
| | 69 (63,30%) | | 31 (28,44%) | | (8,25%) | | |
| Total | 184 (35,93%) | | 231 (41,60%) | | 97 (18,94%) | 512 | 100 |

**Fuente**: EP activity report 1993-1999, EP activity report 1999-2004 & OEIL.

## 2. LOS PROCEDIMIENTOS FALLIDOS: LA DIMENSIÓN CUALITATIVA

Entrando en los actos llegados a manos del Comité de Conciliación, es preciso señalar que, hasta la fecha, solamente cinco no llegaron a ser aprobados. Ante la virtualidad de sus enseñanzas, debemos detenernos en ellos antes de concluir definitivamente.

El primer acto fallido bajo el procedimiento de codecisión fue el expediente de la "**telefonía vocal**". En su Comité de Conciliación se produjo un desencuentro real entre ambas instituciones, lo cual, pese a que ambos colegisladores presentan la adopción del acto al *statu quo* legislativo, imposibilitó el acuerdo. El Consejo adoptó una actitud de presión en el Comité de Conciliación sobre el colegislador, quien, por su parte, reaccionó con la misma inflexibilidad. Para el PE, más allá del interés concreto en el expediente, "se trataba de obligar al Consejo a reexaminar las modalidades de aprobación de los actos de ejecución o comitología"[313].

Tras el fracaso del Comité de Conciliación, el Consejo hizo uso de la facultad que le otorgaba el antiguo artículo 189 B de reafirmar su posición común. El PE, como ya indicamos, actuó desde el punto de vista político institucional rechazando la posición común. El rechazo se debió a su interés por mostrar, al Consejo y a la CIG venidera, que utilizar dicha facultad era una vía muerta; no fue pues una exclusiva preferencia por el *statu quo* legislativo frente al mal menor de la aprobación del acto.

Con dicha experiencia y el citado interés del colegislador, se reinició un nuevo proceso[314], el cual finalizaría con la práctica aprobación de la Directiva perseguida[315]. Con ello se finiquitó *de facto* la vía de la confirmación de la posición común, la cual no se volvió a utilizar más, y se demostró que el factor determinante para el éxito del procedimiento de codecisión es, en gran medida, la agenda del colegislador.

El segundo caso estéril a efectos legislativos fue el de la **"biotecnología"**[316]. En dicho expediente, tras el fracaso de la segunda lectura, ambas delegaciones del Comité de Conciliación llegaron a un acuerdo. El mismo, como es preceptivo, pasó a la fase de ratificación: allí fue ratificado por el Consejo; pero no así por el Pleno del PE. La no ratificación se debió a una pluralidad de factores, los cuales en nuestra opinión, alivian la carga sobre la hipotéticamente achacable ausencia de representatividad de la delegación del PE.

---

[313]   Así lo afirma Gil-Robles, L.: "El procedimiento de codecisión tras el tratado de Ámsterdam", *cit.*, p. 3.

[314]   Doc. COM (96) 419 final - COD 226/96.

[315]   "Directiva 98/10/CE del Parlamento Europeo y del Consejo sobre la aplicación de la oferta de red abierta (ONP) a la telefonía vocal y sobre todo al servicio universal de telecomunicaciones en un entorno competitivo", de 22 de febrero de 1998.

[316]   De forma extensa sobre este expediente Earnshaw, D y Wood, J: "The European Parliament and biotechnology patenting: Harbinger of the future?", *Journal of Commercial Biotechnology*, vol. 5, nº 4, 1999, pp. 294-307.

El acuerdo del Comité de Conciliación no contó con el apoyo de los delegados del Grupo parlamentario de los Verdes, quienes inmediatamente iniciaron una campaña de presión sobre el resto de grupos, fruto de ello fue la obtención de apoyos cruzados de parlamentarios de los grupos mayoritarios. La campaña estuvo facilitada por ser el estudiado un expediente altamente técnico y porque la votación no se produjo un día de la votación conjunta, lo cual provocó que la ausencia de eurodiputados fuese elevada. El cúmulo de acontecimientos suscitó que los grupos que apoyaron la aprobación en la delegación del Comité de Conciliación, pese a ser mayoría amplia en el Pleno, perdieran la votación.

El hecho originó, en primera instancia, las reacciones airadas del Consejo, así como de la Presidencia francesa, quién insinuó la necesidad de reformar el procedimiento por sus problemas de método[317]. Pese a ello, con posterioridad el episodio no repercutiría negativamente en la confianza del Consejo sobre el funcionamiento del PE y sobre todo en la representatividad de su delegación en el Comité de Conciliación. Prueba de ello es el hecho de que desde marzo de 1995, fecha del episodio, el Consejo ha venido aprobando con normalidad proyectos comunes del Comité de Conciliación, incluso antes de que el Pleno del PE hiciese lo propio[318]. De forma más general, según los entonces representantes permanentes del PE en la delegación del Comité de Conciliación[319], el Presidente del Consejo indicó su absoluta confianza en los acuerdos informales alcanzados por los representantes del Parlamento en los trílogos[320]. Pese al mitigado impacto final de la puntual falta de refrendo del Comité de Conciliación por el Pleno, el PE tomó nota en relación con la fijación de votaciones conjuntas y asistencia a plenos en dichas votaciones.

El tercero de los expedientes fallidos hasta la fecha fue el de los "**valores mobiliarios**". Este fracaso, frente a los dos anteriores, fue exclusivamente el resultado de una falta de acuerdo en el Comité de Conciliación. El resul-

---

[317]  Earnshaw, D. y Judge,D.: "Early days: the European Parliament, codecision and the European Union legislative process post-Maastricht", *Journal of European Public Policy* vol. 2, n° 4, 1995, pp. 624-49.

[318]  "Rapport d'activité des délégations au Comité de conciliation du 1er mars 1995 au 31 juillet 1996". PE 216.743, punto 9, p. 4.

[319]  Así lo especifican en el Rapport d'activité por ellos realizado. *Ibid.*

[320]  "La Présidence du Conseil montre qu'elle a pleine confiance dans les engagements informels pris pour les représentants du parlement au cours des réunions de trilogue". *Ibid.*

tado fue debido a varios aspectos. En primer lugar, la falta de prioridad en la agenda del Consejo. Se trataba de la creación de un Comité Consultivo que subvertía una nueva carga de la consulta en el Consejo, de suerte que el *statu quo* legislativo permitía mantener una situación más cómoda para el Consejo. El PE, por su parte, mantuvo un interés adjetivo sobre el epicentro del acto, poniendo como prioridad en su agenda el problema transversal de la comitología. Sobre este particular, el Consejo quería que el Comité consultivo a crear siguiese el modelo de otros dos ya existentes en otros contextos, posponiendo el debate de la comitología a un contexto autónomo fuera de la aprobación del acto en cuestión.

La desfavorable agenda del colegislador se vio acentuada por los actores. De un lado, la ponente del Parlamento era una especialista en temas sociales poco experimentada en el acto sectorial del auto, así como en conciliación. Poca experiencia también del lado del Consejo, pues su delegación, siendo el asunto dependiente del Ecofin, fue el Coreper en su segunda parte. Dicha parte, con pocas materias llevadas en conciliación, tampoco contribuyó a encauzar la negociación por el mejor camino. Una vez se constató el fracaso del Comité de Conciliación, el Consejo, teniendo en mente lo ocurrido en el expediente "telefonía vocal" y el escaso interés de su agenda, dejó morir el proyecto sin revitalizar su posición común. Testimonio de la falta de interés real en la agenda de los colegisladores, fue la ausencia de presión para la reiniciación del acto, justo al contrario de lo ocurrido con el expediente de la "telefonía vocal".

Como vemos, tampoco teniendo en cuenta el asunto "valores mobiliarios" podría afirmarse que el procedimiento de codecisión falle en su concepción. En cualquier legislativo bicameral, una definición de las agendas contrapuesta y destacablemente desenfocada del fin último del expediente podría llevar al fracaso del mismo. Desde luego, no cabe deducir de ninguno de los tres procedimientos fallidos un inexcusable comportamiento del PE, pues tan responsable de la colegislación es la institución parlamentaria como el Consejo.

El cuarto de los expedientes fallidos hasta la fecha fue la Directiva sobre las "**ofertas públicas de adquisición**". El objetivo de esta Directiva era crear claridad y transparencia a escala comunitaria en relación con las cuestiones legales que han de resolverse en caso de ofertas públicas de adquisición. El objetivo oficial era evitar que se distorsione el modelo de reestructuración de las sociedades existente en la Comunidad, a causa de diferencias en las culturas de gobierno y de gestión, aunque era innegable el claro contenido de diseño económico desregulador de la normativa nacional en la que se parapetan los gobiernos para favorecer a las empresas de capital nacional.

Entrando en el periplo final del proyecto, debemos recordar que la segunda lectura del Parlamento se aprobó el 13 de diciembre de 2000, es decir, en la quinta legislatura. En ella se aprobaron 15 enmiendas a la posición común del Consejo. El Comité de Conciliación se reunió los días 29 de mayo y 5 de junio. El conflicto entre las dos instituciones se centró en dos aspectos del proyecto: los derechos de los trabajadores y las "medidas defensivas". El resultado de las negociaciones fue parcialmente insatisfactorio. Para la primera cuestión, relativa a los derechos de los trabajadores, se alcanzaron textos definitivos de transacción (próximos a las enmiendas del PE).

Sin embargo, la cuestión de las "medidas defensivas" partió la delegación del PE entre los representantes centro izquierda y derecha liberal. Algunos miembros de la delegación parlamentaria consideraban que el texto definitivo acordado se alejaba demasiado de las enmiendas del PE, tal como se habían presentado. No obstante, la mayoría de la delegación apoyó el acuerdo con el Consejo y consideró que constituía un buen equilibrio entre el órgano de administración y los accionistas. Sin embargo, la amplia minoría contraria al acuerdo inició una acción de *lobby* inmediata, con el objetivo de revertir la decisión en el Pleno.

La votación en el Pleno, que tuvo lugar el 4 de julio, reprodujo prácticamente la división que se produjo en su delegación y concluyó con el rechazo del texto conjunto en una reñidísima votación (273 votos a favor, 273 en contra y 22 abstenciones), que por terminar en empate imposibilitó el acuerdo. Con ello, como ocurrió en el expediente "biotecnología" ya estudiado, primera vez que un acuerdo alcanzado por el Comité de Conciliación fue rechazado por el Pleno del PE, la representatividad de la delegación parlamentaria en el Comité quedó en entredicho. En esta ocasión, el resultado fue más incomprendido por el Consejo, dado que era el primer rechazo desde la entrada en vigor del Tratado de Ámsterdam, después de un gran periodo, desde "biotecnología", en el que se habían ajustado mucho los mecanismos del procedimiento en lo estructural. Además, en lo coyuntural, el Consejo había cedido sustancialmente respecto de su agenda inicial. El impacto del fracaso, pese al gran interés de las dos instituciones por llegar a un acuerdo, provocó que no se retomase hasta el 2004, cuando el proyecto legislativo encontraría un final feliz[321].

---

[321] *Directiva 2004//25/CE del Parlamento Europeo y del Consejo*, de 21 de abril de 2004, en materia de Derecho de sociedades relativa a las ofertas públicas de adquisición relativa a las ofertas públicas de adquisición (Texto pertinente a efectos del EEE), DO L 142/12 de 30-4-2004.

El quinto y último expediente fallido en la historia de la codecisión fue la Directiva de "**servicios portuarios**". El objeto de la Directiva era la creación de un marco jurídico comunitario claro, abierto y transparente para la apertura del mercado de los servicios portuarios, teniendo en cuenta las características locales de los puertos.

Tras la posición común del Consejo de 5 de noviembre de 2002, el Parlamento Europeo aprobó, en segunda lectura, 39 enmiendas a dicho texto. La sesión constitutiva de la delegación del Parlamento tuvo lugar el 27 de marzo de 2003, y el 9 de septiembre de 2003 se inició formalmente el procedimiento de conciliación, haciéndose una convocatoria sin orden del día, lo cual no es anormal. Sin embargo el Consejo tardó seis meses, desde la segunda lectura del PE, en fijar su posición para el comienzo de las negociaciones. En la reunión del Comité de Conciliación del 29 de septiembre, se alcanzó un acuerdo global de transacción.

La delegación del Parlamento aprobó la solución de transacción negociada, pero lo hizo, al igual que en el expediente "ofertas públicas de adquisición", sin consenso, en concreto por ocho votos a favor y siete en contra. Para mayor abundamiento, el no consenso versó sobre aspectos cardinales del acuerdo alcanzado en el procedimiento de conciliación: autoasistencia; competencia entre los puertos y transparencia de las relaciones financieras; compensaciones a los anteriores prestadores de servicios; practicaje; autorización para la prestación de los servicios portuarios. Como consecuencia de ello, los partidos políticos cuyos delegados se opusieron, consiguieron movilizar una mayoría que, en sede del Pleno del Parlamento, rechazó el acuerdo alcanzado en el procedimiento de conciliación, y el proyecto de Directiva decayó.

Una vez más, el fracaso en la ratificación del acuerdo del Comité de Conciliación en sede del Pleno del PE no supuso el abandono de la propuesta. Un año más tarde la Comisión presentó una nueva iniciativa legislativa[322]. Esta nueva iniciativa legislativa, no asume plenamente el proyecto acordado en conciliación. Tanto es así, que el PE rechazó dicha propuesta en primera lectura[323].

---

[322] *Vid. Propuesta de Directiva del Parlamento Europeo y del Consejo sobre el acceso al mercado de los servicios portuarios*, COM (2004) 654, de 13-10-2004, *Propuestas legislativas adoptadas por la Comisión* (2005/C 24/07), DO C 24/8, de 29-1-2005.

[323] *Vid. Informe sobre la propuesta de Directiva del Parlamento Europeo y del Consejo sobre el acceso al mercado de los servicios portuarios*, (COM(2004)0654 - C6-0147/2004 - 2004/0240(COD)), FINAL A6-0410/2005, PE 359.935v02-00.

Desde un punto de vista comparado, el fallo en la aprobación de cinco procedimientos legislativos es un número perfectamente normal, incluso reducido si lo comparamos con los datos de cualquier legislativo nacional que no tenga mayoría absoluta en las cámaras; o la tenga con un sistema de partidos no oligárquico, o plural, bien por la democracia interna de los partidos, bien por la existencia de un sistema electoral mayoritario uninominal.

Desde un punto de vista cualitativo, dentro ya de lo que es la evolución del procedimiento, es de destacar que los expedientes fallidos sobre los que los colegisladores tenían un interés de agenda, fueron aprobados posteriormente bajo las mismas bases del expediente primigeniamente fallido, con independencia de que la Comisión aproveche la vuelta a su monopolio de iniciativa para reintroducir aspectos desechados por los legisladores. Ejemplo de ello son tres de los cinco proyectos legislativos estudiados: "telefonía vocal", "ofertas públicas de adquisición" y "servicios portuarios".

En última instancia, todos reflejan una realidad clara: basta que las instituciones no prefieran el *statu quo* a la aprobación del acto para que las concesiones primen y el acto se apruebe, y en tal dinámica están mayoritariamente los colegisladores, como muestra el hecho de que el 99% de los actos desarrollados bajo el procedimiento de codecisión hayan sido aprobados.

## 3. EL TIEMPO DE DURACIÓN DE LA APROBACIÓN DE LOS ACTOS LEGISLATIVOS

En cuanto al tiempo de duración de los procedimientos en codecisión, la realidad tras Ámsterdam denota una importante mejoría. De acuerdo con los plazos del antiguo artículo 189 B, los actos aprobados sin llegar a la conciliación tardaban, como media, 634 días en ser aprobados; aumentando la media hasta los 815 días entre aquellos actos aprobados por el Comité de Conciliación[324]. La media general de todos los procedimientos se situaba en 710 días, lo que significaba una sensible mejora con respecto a los 734 días media del procedimiento de cooperación[325].

---

[324] "Rapport d'activité du 1er novembre 1993 au 30 avril 1999 de l'entrée en vigueur du traité d'Ámsterdam des délégations au Comité de conciliation. La procédure de codécision sur la base de l'article 189 B du Traité de Maastricht", *cit.*, p. 55.

[325] Dicha cifra es aportada por Mauer, A.: *Co-Governing after Maastricht: the European Parliament's institutional performance 1994-1998*, Political Series, Working Document

Ámsterdam hizo un importante hincapié en la reducción de los plazos y en la necesidad de respetar al máximo los mismos, limitando seriamente sus posibles ampliaciones *ad hoc* en forma de prórrogas. Tal filosofía quedó patente en la "Declaración sobre el respeto de los plazos en el procedimiento de codecisión" aneja al Tratado, donde la CIG aclara a las tres instituciones implicadas en el procedimiento "que el recurso a la ampliación de los correspondientes períodos, previsto en el apartado 7 de dicho artículo, sólo debería considerarse cuando fuera estrictamente necesario. El período real entre la segunda lectura del Parlamento Europeo y el resultado del Comité de Conciliación no debería ser superior a nueve meses en ningún caso"[326].

Esta filosofía, recogida también en la Declaración común sobre el artículo 251[327], convive con una realidad más generosa en la redacción del artículo que ha sido mantenida por el Tratado Constitucional. Éste, como vimos, no establece plazo para la realización de la primera lectura, posibilitando en total 12 meses (prórrogas incluidas) desde la finalización de la primera lectura hasta la aprobación del acto por el Comité de Conciliación[328]. La situación permite en teoría alcanzar el año dentro del tramo de procedimiento gobernado por plazos, a lo que habría que añadirle el tiempo de una imprevisible y no sometida a plazos primera lectura.

Pese a lo dicho, el balance global es positivo debido al uso razonable del margen de la primera lectura. Así, durante la vida del procedimiento bajo la disciplina de Mastrique, los actos, desde la iniciativa de la Comisión, tardaban una media de 536 días en ser aprobados[329]. Bajo el nuevo procedimiento de

---

POLI 104, Directorate-General for Research, European Parliament, Luxembourg, 1999, p. 33.

[326]  "Declaración sobre el respeto de los plazos en el procedimiento de codecisión" Declaración número 34 aneja al Tratado de la Unión Europea por el Tratado de Ámsterdam.

[327]  De acuerdo con su punto IV.1.: "Si el Parlamento Europeo o el *Consejo consideraren absolutamente necesario* prorrogar los plazos previstos en el artículo 251 del Tratado constitutivo de la Comunidad Europea, informarán de ello al Presidente de la otra institución y a la Comisión". Énfasis añadido.

[328]  Repartidos del siguiente modo: 3 meses + 1 mes (prórroga) para la segunda lectura del PE; 3 meses + 1 mes (prórroga) para la segunda lectura del Consejo; 6 meses + 2 semanas (prórroga) para la conciliación; y 6 meses + 2 semanas (prórroga) para la tercera lectura.

[329]  Cifra aportada en el documento PE DOC_FR/QB/330/330225, PE 295.385/BUR, *cit.* p.4. Para profundizar en más detalle sobre la dimensión cuantitativa de la codeci-

codecisión de Ámsterdam, los actos muestran una sensible mejora situándose la media por debajo de los 500 días[330].

Tales cifras deben seguir interpretándose y resaltándose a la luz del aumento de la carga de trabajo institucional que las nuevas bases jurídicas sometidas al procedimiento conllevan. A *priori*, ciertamente, la lógica sugería un empeoramiento de la duración media de aprobación de los actos de forma proporcional al incremento de los ámbitos sometidos al procedimiento.

Pero la realidad es que, en buena medida, se ha producido la evolución contraria. Teniendo en cuenta los últimos dos epígrafes, podemos afirmar que estamos ante un procedimiento legislativo que, ni bloquea el proceso de toma de decisiones, ni lo dilata de forma extraordinaria. Este balance, junto con el impulso político de naturaleza constitucional del TCEu, provocó que la última reforma del Derecho originario aprobada superase las reticencias presentes en Niza. Puede afirmarse que la Convención y la CIG que a la sazón dieron a luz el TCEu, zanjaron el debate expuesto considerando al menos dos cuestiones: el procedimiento no paraliza ni dilata la toma de decisiones; el procedimiento es la vía de la constitucionalización por mediación de la parlamentarización, entendiendo que este proceso no necesita otorgar un mayor poder al PE dentro de la distribución horizontal del poder constituido, pues la codecisión colma lo necesario, sino que basta con otorgar más competencias al procedimiento.

## 4. EL CAMBIO DEL PARLAMENTO EUROPEO EN EL CONTEXTO DE LA CODECISIÓN

Hemos constatado el balance positivo que los números ofrecen. Pero la importancia de las valoraciones básicamente cuantitativas del "test de eficiencia" de la codecisión, no pueden dejar de lado la importancia de valoraciones abiertas al análisis cualitativo. En particular, nos interesan aquellas relacionadas con la actitud del Parlamento ante el reto de la codecisión, pues

---

sión recomendamos vivamente el magnífico estudio politológico de Mauer, A.,"Co-Governing after Maastricht: the European Parliament's institutional performance 1994-1998", *cit.*, espec., pp. 31-36

[330]   OIEIL; Intranet del Consejo: http://domus/codec/html/deux_pe.htm.

sin duda nos ayudarán a evaluar su estado de madurez institucional, pará-metro esencial para reflexionar sobre escenarios futuros. Dividimos nuestro análisis en dos planos: de un lado, el que se manifestó a través de decisiones específicas unilaterales por parte del Parlamento, encaminadas en su mayor parte a adaptarse de la mejor forma posible a los retos del procedimiento legislativo; por otro lado, el que se ha generado gracias a la responsabilidad legislativa y a la predisposición genérica del Parlamento a establecer lazos de colaboración con el Consejo.

En un primer plano, el PE ha dado claros signos de madurez institucional al articular medidas unilaterales, tanto reglamentarias como organizativas, para mejorar su participación en el procedimiento.

La primera medida destacable se refiere a la modificación reglamentaria realizada para facilitar la composición idónea de su delegación en el Comité de Conciliación. En primer lugar, asegurando su representatividad vía re-producción de las mayorías parlamentarias en la delegación del Comité de Conciliación[331]. También, como vimos en su debido momento, fortaleciendo el perfil especializado de la delegación de cara a la negociación de expedien-tes en tiempo real en el Comité de Conciliación, facilitando la presencia en ella del Presidente de la comisión parlamentaria pertinente así como la del ponente[332].

Junto con esta dimensión sectorial, también se fortaleció la delegación a la hora de abordar cuestiones horizontales como los aspectos presupuestarios o de comitología. Según estudiamos, la elección *ad hoc* de todos los delegados en todas las delegaciones impediría al PE tener una visión adecuada de los límites reales de cesión del Consejo en aquellos aspectos recurrentes. Tal realidad potenciaría los errores de cálculo y la adopción de posiciones maxi-malistas por parte del Parlamento, de ahí las consecuentes tensiones durante la conciliación y el riesgo de fracaso. El peligro previsto se mitigó convirtiendo a tres de los Vicepresidentes del Parlamento en miembros permanentes de la delegación parlamentaria en el Comité de Conciliación[333].

La concienciación sobre la necesidad de adaptarse a la conciliación, tam-bién se extendió al Pleno. El procedimiento de cooperación, al imponer de forma mucho más frecuente la necesidad de obtener mayorías absolutas en

---

[331]    Punto 2 del artículo 82 del Reglamento del Parlamento Europeo.
[332]    Punto 3 del artículo 82 del Reglamento del Parlamento Europeo.
[333]    Punto 3 del artículo 82 del Reglamento del Parlamento Europeo.

sede parlamentaria, para rechazar una posición común en segunda lectura, conllevó a una más estrecha relación entre los grupos políticos mayoritarios, y a una mejor reorganización y acumulación de las votaciones para asegurar la asistencia suficiente de los eurodiputados[334]. La cooperación, aun mejorando la situación, no había alejado las incertidumbres plenamente. No olvidemos que el fallo en Pleno (en los asuntos "biotecnología", "telefonía vocal", "ofertas públicas de adquisición" o "servicios portuarios" *Vid. supra*) de la ratificación del acuerdo alcanzado en el Comité de Conciliación, fue generado en parte por la mala aplicación de las pautas puestas en práctica durante la cooperación, y provocó un justificado malestar en el Consejo. Tal incidente fue suficiente para mostrar la necesidad de perseverar en la línea indicada; en esta ocasión, no tanto para hacer frente al Consejo sino para mantener su imagen de colegislador responsable. Así, la codecisión, intensificando la implicación legislativa del Parlamento, ha supuesto un refuerzo en la línea de adaptación a las nuevas demandas legislativas.

Otra manifestación de la mentalidad responsable del Parlamento ha sido su compromiso con la eficacia del procedimiento antes de llegar a la conciliación. Buen ejemplo de ello es el cambio producido en su política de presentación de enmiendas en segunda lectura. En un principio, se siguió un modelo altamente mecánico, reintroduciendo la mayor parte de las enmiendas de la primera lectura no incluidas en la posición común. Dicha actitud, unida al perfil restrictivo de las posiciones comunes del Consejo, tendía a generar una dinámica peligrosa, de acuerdo con la cual la segunda lectura no jugaba como filtro en todas sus dimensiones, haciéndolo más bien como puente entre la primera lectura y la conciliación; es decir, minusvalorando las posibilidades de la segunda lectura por el mero hecho de no ser el último estadio.

La perniciosa dinámica encontró respuesta por parte de los tres miembros permanentes de la delegación parlamentaria del Comité de Conciliación, en el segundo semestre de 1996. En su informe de actividad de la codecisión, constataron la existencia de problemas en relación con la cantidad y calidad de las enmiendas, así como que la simple reproducción en segunda lectura de las enmiendas de la primera, no se podía considerar ejemplo de efectividad[335].

---

[334] Ver dicho proceso en Jacobs, F.: *Legislative Co-Decision: A real Step Forward?*, Paper no publicado presentado en la quinta conferencia bienal de la ECSA celebrada en Seattle, del 29 de Mayo al 1 de junio de 1997, p. 5

[335] "Activity Report-1 march 1995 to 31 July 1996" of the delegations to the Conciliation Committee, 1996, p. 6.

La opinión expresada en tal informe fue gráfica expresión de la concienciación del PE sobre la necesidad de combinar su interés institucional con el buen funcionamiento del procedimiento. A partir de la asunción de dicho problema se iniciaron distintas acciones, entre las que destacan dos[336]. La unidad dedicada a la codecisión comenzó a mantener reuniones frecuentes con las comisiones parlamentarias encargadas del expediente, contribuyendo a presentar enmiendas más posibilistas, una vez se conoce la posición del Consejo. De forma complementaria y coetáneamente al informe de actividad citado, el PE creó un grupo de trabajo dedicado a mejorar la calidad de las enmiendas legislativas.

En un segundo plano, el PE ha dado claros signos de madurez institucional en una dimensión más genérica de la individual hasta aquí abordada, tanto antes como durante el Comité de Conciliación[337]. La conciliación irradia su influencia sobre el conjunto del procedimiento de codecisión. La perspectiva de esta fase final de las negociaciones, tanto como las implicaciones del propio Comité de Conciliación, ha alterado substancialmente el comportamiento del Consejo y del Parlamento. En particular, ha habido una concienciación en el sentido de evitar ver la conciliación como el mecanismo automático y único para resolver conflictos de interés en los ámbitos regidos por el procedimiento.

En algunos expedientes muy sensibles y abordados el mismo año, el Parlamento consiguió sacar adelante parte sustancial de su agenda sin necesidad de llegar a la conciliación. Tal punto de inflexión se puede ilustrar con dos expedientes donde el PE aceptó la posición común sin realizar enmiendas: la Directiva que prohíbe la publicidad del tabaco y la Directiva de patentes de invenciones biotecnológicas.

---

[336]    Seguimos aquí a Maurer, A.: *(Co-)Governing after Maastricht: The European Parliament's institutional performance 1994-1999*, Political Series Poli 104/rev.EN, Directorate-General for Reserach-Working Paper 10/99, p. 28.

[337]    Michael Shackleton, máximo responsable de la codecisión en la Secretaría del PE a nivel funcionarial, se ha posicionado en igual sentido. Le seguimos aquí, en los dossieres no atendidos personalmente, por demandar el análisis cualitativo la visión interna. En cualquier caso recomendamos sus aportaciones al estudio de la codecisión como referente: *The politics of codecision*, Paper no publicado, presentado en la sexta conferencia bienal de la ECSA celebrada en Pittsburgh, celebrada del 2 al 6 de junio de 1999; "The politics of codecision", *Journal of common market studies*, vol. 38, n° 2, 2000, pp. 325-342.

En el primer caso, la visión mayoritaria que emergió en el PE después de largas discusiones, fue que las exenciones acordadas por el Consejo en su posición común, especialmente para eventos deportivos como la fórmula uno, aun no siendo las más deseables, respetaban un cierto equilibrio y las hacían preferibles al *statu quo* legislativo, lo que provocó la no presentación de enmiendas. Se consideró más inteligente evitar la conciliación, dada la fragilidad de la unión de Estados que habían acordado la posición común.

El país responsable de la conciliación en la segunda mitad de 1998 hubiese sido Austria que, junto con Alemania, había votado contra la posición común. Todo esfuerzo por mantener las enmiendas propuestas en segunda lectura prometía no sólo ser estéril sino asumir un cierto riesgo de empeorar la situación, sobre manera la propuesta de ampliar la base legal: incluir el entonces artículo 129 relativo a la salud pública (que requería unanimidad en Consejo por aquel entonces) junto con el artículo 100 A. Finalmente, la acción del Parlamento sirvió para proteger y mantener una posición común que solamente podría haberse debilitado, más que fortalecerse, durante las negociaciones de la conciliación. El resultado fue, como ya apuntamos, la entrada en vigor de una prohibición en publicidad del tabaco, buscada por el Parlamento desde 1990.

El segundo caso, relativo a las invenciones biotecnológicas, fue una Directiva con una historia muy especial[338], siendo el primer y único caso donde un acuerdo alcanzado por la delegación del Parlamento en conciliación, se rechazó en el Pleno. Cuando una versión revisada de la misma Directiva fue considerada, hubo un fuerte deseo de evitar un resultado similar. El ponente, Mr Rothley, contactó con el Consejo incluso antes de la primera lectura para estudiar la forma en la que la agenda del Parlamento podía ser aceptada por el Consejo. El éxito relativo de esta estrategia se vio en la buena disposición del Consejo a aceptar, de una forma u otra, casi todas las enmiendas del Parlamento. Cuando el Parlamento votó su segunda lectura, no se alcanzó la mayoría para ninguna enmienda. Como en el expediente relativo a la publicidad del tabaco, las características de un asunto sirvieron para acortar en lugar de alargar el procedimiento; además, en esta ocasión, el resultado final podría resultar más fácilmente identificable en enmiendas incorporadas en la legislación.

---

[338] Recordar nuestro análisis sobre el expediente al estudiar los caso fallidos, así como el artículo de Earnshaw, D. y Wood, J.: "The European Parliament and biotechnology patenting: Harbinger of the future?", *cit.*

Junto con las manifestaciones de cambio producidas en los pasos previos a la conciliación, ésta, en particular su Comité de Conciliación, también ha visto aparecer lo que convenimos llamar la dimensión de colegislador del Parlamento, la cual le lleva a aparcar posiciones pretéritas de frentismo por mor de consolidar un procedimiento legislativo transcendente para sus aspiraciones políticas.

Dentro del procedimiento de la conciliación se ha desarrollado un mecanismo de intercambio (*Vid.* tabla 8): ambos colegisladores están hoy preparados para hacer concesiones, pero hasta un límite que sólo se muestra claro en el curso de las negociaciones. Este intercambio proporciona al Parlamento una oportunidad de presionar a favor de sus posiciones de una manera mucho más intensa que nunca antes, sin duda más que en los procedimientos de consulta y cooperación. Y la evidencia muestra que durante la conciliación puede provocar cambios a la posición común provocando una diferencia substancial en el contenido de la legislación. A continuación estudiamos tres expedientes ejemplificadores de lo apuntado: el paquete Auto-Oil; el 5º Programa marco para la Investigación y la Tecnología; y el de la Cultura 2000.

El paquete Auto-Oil abordaba las medidas a tomar contra la polución del aire por emisiones de coches y vehículos comerciales, así como la calidad de gasolina y combustibles diesel vendidos en la Unión. El Parlamento adoptó más de 100 enmiendas en la segunda lectura, lo cual aumentó la complejidad de las negociaciones, pero también aportó material de intercambio entre los dos partidos mayoritarios.

El Parlamento se encontró con una Presidencia británica que tenía un claro interés de orden doméstico en el encuentro de una solución. El Vicepresidente británico por aquel entonces, el Sr. Prescott, había vuelto de la Cumbre final de Kioto de 1997 comprometido a reducir el nivel de emisiones de $CO_2$ en Europa. Estaba por consiguiente ávido por asegurar un acuerdo en el expediente, demostrando al mundo que la UE respetaba el acuerdo de Kioto. La Presidencia británica dejó claro desde el primer momento que quería encontrar un compromiso con el Parlamento. Resultó que el elemento central de ese compromiso debía ser una aceptación por el Parlamento de los valores límites acordados en la posición común, pero sobre la base de que esas normas deberían ser obligatorias en el año de 2005, en lugar de optativas como se propuso en la posición común. El acuerdo final, alcanzado en junio de 1998, estaba cerca de esta propuesta.

Hubo diversidad de opiniones sobre las bondades del acuerdo, pero ese debate no es pertinente aquí. El punto importante es que el acuerdo final llevó a un resultado diferente del que los partidos y el Parlamento deseaban en un principio.

Un segundo ejemplo de los cambios que pueden ser hechos por el Parlamento fue el 5º Programa de Investigación y Tecnología, adoptado al final de la Presidencia austríaca en diciembre de 1998. El asunto, al venir disciplinado por unanimidad en el Consejo, no prometía un gran margen de influencia por el Parlamento. Por otro lado, la Presidencia austríaca no gozaba del margen que otorga la mayoría cualificada. Tal hecho fue particularmente importante en este caso, dado que la delegación española había insistido en incluir en la posición común la denominada "cláusula de la guillotina", según la cual, cualquier asignación presupuestaria para el nuevo programa quedaría pendiente del resultado de las negociaciones en la Agenda 2000.

Las condiciones impuestas por España provocaron que otras delegaciones, especialmente la de los Países Bajos y el Reino Unido, fueran renuentes a contemplar cualquier incremento presupuestario significativo más allá de la posición común que tenía fijada en 14bn Euros el presupuesto a destinar para el cuatro período del programa.

El Parlamento insistió en que el nivel de investigación presente en la Comunidad no se podía mantener según las condiciones de la posición común. En la segunda lectura aprobó la cifra de 16.3bn Euros y así las dos instituciones entraron en negociaciones con más de 2bn Euros. Finalmente se obtuvo un acuerdo en 15bn Euros.

El resultado de esta última conciliación analizada, dejó un reseñable grado de descontento en el Parlamento, pero no hay duda de que, sin la codecisión, habría sido imposible alcanzar el acuerdo. La antigua cooperación, por ejemplo, habría permitido a la Comisión proponer la cifra inicial sugerida por el Parlamento después de la segunda lectura, pero habría habido unanimidad en el Consejo para restablecer la posición común a un nivel mucho más lejano del finalmente acordado.

De forma complementaria, el proceso de negociación permitió a los dos partidos mayoritarios revisar la "cláusula de la guillotina", siendo aceptado que se involucraría al PE en codecisión en cualquier revisión de las dotaciones presupuestarias futuras bajo la Agenda 2000. Así, según Shackleton, este caso demuestra que incluso la unanimidad en el Consejo no impide al Parlamento influenciar los resultados obtenidos bajo la codecisión[339].

Si nos acercamos al expediente Cultura 2000 veremos la excepcionalidad de las enseñanzas inferidas por Shackleton del expediente recién estudiado. Además, el expediente Cultura 2000 muestra realmente el talante de colegislador responsable del PE, por ser un caso en los que la unanimidad en el Consejo eliminó en conciliación sus legítimas posibilidades de incidencia.

En la conciliación de la Cultura 2000, la delegación holandesa, haciendo uso de la unanimidad disciplinadora en sede del Consejo de la base jurídica afectada, bloqueó el aumento presupuestario simbólico demandado por el PE en Comité de Conciliación. Dicha actitud inmovilista prometía desembocar en fallo a la hora de adoptar el acto. En aquel contexto, la Comisaria de la Cultura, Viviane Reding, tuvo que recordar otra reunión del Comité de Conciliación (logística, desplazamientos, etc.), tenía un coste casi tan elevado como el aumento presupuestario necesario para hacer ceder al PE. Pese ello, y con la oposición contraria del resto de EEMM, la delegación citada no cedió, obligando a la Ministra de Cultura finlandesa (que presidía la delegación del Comité de Conciliación del Consejo) a mantener la posición intransigente como propia del Consejo durante la negociación en el Comité de Conciliación.

Con dicha situación bloqueada, se interrumpió el Comité de Conciliación dando paso a un trílogo, donde la Presidencia del Consejo, sin respetar escrupulosamente las deliberaciones de su delegación en el Comité de Conciliación, hizo notar al Presidente de la delegación parlamentaria (Vicepresidente Renzo Imbeni) la situación real vivida en sede del Consejo. Ante dicha realidad, la delegación del PE cedió, rechazando obtener beneficio alguno en la conciliación, con lo que evitó responsablemente el fallo en la consecución del acto, pese a que el mantenimiento de una posición más política hubiese legitimado el veto por su parte.

La actitud del PE se realza si la analizamos a la luz de lo ocurrido en el expediente "valores mobiliarios". Si recordamos nuestro análisis de los expedientes fallidos, en aquella ocasión, el PE dejó morir el proceso por mor de enviar un mensaje político al colegislador y a la CIG venidera, a saber: el PE no apoyaría

---

[339]    Ver el epígrafe "The process of conciliation" en Shackleton, M.: "The politics of codecision", *cit.*

ninguna posición común reavivada por el Consejo en tercera lectura tras el fracaso del Comité de Conciliación a la hora de alcanzar un acuerdo.

En Cultura 2000, el PE podría haber apostado por mantener una posición política parecida a la asumida en "valores mobiliarios", negándose a aceptar las posiciones rígidas del Consejo en aquellos expedientes regidos en sede del Consejo por unanimidad, máxime cuando tenía constancia de que dicha posición venía provocada por una delegación aislada[340]. Frente a tal posibilidad, el PE decidió aprobar lo que consideraba una medida con dotación presupuestaria insuficiente, primando la superación del *statu quo* legislativo y su responsabilidad colegisladora a su *status* como colegislador.

Otra dimensión altamente valorable, como hemos venido señalando a lo largo de nuestro estudio, ha resultado ser la apertura del Parlamento a todo tipo de contactos informales con el Consejo durante ambas lecturas, amén de facilitar el proceso a través de la resolución de conflictos. Por ejemplo entre el Presidente del Grupo de Trabajo del Consejo y el ponente parlamentario responsable del área del expediente pertinente; o entre el ponente y los funcionarios encargados del expediente en el Consejo. Como vimos, dicha opción se puede dar en el caso de que la Presidencia del Consejo no tenga una idea formada de la posición de ciertos Estados sobre aspectos claves, generalmente por encontrarse éstos bajo reserva de estudio de las autoridades nacionales. Esta situación redobla la predisposición genérica de la Presidencia por mantener los posicionamientos del Consejo en el plano más informal posible. Dicha cadena descendente de voluntad y formación de la opinión ha encontrado respuesta en el Parlamento, quien ha autorizado a funcionarios de su Secretaría encargados de la codecisión a establecer contactos con sus homólogos de la Dorsal codecisión.

Desde la entrada en vigor del Tratado de Ámsterdam, entre otras razones por las demandas derivadas del aumento sustancial de trabajo del colegislador, el PE ha realizado contactos públicos y programados con los Ministros competentes donde éstos han comparecido ante la comisión parlamentaria

---

[340] Se podría argumentar aquí que si el Parlamento optase por dicha posición, el Consejo, y en particular su Presidencia, evitarían darle información como la dada en "valores mobiliarios", con lo que privarían al PE de la razón esencial de su acción. Frente a dicha argumentación debemos recordar que los eurodiputados obtienen en muchas ocasiones, vía gobiernos o Parlamentos nacionales, información exacta sobre la posición de su delegación.

competente al principio o al final de la Presidencia, aunque nunca de forma estructural en relación con expedientes concretos[341].

La posición determinada del Parlamento para canalizar y desarrollar los contactos entre colegisladores tuvo expresión en las reformas del Reglamento, de suerte que el mismo posibilita expresamente la intervención de los representantes del Consejo en las reuniones de las comisiones parlamentarias encargadas de discutir un determinado acto objeto de codecisión[342]. Dicha predisposición no ha sido correspondida por el Consejo, lo que demuestra el distinto talante de las instituciones ante el procedimiento.

Formalmente, el Consejo no tiene ninguna limitación para reaccionar ante las demandas del procedimiento en el contexto estudiado. Su Reglamento, en su tratamiento de la representación ante el Parlamento Europeo, disciplina que "El Consejo podrá estar representado ante el Parlamento Europeo por la Presidencia o, con el consentimiento de ésta, por la Presidencia siguiente o por el Secretario General. Por mandato de la Presidencia, el Consejo también podrá estar representado ante dichas comisiones por su Secretario General Adjunto o por altos funcionarios de la Secretaría General. El Consejo podrá igualmente, mediante comunicación escrita, dar a conocer sus puntos de vista al Parlamento Europeo"[343].

En la práctica, como ya destacamos, los representantes de la institución en las comisiones parlamentarias no responden ni pretenden responder a tal calificativo. Son "bajos" funcionarios de la Dorsal codecisión, de la DG del ámbito sectorial, o de la Presidencia, quienes atienden las reuniones de la comisión parlamentaria con el único fin de informar sobre la misma en sus respectivos departamentos. Por ello, los representantes permanentes del PE en el Comité de Conciliación, estudiando la problemática, han destacado que, hasta el presente, el Consejo ha declinado las invitaciones genéricas y específicas dirigidas desde el Parlamento para exponer su posición en sede parlamentaria; mientras el "Parlamento, por su lado nunca ha recibido una invitación similar para hablar en los Grupos de Trabajo u otros órganos del

---

[341] La importancia de dichos contactos ha sido destacada por el "Activity Report-1 May 1999 to 31 July 2000" of the delegations to the Conciliation Committee presented by Vice-Presidents Renzo Imbeni, James Provan and Ingo Friedrich, 418584EN.doc, p. 11.

[342] Ver los artículos 70 y 76 del Reglamento del Parlamento Europeo.

[343] Artículo 26 del Reglamento del Consejo. Énfasis añadido.

Consejo"[344]. Tal realidad, como vimos, no es fruto del descuido o desinterés del Consejo, dicha institución no tiene los problemas del Parlamento para obtener información sobre el sentir parlamentario, al ser sus comisiones abiertas. Estamos simplemente ante el consciente desinterés del Consejo a la hora de asumir el espíritu de colaboración colegisladora mostrado por el Parlamento.

La reprobable falta de colaboración se viene dando, como vimos, por considerar el Consejo que cualquier toma de posición en sede parlamentaria compromete las posibilidades de negociación futura de la institución. Dicha posición no es fruto de la improvisación sino de un posicionamiento. Quizá por ello el Consejo buscó desde un principio ceñir su colaboración con el Parlamento a reuniones bilaterales.

Después de los primeros seis meses de rodaje del procedimiento, tras la entrada en vigor del Tratado de Mastrique, hubo contactos bilaterales ocasionales. En la segunda mitad de 1994, Ken Collins (Presidente de la comisión de medioambiente) consiguió por primera vez reunirse con el Presidente del Coreper I, por aquel entonces Jorgen Grünhage (representante permanente alemán en dicha parte del Coreper). A parte de por las insistencias parlamentarias, lo que motivó dicho encuentro fue el mutuo convencimiento de que la situación enconada con respecto al expediente en cuestión haría inviable una conciliación exitosa[345]. Dicho comienzo no encontró articulación estructural hasta la Presidencia española del segundo semestre de 1995, donde Parlamento y Consejo articularon los denominados trílogos, los cuales dejan en un segundo plano a la Comisión, desarrollándose por lo demás en la forma descrita en el transcurso de nuestro estudio del proceso (Vid. supra). Así, podemos concluir que los trílogos, máxima expresión del espíritu colegislador, han sido en buena medida fruto del compromiso claro del PE a la hora de entablar lazos con el Consejo.

Por último destacar que la colaboración del PE con el Consejo (y viceversa) ha encontrado desarrollo en el contencioso comunitario, en concreto facilitando la colaboración de su Servicio Jurídico con el Consejo en defensa de actos adoptados en codecisión. Dicha relación se produjo con motivo del

---

[344]  "Activity Report-1 May 1999 to 31 July 2000", op,cit, p. 11.

[345]  Ver sobre el particular Garman, J., Hilditch, L.: "Behind the scenes: an examination of the importance of the informal processes at work in conciliation", *Journal of European Public Policy*, vol. 5, nº 2, 1998, pp. 273-4.

recurso planteado por Alemania[346], con el fin de anular la Directiva sobre la publicidad del tabaco aprobada por el Parlamento y Consejo[347]. La colaboración, independiente del éxito puntual del caso[348], debe ser destacada de cara al futuro por las nuevas bases jurídicas disciplinadas por la codecisión tras el TCEu. El incremento tan importante de las bases jurídicas afectadas por mayoría cualificada motivará la aparición de nuevos recursos contra actos jurídicos colegislados, los cuales, por ir contra la voluntad de Consejo y Parlamento, demandarán continuar con la colaboración de los Servicios Jurídicos emprendida en el asunto citado.

## 5. FUTUROS PREVISIBLES

### 5.1. El estado de la codecisión

La codecisión es hoy, en lo referente a su funcionamiento, un procedimiento asentado. Si atendemos exclusivamente a sus resultados en cualquier estadio del procedimiento, la reflexión sobre el futuro del mecanismo legislativo debería plantearse en términos de incremento de su ámbito, que es precisamente lo que hizo el Tratado Constitucional. Para reforzar tal hipótesis se puede partir del balance positivo que todas las instituciones participantes en el procedimiento vienen realizando.

El primer diálogo interinstitucional público sobre la codecisión, celebrado como balance del desarrollo del procedimiento de acuerdo con Mastrique, ya arrojó un balance positivo para las tres instituciones[349]. En aquella ocasión, el

---

[346]  Para los antecedentes de caso ver la introducción de la Opinion of Advocate General Fennelly, delivered on 15 June 2000, Case C-376/98 Federal Republic of Germany v European Parliament and Council of the European Union, Case C-74/99.

[347]  Directiva 98/43/CE del Parlamento Europeo y del Consejo, de 6 de julio de 1998, relativa a la aproximación de las disposiciones legales, reglamentarias y administrativas de los Estados miembros en materia de publicidad y de patrocinio de los productos del tabaco (DO L 213, p. 9).

[348]  Para mayor detalle ver la Sentencia de 5 de octubre de 2000, Federal Republic of Germany v European Parliament and Council of the European Union Case C-74/99.

[349]  "Séminaire sur le fonctionnement de la procédure de codécision". Dialogue interinstuturionnel présidé par Mme Nicole Fontaine et M. Renzo Imbeni, vice-présidents du Parlement européen. Celebrado en el edificio LEO 7C50 el 25-9-1997.

entonces Presidente del PE, Sr. Gil Robles, con apoyo del ex Comisario para asuntos institucionales, Sr. Oreja, constató cómo el día a día de la codecisión había deslegitimado a los escépticos: "hay que repetir con especial énfasis, ya que no hubo unanimidad ni en el momento de la firma del Tratado de la Unión Europea ni en el primer período de aprobación del Tratado. Los escépticos pensaban que el procedimiento de codecisión frenaría o bloquearía la toma de decisiones"[350].

El segundo diálogo interinstitucional sobre el procedimiento de codecisión, celebrado en octubre de 1999, vio cómo las tres instituciones implicadas en el procedimiento mantenían su valoración positiva sobre el mismo una vez había tenido lugar la ratificación del Tratado de Ámsterdam[351]. Idéntica posición fue mantenida por las tres instituciones en el seminario institucional sobre la codecisión celebrado los días 6 y 7 de noviembre de 2000. Debemos destacar aquí que dicha valoración se produjo una vez el nuevo procedimiento de codecisión estaba asentado, y que, realizándose a modo de valoración previa antes de pasar a la negociación de Niza, prometía ser una plataforma ideal a la hora de promover un aumento del ámbito del procedimiento. Similares conclusiones se adoptaron en el último diálogo tripartito que al más alto nivel se dio en noviembre de 2002, con el Tratado de Niza firmado en diciembre de 2000 y a dos meses de su entrada en vigor (1 de febrero de 2003)[352].

En Niza, frente a esta lógica defendida por las tres instituciones comunitarias y parte de los EEMM, se opuso la lógica política vinculada a la inclusión de la definición del acto legislativo en el Derecho originario. Como analizamos en la introducción de nuestro estudio[353], la polémica se introdujo en realidad como un elemento destinado a reducir la participación del PE en la toma de

---

[350]   *Ibid.* Referencia a lo dicho también se encuentra en Gil-Robles, L.: "El procedimiento de codecisión tras el tratado de Ámsterdam", *cit.*, cita 11, p. 4.

[351]   Seminario sobre "La procédure de codecision post-Ámsterdam la dynamique interinstitutionnelle". Compte-rendu du séminaire du 18 octobre 1999 organisé par le Secrétariat général de la Commission au Centre Borchette. Citaremos dicho seminario con la referencia a la página cuando el resumen de dicho acto editado por el Centro Borchette lo recoja; o sin expresión de ella, cuando dicho resumen no se hubiese hecho eco de la referencia citada.

[352]   *Vid.*, las actas de la CONFÉRENCE CONJOINTE SUR LA CODÉCISION ET LA CONCILIATION, Lundi 4 et mardi 5 novembre 2002, Bruxelles, Parlement européen, http://www.europarl.eu.int/code/events/20021104/minutes_fr.pdf

[353]   Ver punto, I.2. La dimensión novedosa de la codecisión: la definición del acto legislativo.

decisiones y no a armonizar su futuro aumento participativo, independientemente de que los EEMM promotores del mismo lo defendiesen como la necesaria vinculación futura entre racionalización del procedimiento e incremento de su ámbito. La vinculación entre estos dos aspectos provocó que el fracaso de la propuesta sobre la inclusión del acto legislativo se neutralizara con las propuestas más generosas con respecto a la ampliación del ámbito de la codecisión. La neutralización se tradujo finalmente en un aumento simbólico de las bases jurídicas en el Tratado de Niza.

La enseñanza fundamental de Niza fue la separación, a nivel político, entre el funcionamiento del procedimiento y su desarrollo futuro. Su buen funcionamiento no implicaba la evolución en positivo del ámbito de la codecisión; por el contrario, para parte de los EEMM, la única posibilidad de tal evolución pasa por la inclusión en el Derecho originario de una definición del acto legislativo que sólo ofrece garantías de reducción del ámbito legislativo existente. Teniendo en cuenta las enseñanzas de Niza, la codecisión, vista desde el plano político-constitucional, se encontraba en el callejón sin salida del acto legislativo, a saber: lo esencial para el desarrollo futuro de la codecisión no pasaba por el funcionamiento del procedimiento.

Lo esencial para abordar el desarrollo de un procedimiento legislativo es atender a las demandas del sistema político y constitucional sobre él, así como a su funcionamiento presente. El último aspecto indicado, tal y como hemos mostrado a lo largo de nuestro estudio, ofrecía y ofrece un bagaje altamente favorable al aumento del ámbito de la codecisión, según el cual, la negación de la mejora del *status* del PE en dicho procedimiento no puede justificarse por hechos presentes o pretéritos centrados en su funcionamiento. La única negación del desarrollo del procedimiento ha de ser el basado en su funcionamiento, no en la simple ausencia de voluntad política.

Pero el TCEu, como en otros aspectos, puso en tela de juicio las enseñanzas de Niza. El aumento del ámbito de la codecisión llegó hasta convertirlo en el procedimiento común, aunque sin mejorar en ningún aspecto la posición del PE dentro del propio procedimiento ni prácticamente dentro del sistema político. Por ello la codecisión, vista desde el plano político-constitucional, puede volver a encontrarse en otro callejón sin salida: lo esencial para el desarrollo futuro del sistema político y constitucional de la Unión, en cuanto a la parlamentarización se refiere, está colmada con el aumento del ámbito de la codecisión y el *statu quo* de los poderes del PE.

## 5.2. Futuro con el Tratado Constitucional y capacidad de mejora

En nuestro estudio de la polémica sobre la definición del "acto legislativo" durante la CIG 2000, pudimos observar cómo desde posiciones contrarias al crecimiento de la codecisión, los argumentos que no pudieron encontrarse en el pasado se buscaron en el futuro, en un futuro desfavorable para la codecisión por el advenimiento de nuevos factores. El centro de dicha argumentación venía dado por la hipotética obturación del procedimiento debido al incremento de bases jurídicas y a la ampliación.

En Niza la codecisión se amplió a 6 nuevos artículos (*Vid.* tabla nº 3). Con el TCEu la codecisión ha crecido necesariamente sobre las bases jurídicas con más volumen legislativo, como la PAC, o sobre bases de gran implicación política como la imposición indirecta. Por ello su entrada en vigor podría provocar una doble tensión sobre el funcionamiento del procedimiento.

Por un lado, el mero hecho de aumentar la capacidad legislativa de los colegisladores tendería a saturar las instituciones, especialmente al Coreper I, el cual cuenta con una agenda para muchos sobrecargada a día de hoy. Por otro lado, la carga política de los expedientes llevados a cabo con las bases jurídicas hoy apartadas de la codecisión, dificultarían el acuerdo entre los actores, aumentando la duración del proceso de toma de decisiones y conciliaciones. Además, se complicaría el calendario y los plazos de los Comités de Conciliación con el consiguiente aumento del riesgo de conciliaciones fallidas. Este futuro negativo tampoco puede olvidarse de que la Unión no está cerrada con 27 Estados.

No puede negarse la evidencia, pero tampoco debe confundirse la crisis en el proceso de toma de decisiones comunitario con la codecisión, y menos con las capacidades del PE. Parte de los problemas subrayados tienen, en primer lugar, las soluciones vinculadas al funcionamiento adecuado de la reforma institucional acordada en Niza y en el Tratado Constitucional, especialmente en sede del Consejo. Además, si el Consejo fuese incapaz de responder a las necesidades de la codecisión y del proceso de toma de decisiones comunitario, estaríamos ante uno de los mayores argumentos para demandar el aumento de poderes del PE.

El contexto pesimista arriba descrito se mitigaría sensiblemente con el perfeccionamiento del procedimiento, el cual, como hemos ido indicando durante nuestro estudio, tiene múltiples externalidades negativas: bien por falta de voluntad política; bien por la falta de praxis connatural a un procedimiento aún joven, sobre todo si hablamos del nuevo procedimiento.

De forma general, el PE, como cualquier Parlamento dotado con los mecanismos parlamentarios propios, estaría capacitado para asumir el aumento del ámbito de la codecisión. Pero no nos encontramos en dicha tesitura sino ante la necesidad de permitirle satisfacer las demandas de la codecisión.

## • En lo concerniente al Parlamento Europeo

El PE tiene que aumentar su disponibilidad, situarse en una situación de "cuasipermanente disponibilidad de interlocución" con el Consejo. Esto debe alcanzarse a través del funcionamiento ininterrumpido de las delegaciones del Comité de Conciliación, aumentando el número de miembros permanentes, de suerte que los cuatro partidos más importantes de la Cámara gocen de dichos miembros, los cuales podrían articular (junto con los líderes de los Grupos Parlamentarios), con mayor celeridad, el nombramiento de los delegados en el Comité de Conciliación. Incluso sería conveniente que se nombrara tal delegación de forma provisional cuando se constata el desacuerdo en segunda lectura. Esto evitaría los casos en los que la Presidencia del Consejo desea iniciar la conciliación y el PE no dispone de una delegación formada. Dicha situación se vivió durante la Presidencia finlandesa debido a la celeridad que imprimió a todos los procesos[354], dando con ello ejemplo de cómo una Presidencia puede facilitar el procedimiento de codecisión.

El margen límite de la primera lectura es hoy todavía una incógnita, su explotación podría allanar mucho el futuro de la codecisión si se cambiasen más los métodos y actitudes. El Consejo tiene en muchos expedientes una opinión bastante perfilada sobre sus intereses tras las primeras reuniones del Grupo de Trabajo. Allí, cuando la Presidencia desea establecer contactos con el ponente, se encuentra con un ponente incapacitado: bien porque no tuvo tiempo de preparar su visión; o bien porque, como ocurre en la inmensa mayoría de los casos, pese a tener clara su posición, desconoce si cuenta

---

[354]    Constancia de elló dejó M. Shackleton, máximo responsable de la codecisión en la Secretaría General del Consejo en la mesa redonda "La procédure de codecision post-Ámsterdam la dynamique interinstitutionnelle". Compte-rendu du séminaire du 18 octobre 1999 organisé par le Secrétariat général de la Commission au Centre Borchette, cit.

con el apoyo del PE al desconocer de forma general el sentir de éste sobre el expediente. La realidad citada es reconocida por el PE[355], quien sabedor de su falta de reflejos se aventuró a afirmar desde un principio, a través de la máxima representación funcional en codecisión, que las aprobaciones en primera lectura se limitarían a los expedientes de carácter técnico[356]; es decir, no más del 10%[357].

La Comisión, por boca de la Comisaría encargada de las relaciones con el PE, se mostró desde un primer momento partidaria de que la nueva posibilidad de cerrar los expedientes en la primera lectura se realice tanto en los expedientes de carácter técnico como en aquellos de carácter político de máxima urgencia[358]. Por mor de alcanzar tal fin, la Comisión asumió su papel de colaborador, eso sí, sin perjuicio de "su independencia"[359].

Decir tal cosa puede implicar poco en favor de la mejora del funcionamiento de la primera lectura, si por independencia de la Comisión se entiende seguir emitiendo propuestas de forma autónoma, sin apercibirse o sin querer advertir el nuevo papel que el Derecho originario y la Declaración común sobre el procedimiento de codecisión le otorgan. En esta valoración coincide el Consejo, considerando que la Comisión no viene realizando su derecho de iniciativa en la forma constructiva demandada por la Declaración común sino en la forma tradicional[360]. La Comisión facilitaría bastante la posibilidad de acuerdo en primera lectura, buscando desde el primer momento el punto medio deseado

---

[355] "En ce qui concerne la possibilité de clore après la première lecture, M. Collins estime que cela pourra être difficile car le Parlement europeén et le Conseil n'ont pas encore de positions bien tranchées". *Ibid.* p. 4.

[356] Así M. Shackleton afirmó que "au cours de la période menant à la première lecture, le Parlement européen et le Conseil n'ont pas encore de positions bien claires. L'univers est donc assez flou. Personne ne sait exactement quoi faire". *Ibid.*, p. 6.

[357] "Ainsi, les accords dans le cadre de la première lecture ne pourront probablement concernés qu'un petit pourcentage de dossiers techniques (10%)". *Ibid.*, p. 6.

[358] "Mme de Palacio souligne l'importance de la possibilité de clore après la première lecture. Cela ne concernera pas uniquement les dossiers techniques et non conflictuels. Cela pourra aussi être utile dans le cadre de dossiers politiquement urgents". *Ibid.*, p. 2.

[359] Al respecto la Sra. Palacio también afirmo: "dans cet état d'esprit, coopération ne veut pas dire l'abandon de l'indépendance de la voix de la Commission". *Ibid.*, p. 3.

[360] "Quant au rôle de la Commission, M. Grünhage revoit à la Déclaration commune[...] constate que la Commission a parfois trop tendance à s'accrocher à sa proposition. La Commission doit utiliser de façon constructive son droit d'initiative". *Ibid.*, p. 5.

lado del Consejo. El problema central radica en el diseño de las lecturas, pues hace reaccionar en primer lugar a la institución menos capacitada para ello. Por el contrario, la institución con mayores reflejos, el Consejo, se ve formalmente obligada a esperar las lecturas parlamentarias. Dicha espera es una carga llevada con gusto por el Consejo, de hecho, lo que se buscó en el diseño del procedimiento no era primordialmente el buen y rápido funcionamiento sino las ventajas ligadas a la posición procesal, en especial la determinación de la posición común y la rehabilitación de la misma tras el fallo de la conciliación. Habiéndose perdido esta última, no cabe duda de que, aun al final, el PE puede vetar la posición contraria del Consejo. Es decir, hoy la conciliación es garantía de colegislación, y como bien se ha observado, el espíritu de la conciliación está presente en todo el procedimiento, desde la primera lectura[362].

Estamos por tanto ante una realidad distinta, donde el sacrificio de alterar el orden de las lecturas entre los colegisladores no sería tan grande para el Consejo como lo hubiese sido antes. Sin embargo, dicha reforma mitigaría la carencia de reacción del PE por otorgar a la institución el tiempo extra de las lecturas del Consejo. Para realizar tal reforma, el Consejo debería asumir plenamente que la codecisión establece un escenario de trabajo legislativo paritario, lo cual, hasta ahora, no parece haber ocurrido[363]. Acaso ahí radique el silencio sobre la posibilidad de alterar el orden de las lecturas.

La filosofía del trabajo paritario debe extenderse a la segunda lectura, la cual ciertamente funciona de una forma muy positiva protagonizando más de la mitad de los acuerdos en codecisión (Vid.Tabla nº 6)[364]. Como se ha indicado desde el Consejo, se trataría de fomentar la colaboración y el "tra-

---

[362]  "L'esprit de la conciliation a désormais contaminé heureusement toute la procédure". Así se afirma por los miembros permanentes de la delegación del PE en el Comité de Conciliación en el "Rapport d'activité du 1er novembre 1993 au 30 avril 1999 de l'entrée en vigueur du traité d'Ámsterdam des délégations au Comité de conciliation. La procédure de codécision sur la base de l'article 189 B du Traité de Maastricht", cit., p. 13.

[363]  "Vu la difficulté du Conseil à accepter un travail législatif vraiment paritaire, ceci ne s'élabore pas sans grande difficulté profond conflit. Pour sa part, le Parlement fait évoluer sa culture législative pour faire face â ses responsabilités actuelles et futures". Así se refleja en las conclusiones del "Rapport d'activité des délégations au Comité de conciliation du 1er mars 1995 au 31 juillet 1996". PE 216.743, punto 22, p. 7.

[364]  Debe recordarse aquí que la segunda lectura se beneficia del allanamiento de los dossieres realizado durante la primera lectura.

por el colegislador, debiendo disponer para ello de todo el tiempo deseado antes de realizar la iniciativa para realizar las consultas pertinentes.

Pese a lo dicho, no se puede culpar a la Comisión de las carencias del Derecho originario, al fin y al cabo, la institución defiende su posición en el espacio que le confiere el Tratado, el cual debería ser reformado para acercar la iniciativa legislativa a los colegisladores en codecisión. Subrayamos "a ambos" colegisladores, dado que tampoco parece coherente limitar la iniciativa de la Comisión con relación exclusivamente al posicionamiento del Consejo.

Mayor responsabilidad recae del lado del PE. Es obvio, independientemente de que el Tratado sitúe a los dos colegisladores en el mismo nivel, que el Consejo, hoy por hoy (y seguramente en el futuro), goza de mayores reflejos que el PE. El Grupo de Trabajo puede tratar la propuesta al día siguiente de su emisión, y el PE puede no tener ponente en dicha fecha; o puede que la comisión competente no se reúna a corto plazo, peor si hablamos de períodos sin sesiones plenarias. En el mejor de los casos, se tendrá como mínimo que esperar a la ponencia. Obviamente, cuando los EEMM tienen un desacuerdo radical, dentro o fuera de la codecisión, se tardará más tiempo en ver los frutos del consenso. Por el contrario, cuando los EEMM tienen un alto grado de acuerdo, o cuando la urgencia de su agenda les fuerza a fijar posiciones, se podría iniciar la interlocución con bastante celeridad. Se trataría pues, como mínimo, de garantizar al Consejo que, cuando esté dispuesto, habrá un "negociador" a punto del lado parlamentario.

La tarea de negociación recae en manos del ponente, pero éste, por una multiplicidad de factores, no reacciona con la celeridad deseada. Para mitigar tal lentitud, en primer lugar, habría que introducir el nombramiento de los ponentes de forma generalizada en vinculación con el programa legislativo anual, posibilitando así la potencial colaboración de éstos con la Comisión en el proceso de formación de la iniciativa. Tanto para la definición completa del programa legislativo anual coherente con las necesidades de la codecisión, como para que esa colaboración inicial fuese fructífera, habría que estar a la posición de la Comisión. Un desajuste entre el programa legislativo anual y la legislación impediría la efectividad de dichas propuestas.

Pero aunque tengamos un ponente preparado (tanto en el ámbito legislativo pertinente como en relación con la propuesta legislativa concreta), éste, en muchas ocasiones, deberá esperar a la primera lectura para conocer la posición real de su institución. Se trataría pues de ganar tiempo al tiempo.

Partiendo de la inflexibilidad de los períodos de sesiones, hay que dotar al ponente, ponente en la sombra y Presidente de la comisión competente sobre el fondo, de un margen de confianza mayor. Para ello, es necesario tener a mano el sentir de los grupos parlamentarios, lo cual demandaría una mayor relación entre este "equipo negociador" y los grupos políticos, al menos desde el momento en el que el ponente tenga conocimiento de la ultimación de la propuesta de la Comisión. El objetivo sería conseguir que la primera reunión de la comisión competente sobre el fondo perfilara su primera lectura y el envío al Pleno.

Con todo ello, el PE estaría en mejores condiciones de responder a la celeridad del Consejo en algunos expedientes. En aquellos donde el propio Consejo dilate su posición, será difícil aumentar la capacidad de la primera lectura por el lado de la aprobación. Habrá pues que intentar mejorar la primera lectura en otras dimensiones como la disminución del período total de ésta y la capacidad de allanar el camino en las siguientes lecturas. Si el Consejo constata la imposibilidad de avanzar más, debería definir su posición lo antes posible, fijando el estado de cosas de la primera lectura y dando paso a la segunda lectura. Estamos aquí desarrollando la dimensión de la primera lectura enfocada a "*déblayer le terrain*"[361].

La celeridad en las lecturas debería fomentarse en todos los procedimientos conflictivos. La experiencia acumulada a día de hoy permite a algunos Grupos de Trabajo y a las comisiones parlamentarias del mismo ámbito conocerse mutuamente lo suficientemente bien como para, en ciertos expedientes, prever la conciliación desde la primera lectura. Lo más correcto en dichas situaciones sería evitar la postergación de la primera lectura más allá de lo necesario para fijar las posiciones, dando posteriormente paso a una segunda lectura sometida a plazos.

## • *El diseño de las lecturas*

Pese a todo lo dicho, el propio funcionamiento de los colegisladores hace muy difícil pensar en una mayor celeridad del lado parlamentario que del

---

[361]    Tomamos la expresión de M. Shackleton: "La procédure de codecision post-Ámsterdam la dynamique interinstitutionnelle". Compte-rendu du séminaire du 18 octobre 1999 organisé par le Secrétariat général de la Commission au Centre Borchette, *cit.*, p. 7.

bajo en paralelo" de las instituciones implicadas[365]. Debería especialmente enfatizarse la participación activa del Consejo en la comisión parlamentaria sobre el fondo y el Pleno. Ello permitiría a la Comisión no desdoblarse y daría al PE argumentos y seguridad para posicionarse. El mantenimiento de la actitud actual parece más enfocado a guardar cartas negociadoras para el Comité de Conciliación que a evitarla vía finalización del procedimiento en primera lectura.

• *En el Consejo*

La alteración del orden de las lecturas conllevaría la obtención de un importante y necesario margen de acción para el PE e indirectamente de una mejora en el funcionamiento del procedimiento, especialmente en la explotación de las dos lecturas. Tal alteración, como es comprensible, repercutiría negativamente en el Consejo recortando el margen disfrutado por la institución hasta el momento, lo cual implicaría la necesidad de profundizar en la mejora de su eficacia en el procedimiento, mejora por lo demás necesaria, aun con menor intensidad, independientemente del mantenimiento del orden de las lecturas.

La invariable necesidad de mejora fue asumida por el Consejo Europeo de Helsinki[366], donde se aprobaron las directrices para la reforma del Consejo y recomendaciones operativas denominadas "Un Consejo eficaz para una Unión ampliada"[367]. Dichas directrices dedicaban un epígrafe específico a la

---

[365]   "Cela va imposer un changement qualitatif et la nécessité d'être capable de travailler en parallèle". Así lo afirma el máximo responsable de la Dorsal codecisión del Consejo Sr. Brunmayr en "Rapport d'activité du 1er novembre 1993 au 30 avril 1999 de l'entrée en vigueur du traité d'Ámsterdam des délégations au Comité de conciliation. La procédure de codécision sur la base de l'article 189 B du Traité de Maastricht", *cit.*, p. 7.

[366]   "Es preciso introducir cambios sustanciales en los métodos de trabajo del Consejo y ello debe hacerse de modo gradual desde ahora para que, en el momento de la ampliación, el Consejo pueda adaptarse sin contratiempos al aumento del número de Estados miembros. El Consejo Europeo *ha aprobado las recomendaciones operativas que figuran en el Anexo III*" (Énfasis añadido). Ver el punto 20 de las "Conclusiones de la Presidencia del Consejo Europeo de Helsinki", 10 y 11 de Diciembre de 1999.

[367]   "Un Consejo eficaz para una Unión ampliada-directrices para la reforma y recomendaciones operativas", incluido en el anexo III de las Conclusiones de la Presidencia

"Mayor eficacia del procedimiento de codecisión". Allí, en primer lugar, se consideró que la Presidencia, como parte integrante de su labor de programación, debería tener debidamente en cuenta la necesidad de programar las reuniones de conciliación y las reuniones preparatorias, teniendo presentes los plazos aplicables a los procedimientos de codecisión. Conjuntamente, se consideró que deberían "entablarse contactos con el Parlamento Europeo en el momento de efectuarse la primera y segunda lecturas con vistas a concluir lo antes posible y con éxito el procedimiento en cuestión"[368].

Junto con estas directrices predeterminadas, se invitó a la Presidencia y a la Secretaría General a proponer otras modificaciones de los métodos de trabajo del Consejo para el tratamiento de actos con arreglo al procedimiento de codecisión, teniendo en cuenta la experiencia adquirida a partir de la aplicación de la Declaración Común[369]. El informe de la Presidencia y la Secretaría General sobre la mejora de la eficacia del procedimiento de codecisión[370], realizado por la Dorsal codecisión, propuso tres frentes para la mejora: calendarios y plazos; desarrollo de los trabajos del Consejo; negociación con el Parlamento Europeo.

El calendario de la Presidencia debe estar orientado a la planificación del procedimiento: publicándose siete meses antes de su comienzo, e indicando los días reservados a las posibles sesiones de conciliación; esforzándose en reservar fechas periódicas (unos dos días al mes) para los encuentros y los diálogos tripartitos necesarios para los trabajos en codecisión, en particular para las reuniones preparatorias de las conciliaciones; esforzándose por establecer, para cada expediente en conciliación, un calendario provisional de las reuniones técnicas (los diálogos tripartitos preparatorios e incluso de las reuniones de conciliación necesarias para el examen del expediente)[371].

---

del Consejo Europeo de Helsinki 10 y 11 de diciembre de 1999. En adelante citado como Un Consejo eficaz III.

[368] Punto 18 de las "Conclusiones de la Presidencia del Consejo Europeo de Helsinki".

[369] Punto 19 de las "Conclusiones de la Presidencia del Consejo Europeo de Helsinki".

[370] "Informe de la Presidencia y de la Secretaría General del Consejo al Consejo Europeo sobre la mejora de la eficacia del procedimiento de codecisión", Bruselas, 28 de noviembre de 2000, 13316/1/00, REV 1, CODEC 875.

[371] Ibid., p. 18, puntos i) a iv).

La Presidencia, dentro de este contexto y asistida por la Secretaría General del Consejo, también deberá hacer un esfuerzo de programación de los trabajos: en las relaciones Consejo-PE, de manera que se puedan estudiar paralelamente los expedientes en primera lectura; con respecto a la futura Presidencia, adaptando la programación de los trabajos al final de su Presidencia para coordinarlos con ella.

Entrando en las mejoras con respecto al desarrollo de los trabajos del Consejo, la Dorsal consideró que las demandas presentes del procedimiento (carácter imperativo de los plazos, multiplicación de los contactos con el Parlamento Europeo, etc.), obligan al Consejo a mostrarse disciplinado y a su Presidencia a dirigir los trabajos de la manera más ordenada y rápida posible.

Entre las medidas concretas propuestas, sin duda merecen ser destacadas aquellas dirigidas a engrasar el engranaje de las lecturas. A tal efecto, se recuerda que la Presidencia podrá, de acuerdo con las directrices para una reforma y las recomendaciones operativas de Helsinki, "invitar a las delegaciones a presentar por escrito sus observaciones y posiciones, de especial utilidad en los expedientes en primera lectura para llegar a definir cuanto antes las orientaciones del Consejo"[372]. Tal medida sin duda es clave e implica un cambio profundo de actitud; las delegaciones no deben actuar en codecisión con la misma táctica que en los ámbitos monopolizados por el Consejo, ello porque la referencia esencial (no la única) debería ser la relación con el colegislador y no la formación de mayorías cualificadas y minorías de bloqueo. Es esencial pues saber qué EEMM apoyan enmiendas inegociables por el PE antes de crear mayorías entorno a enmiendas vetadas a priori por el colegislador.

El cambio de prioridades sin duda demanda que la Presidencia, con vistas a un acuerdo o una conciliación, vele para que las enmiendas del PE sean objeto de un examen exhaustivo por el grupo de trabajo competente. Este examen aportará elementos para un informe completo del grupo al Coreper en el que se precisarán las enmiendas aceptables y las posibles fórmulas de transacción[373].

En tercer lugar, la negociación con el Parlamento Europeo aparece como objetivo inexcusable de mejora. Como indicó la Dorsal codecisión y se desprende de nuestro estudio, a lo largo de todo el procedimiento de codecisión

---

[372]  Ibid., p. 19, punto 4.
[373]  Tal medida también se previó por la Dorsal codecisión, Ibid., p. 19, punto 4.

se necesitan "contactos apropiados" con el Parlamento Europeo para intercambiar y comprender mejor las posiciones respectivas, presentar las dificultades y acotar los desacuerdos, así como para negociar y permitir una conclusión lo más rápida posible del procedimiento legislativo[374]. La modalidad principal de estos "contactos apropiados" es el encuentro tripartito. Los imperativos no son siempre los mismos, dependiendo de la fase del procedimiento y del expediente tratado.

La explotación de los trílogos debe acentuarse en particular en primera lectura, a fin de comprender mejor las posiciones respectivas de los colegisladores y definir las dificultades en la parte del procedimiento donde más se desconocen; se subvierte en la Presidencia el impulso de la celebración de reuniones técnicas (tripartitas), a raíz de las cuales la Presidencia del Grupo de Trabajo informará y dará cuenta a este último de tales reuniones por mor de facilitar el reposicionamiento de las delegaciones.

La importancia de los trílogos demanda la extensión de su retroalimentación al resto de actores implicados, formándose diálogos tripartitos que se adapten a las necesidades, "en particular, para llegar a un acuerdo global en primera o segunda lectura, propondrá que se mantenga un diálogo tripartito ampliado con la participación de los coordinadores de los principales grupos políticos del Parlamento Europeo". Como indica la Dorsal codecisión, la conexión entre actores se debe desarrollar allí donde sea conveniente, aparte de lo mencionado en relación con los trílogos: dentro de la conciliación, potenciando el recurso al procedimiento de canje de notas para la adopción de acuerdos; reforzando la coordinación y la comunicación de la Secretaría General del Consejo con las estructuras homólogas del Parlamento Europeo y la Comisión, a fin de mejorar el seguimiento diario y la preparación de los distintos contactos; y reforzando la colaboración de los Servicios Jurídicos de las tres instituciones por mor de asegurar la buena calidad de la redacción y la legibilidad de las disposiciones adoptadas en codecisión.

Acierta, pues, la Secretaría del Consejo al considerar que lo esencial es colaborar y conocer el sentir del colegislador para conocer el horizonte real del procedimiento, hacerse composición de lugar y facilitar en última instancia la resolución del acto legislativo antes de llegar a la conciliación. Acierta igualmente proponiendo la profundización de mecanismos conocidos y la activación de otros nuevos. Pero falla no entrando en su principal carencia, a

---

[374] *Ibid.*, p. 20.

saber: la falta de posicionamiento institucional del Consejo en sede del PE. Si se mantiene el orden de las lecturas consolidado en el Tratado Constitucional, el Consejo no puede seguir viendo las comisiones parlamentarias y los plenos del PE como una sede de intercambio unidireccional, debe dar al PE la información y las certidumbres que recibe de él. Tal actitud siempre será menos dolorosa y utópica que abrir su sede al PE en los términos en los que dicha sede se le viene ofreciendo.

• *Aportar coherencia a los procedimientos legislativos*

Una mejora obvia antes de la firma del TCEu era la eliminación de la unanimidad en los fundamentos jurídicos guiados por codecisión. Esto afectaría positivamente a todas las fases del procedimiento, especialmente a la conciliación. Como ya se demostró, por ejemplo en el expediente Cultura 2000, la posición inmovilista de un Estado con derecho de veto, puede hacer rehén tanto al PE como al resto de EEMM. Si la unanimidad es regresiva en cualquier procedimiento del pilar comunitario, qué no decir en la codecisión. Poner en el terreno más integracionista la norma de juego más regresiva, va contra el espíritu y la coherencia del procedimiento generando situaciones ilógicas.

Como vimos en la conciliación de la Cultura 2000, la delegación holandesa, haciendo uso de la unanimidad disciplinadora en sede del Consejo de la base jurídica afectada, bloqueó el aumento presupuestario simbólico demandado por el PE. Dicha actitud inmovilista prometía desembocar en fallo a la hora de adoptar el acto. En aquel contexto, la Comisaria de la Cultura, Viviane Reding, tuvo que recordar que el coste de otra reunión del Comité de Conciliación (logística, desplazamientos, etc.) tenía un coste casi tan elevado como el aumento presupuestario necesario para hacer ceder al PE. Pese a ello, y con la oposición contraria del resto de EEMM, la delegación citada no cedió, haciéndolo finalmente el PE con lo que evitó responsablemente el fallo en la consecución del acto legislativo, pese a que, el mantenimiento de una posición más política hubiese legitimado el veto por su parte.

El Tratado Constitucional, no eliminando todas las cohabitaciones entre unanimidad y codecisión, y manteniendo la participación del PE otros procedimientos menores (*vid.* tabla nº 4), imposibilita una valoración plenamente positiva sobre la voluntad de los EEMM por racionalizar los procedimientos legislativos. En cualquier caso, deber ser valorada positivamente la superación que el Tratado Constitucional supuso respecto de la inclusión del acto legislativo planteado en Niza, que fue fruto de la situación de bloqueo en la que se encuentra la voluntad de los EEMM, entre quienes veían cómo el buen funcionamiento del procedimiento excita su evolución y quienes consideran que la misma ha alcanzado su límite.

## • *Aportar certidumbres sobre el futuro de la codecisión*

La salida del punto muerto con el que el procedimiento dio en el Tratado Constitucional pasa por encajar las piezas del puzzle. La primera cuestión a resolver es como siempre el ¿para qué?, ¿cuál es la razón de ser del procedimiento de codecisión? El procedimiento no se creó para mejorar la eficacia de la toma de decisiones, por el contrario se concibió para combatir el déficit constitucional (déficit democrático en la jerga iuseuropea) del sistema, vía participación más intensa del PE en el procedimiento de toma de decisiones. Ello a pesar de que la activación de la codecisión conllevaba el riesgo de repercutir negativamente en el procedimiento de toma de decisiones. Al final del camino recorrido, el procedimiento cumple con el principio de eficacia, lo cual sin duda, en conexión con su contribución a la disminución del déficit democrático de la UE, contribuye a reforzar la legitimidad del proyecto de integración europea.

De cara al futuro debemos recordar que los problemas y dudas vinculados a la ampliación del ámbito del procedimiento de codecisión responden en buena medida a la necesidad de la reforma institucional y del proceso de toma de decisiones más allá de la codecisión. Aquí resultaría cardinal constitucionalizar la naturaleza jurídica y política del Consejo Legislativo, para transformarlo en una verdadera segunda cámara legislativa, tanto en su modo de elección y legitimación como en su configuración dentro del sistema político europeo, desposeído de sus competencias ejecutivas y adoptando los perfiles de una cámara alta en un Estado federal. Personalmente, apostaríamos por el modelo del *Bundesrat*.

Por otro lado, aquellas dudas dirigidas e incidentes que tienen lugar específicamente en el procedimiento de codecisión deben considerar el amplio margen de mejora disponible en relación con el mismo. Dicho margen, sin duda, debilita los argumentos contrarios a desarrollar el papel del PE en el proceso de toma de decisiones comunitario. El procedimiento de codecisión no sólo ha funcionado bien, ha demostrado que puede y sabe reaccionar a las dificultades sobrevenidas y mejorar.

Por todo ello puede concluirse que los límites a la evolución futura del procedimiento están más en la voluntad política de los Estados que en las potencialidades de la codecisión.

# ANEXOS

## ANEXO A. Tabla nº 9: Miembros del Comité de Conciliación por expediente

| Fecha | Asunto | Consejo: Ministros | Coreper | PE Presidente | PE Vice-Presidentes | Presidente comisión sobre el fondo | Miembros comisión sobre el fondo | Otros miembros | Comisarios |
|---|---|---|---|---|---|---|---|---|---|
| 04.03.94 | FP Research | 9 | 3 | - | 3 | 1 | 5 | 2 | 1 |
| 21.03.94* | FP Research | 10 | 2 | 1 | 2 | 1 | 3 | 3 | 1 |
| 22.03.94 | Engine power | 2 | 10 | 1 | 3 | 1 | 5 | - | 1 |
| 29.03.94* | Voice telephony | 1 | 11 | 1 | 2 | 1 | 3 | - | |
| 12.04.94* | Deposit guarantees | 1 | 11 | 1 | 1 | 1 | 5 | 1 | 1 |
| 26.04.94 | Recreational craft + mechan. Couplings + voice telephony | 1 | 11 | 1 | 2 | 1 | 3 | - | |
| 20. 09.94* | VOC + packaging Time share contracts | 1 | 11 | 1 | 2 | I | 8 | 1 | 2 |
| 18.10.94 | Engine power | 1 | 11 | - | 1 | 1 | 5 | - | 1 |
| 10.10.94* | VOC+packaging | 1 | 11 | - | 3 | 1 | 8 | - | 1 |
| 08.11.94 | VOC+packaging | 1 | 11 | - | 2 | 1 | 9 | - | 1 |
| 28.11.94 | Biotechnology | 1 | 11 | - | 2 | 1 | 4 | 2 | |
| 05.12.94* | Youth Socrates | 7** | 6 | - | 2 | 1 | 5 | 1 | 1 |
| 13.12.94 (EL) | Enginepower | - | - | - | - | - | - | - | |
| 12.01.95* | Biotechnology | 1 | 14 | - | 1 | 1 | 7 | 3 | |
| 23.01.95 | Biotechnology | 1 | 14 | - | 2 | 1 | 7 | 4 | 1 |
| 25.01.95 | Youth+ Socrates | 2** | 14 | - | 3 | 1 | 6 | 3 | 1 |
| 21.03.95* | Lifts | 1 | 15 | - | 1 | 1 | 7 | 1 | 1 |
| 30.03.95 | Prudential supervision + Noise emissions (SD) | 1 / 1 | 15 / 15 | - | 2 / 2 | - | 6 / 6 | - | 1 |
| 04.12.95* | Kaleidoscope | I | 15 | - | 3 | 1 | 4 | - | |
| 19.12.95 | Health(cancer+ AIDS +public health) | 1 | 15 | - | 1 | 1 | 8 | - | I |

| Fecha | Asunto | Consejo: Ministros | Coreper | PE Presidente | PE Vice-Presidentes | Presidente comisión sobre el fondo | Miembros comisión sobre el fondo | Otros miembros | Comisarios |
|---|---|---|---|---|---|---|---|---|---|
| 29.01.96 (EL) | Kaleidoscope | - | - | - | - | - | - | - | |
| 07.02.96* | Energy | 1 | 15 | - | 3 | 1 | 6 | 5 | 1 |
| 27.03.96 | Energy | 1 | 15 | - | 2 | 1 | 6 | 5 | 1 |
| 24.04.96 | Transport | 1 | 15 | - | 2 | 1 | 9 | 3 | |
| 28.05.96* | Transport | 1 | 15 | - | 2 | 1 | 9 | 3 | |
| 12.06.96 | Transport | 1 | 15 | - | 2 | I | 8 | 3 | |
| 17.06.96 | Transport | 1 | 15 | - | 2 | 1 | 8 | 2 | 1 |
| 01.10.96 | Drugdepen-dence | 1 | 15 | - | 1 | 1 | 8 | - | |
| 01.10.96 | Distance contracts | 1 | 15 | - | | 1 | 4 | - | |
| 10.10.96* | Customs 2000 | 1 | 15 | - | | 1 | 6 | - | |
| 10.10.96* | Cross-border credit transfers | 1 | 15 | - | | - | 7 | - | |
| 16.10.96* | Novel foods + Labelling (SD) | 1 | 15 | - | | 1 | 13 | - | |
| 04.11.96 | Novelfoods | I | 15 | - | | 1 | 10 | - | |
| 07.11.96 | Distance contracts | 1 | 15 | - | | 1 | 7 | - | |
| 18.11.96 (EL) | Cross-border credit transfers | - | - | - | | - | - | - | |
| 27.11.96* | Novelfoods + distance contracts (SD) | 1<br>1 | 15<br>15 | -<br><br>- | | I I | 12<br>5<br>- | - | 11 |
| 18.12.96* | Investor com-pensation | 1 | 15 | - | | - | 4 | - | |
| 04.02.97 | Two- and three-wheel motor vehicles + pressure equipment | 1 | 15 | - | | 1 | 13 | - | |
| 07.03.97* | TEN-Telecom | 1 | 15 | - | | | | | |
| 19.03.97 | ONP intercon-nection | 1 | 15 | - | | 1 | 7 | - | |
| 16.04.97* | TV broadcasting | 1 | 15 | - | | | 14 | - | |
| 16.04.97* | Health monitor-ing | 1 | 15 | - | | 1 | 6 | 1 | |
| 28.05.97 | Ariane/Raphael + Doctors (SD) + Telecom compctition (SD) | 1 | 15 | - | | 1 | 6 | - | |
| 25.06.97* | Comparative advertising | 1 | 15 | - | | 1 | 8 | - | |

| Fecha | Asunto | Consejo: Ministros | Coreper | PE Presidente | PE Vice-Presidentes | Presidente comisión sobre el fondo | Miembros comisión sobre el fondo | Otros miembros | Comisarios |
|---|---|---|---|---|---|---|---|---|---|
| 02.07.97 | Raphael | 1 | 15 | - | | I | S | - | |
| 09.09.97* | Fourth framework programme for RTD | 1 | 15 | - | | 1 | 6 | 1 | |
| 23.09.97 | Fourth framework programme for RTD | 1 | 15 | - | | 1 | 10 | 1 | |
| 24.09.97* | Data protection | 1 | 15 | - | | 1 | 3 | - | |
| 05.11.97 (EL) | Data protection | - | - | - | | - | - | - | |
| 06.11.97* | Price indication +postal services (SD) +water contracts (SD) | 2** | 15 | - | | 1 | 5 | - | |
| 11.11.97 | Biocidalproducts + mobile machinery | 1 | 15 | - | | 1 | 9 | 1 | |
| 10.12.97* | Socrates | 1 | 15 | 1 | | 1 | 6 | - | |
| 10.12.97* | ONP-voice telephony | 1 | 15 | - | | 1 | 9 | 3 | |
| 11.12.97 (EL) | Biocidal products | - | - | - | | - | - | - | |
| 10.02.98 | Securities | - | 15 | - | 1 | - | 3 | - | |
| 07.04.98 (EL) | Securities | - | - | - | | - | - | - | |
| 27.05.98 | Epidemiological surveillance | 1 | 15 | - | 2 | 1 | 8 | - | |
| 02.06.98 | Designs and models ± 5th environment programme (SD) | 1 | 15 | - | 1 | - | 17 | - | |
| 11.06.98* | European voluntary scrvice | 1 | 15 | - | 2 | 1 | 4 | - | |
| 24.06.98 | Designs and models | 1 | 15 | - | 2 | 1 | 10 | - | |
| 23.06.98 (EL) | European voluntary service | - | - | - | - | - | - | - | |
| 29.06.98 | Auto-oil (diesel + 2 x air pollution) | 1 | 15 | - | 1 | 1 | 7 | 1 | |
| 29.09.98* | Fifth framework programme for RTD | 1 | 15 | - | 2 | - | 12 | - | |

| Fecha | Asunto | Consejo: Ministros | Coreper | PE Presidente | PE Vice-Presidentes | Presidente comisión sobre el fondo | Miembros comisión sobre el fondo | Otros miembros | Comisarios |
|---|---|---|---|---|---|---|---|---|---|
| 12.10.98 | Fifth framework programme for RTD | 1 | 15 | - | I | - | 11 | 1 | |
| 15.10.98 | Foodirradiation | 1 | 15 | - | 1 | 1 | 7 | - | |
| 10.11.98* | Fifthframework programme for RTD | 1 | 15 | - | 2 | 1 | 14 | - | 2 |
| 17.11.98* | Fifthframework programme for RTD coffee/ chicory (SD) - telecom equip.(SD) | 1 | 15 | - | 2 | 1 | 18 | - | |
| 08.12.98* | Food irradiation | 1 | 15 | - | 2 | 1 | 6 | - | |
| 04.02.99* | Rare diseases -pollution + Euro-City of Culture (SD) | 1 | 15 | - | 2 | 1 | 6 | - | |
| 18.03.99* | Qualifications + Statistics (SD) ± Sales and guarantees (SD) ± Foodstuffs (SD) | 1 | 15 | - | 1 | 1 | 5 | - | |
| 22.04.99 (EL) | Qualifications | - | - | - | - | - | - | - | |

Fuente, EP Conciliation Activity Report, abril 1999 (pese a no estar actualizados sus resultados en Activities Reports posteriores, los hemos considerado ilustrativos para nuestro estudio por su dimensión cualitativa).
*  En la sede del Parlamento Europeo; los otros encuentros tuvieron lugar en la sede del Consejo.
**La Presidencia estuvo representada por dos Ministros.
***Tuvo lugar en la sede del Parlamento Europeo en Luxemburgo: el resto de los encuentros tuvieron lugar en Bruselas
EL(exchange of letters) el encuentro fue sustituido por un intercambio de notas.
SD(sin debate) El acto fue adoptado como punto "A" de la agenda sin debate.

## ANEXO B. Artículo 251 del Tratado CE

1. Cuando en el presente Tratado, para la adopción de un acto, se haga referencia al presente articulo, se aplicará. el procedimiento siguiente.

2. La Comisión presentará una propuesta al Parlamento Europeo y al Consejo.

El Consejo, por mayoría cualificada, previo dictamen del Parlamento Europeo,

- si aprobara todas las enmiendas contenidas en el dictamen del Parlamento Europeo, podrá. adoptar el acto propuesto asi modificado;
- si el Parlamento Europeo no propusiera enmienda alguna, podrá. adoptar el acto propuesto;
- en los demás casos, adoptar una posición común y la transmitirá al Parlamento Europeo. El Consejo informará plenamente al Parlamento Europeo de los motivos que le hubieran conducido a adoptar su posición común. La Comisión informará plenamente sobre su posición al Parlamento Europeo.

Si, transcurrido un plazo de tres meses desde esa comunicación, el Parlamento Europeo

a) aprobara la posición común o no tomara decisión alguna, el acto de que se trate se considerará adoptado con arreglo a esa posición común;

b) rechazara, por mayoría absoluta de sus miembros, la posición común, el acto propuesto se considerará no adoptado;

c) propusiera enmiendas de la posición común por mayoría absoluta de sus miembros, el texto modificado será transmitido al Consejo y a la Comisión, que emitirá un dictamen sobre estas enmiendas.

3. Si en un plazo de tres meses desde la recepción de las enmiendas del Parlamento Europeo, el Consejo aprobara por mayoría cualificada todas ellas, se considerará que el acto de que se trate ha sido adoptado en la forma de la posición común asi modificada; no obstante, el Consejo deberá pronunciarse por unanimidad sobre aquellas enmiendas que hayan sido objeto de un dictamen negativo de la Comisión. Si el Consejo no aprobara todas las enmiendas, el presidente del Consejo, de acuerdo con el presidente del Parlamento Europeo, convocará. en el plazo de seis semanas una reunión del Comité de Conciliación.

4. El Comité de Conciliación, que estará compuesto por los miembros del Consejo o sus representantes y por un número igual de representantes del Parlamento Europeo, procurará alcanzar un acuerdo sobre un texto conjunto, por mayoría cualificada de los miembros del Consejo o sus representantes y por mayoría simple de los representantes del Parlamento Europeo. La Comisión participará en los trabajos del Comité de Conciliación y adoptará. todas las iniciativas necesarias para favorecer un acercamiento de las posiciones del Parlamento Europeo y del Consejo. Al realizar esta misión, el Comité de Conciliación examinará la posición común sobre la base de las enmiendas propuestas por el Parlamento Europeo.

5. Si en el plazo de seis semanas después de haber sido convocado, el Comité de Conciliación aprobara un texto conjunto, el Parlamento Europeo y el Consejo dispondrán cada uno de seis semanas a partir de dicha aprobación

JOSÉ MANUEL MARTÍNEZ SIERRA

para adoptar el acto en cuestión conforme al texto conjunto, pronunciándose respectivamente por mayoría absoluta de los votos emitidos y por mayoría cualificada. Si cualquiera de ambas instituciones no aprobará el acto propuesto dentro de dicho plazo, éste se considerará. no adoptado.

6. Si el Comité de Conciliación no aprobara un texto conjunto, el acto propuesto se considerará. no adoptado.

7. Los periodos de tres meses y de seis semanas a que se refiere el presente articulo podrán ampliarse, como máximo, en un mes y dos semanas respectivamente, a iniciativa del Parlamento Europeo o del Consejo.

## ANEXO C. Declaración común sobre las modalidades prácticas del nuevo procedimiento de codecisión

(Artículo 251 del Tratado Constitutivo de la Comunidad Europea)

## 0. PREÁMBULO

El Parlamento Europeo, el Consejo y la Comisión, denominados en lo sucesivo las "instituciones", constatan que la práctica actual de los contactos entre la Presidencia del Consejo, la Comisión y los Presidentes de las comisiones competentes y/o los ponentes del Parlamento, así como entre los copresidentes del Comité de Conciliación, ha demostrado su eficacia. Las instituciones confirman que dicha práctica debe desarrollarse en todas las fases del procedimiento de codecisión. Las instituciones se comprometen a examinar sus métodos de trabajo con vistas a utilizar eficazmente todas las posibilidades que ofrece el nuevo procedimiento de codecisión.

Las instituciones, con arreglo a lo dispuesto en sus respectivos reglamentos internos, harán cuanto sea necesario para promover la información recíproca sobre los trabajos de codecisión.

## I. PRIMERA LECTURA

1.Las instituciones cooperarán de buena fe con objeto de acercar al máximo sus posiciones de modo que, en la medida de lo posible, el acto pueda ser adoptado en primera lectura.

2.Las instituciones procurarán que los calendarios de trabajo respectivos se coordinen, en la medida de lo posible, para facilitar el desarrollo de los trabajos de la primera lectura de manera coherente y convergente en el Parlamento Europeo y en el Consejo. Las instituciones establecerán los contactos apropiados para realizar un seguimiento de la evolución de los trabajos y analizar su grado de convergencia.

3.La Comisión procurará favorecer los contactos y ejercerá su derecho de iniciativa de manera constructiva con vistas a facilitar un acercamiento de las posiciones del Consejo y del Parlamento Europeo, respetando el equilibrio interinstitucional y el papel que le confiere el Tratado.

## II. SEGUNDA LECTURA

1.En su exposición de motivos, el Consejo explicará lo más claramente posible las razones que le han llevado a aprobar su posición común. Con ocasión de su segunda lectura, el Parlamento Europeo tendrá lo más en cuenta posible dicha motivación, así como el dictamen de la Comisión.

2.Se podrán establecer los contactos apropiados con objeto de comprender mejor las posiciones respectivas y permitir una conclusión lo más rápida posible del procedimiento legislativo.

3.La Comisión procurará favorecer los contactos y expresará su opinión con vistas a facilitar un acercamiento de las posiciones del Consejo y del Parlamento Europeo, respetando el equilibrio interinstitucional y el papel que le confiere el Tratado.

## III. CONCILIACIÓN

1.El Comité de Conciliación será convocado por el Presidente del Consejo, de acuerdo con el Presidente del Parlamento Europeo y dentro del respeto de las disposiciones del Tratado.

2.La Comisión participará en los trabajos del Comité de Conciliación y adoptará todas las iniciativas necesarias para favorecer un acercamiento de las posiciones del Parlamento Europeo y del Consejo. Dichas iniciativas podrán consistir, principalmente, en proyectos de textos de transacción, teniendo en cuenta las posiciones del Consejo y del Parlamento Europeo y respetando las funciones que le confiere el Tratado.

3.La Presidencia del Comité será ejercida de forma conjunta por el Presidente del Parlamento Europeo y el Presidente del Consejo.

Las reuniones del Comité serán presididas, alternativamente, por cada uno de los copresidentes.

Las fechas en que se reúna el Comité, al igual que sus órdenes del día, serán fijados de común acuerdo entre los copresidentes. Se consultará a la Comisión sobre las fechas previstas. El Parlamento Europeo y el Consejo reservarán, a título indicativo, fechas apropiadas para trabajos de conciliación e informarán de ello a la Comisión.

Dentro del respeto de las disposiciones del Tratado relativas a los plazos, el Parlamento Europeo y el Consejo tendrán en cuenta, en la medida de lo posible, los imperativos de calendario, en particular los derivados de los períodos de interrupción de actividad de las instituciones, así como de las elecciones al

Parlamento Europeo. En cualquier caso, la interrupción de la actividad será lo más breve posible.

Las reuniones del Comité se celebrarán, alternativamente, en los locales del Parlamento Europeo y del Consejo.

4.El Comité tendrá a su disposición la propuesta de la Comisión, la posición común del Consejo, las enmiendas propuestas por el Parlamento Europeo, el dictamen de la Comisión sobre las mismas, así como un documento de trabajo conjunto de las delegaciones del Parlamento Europeo y del Consejo. La Comisión presentará su dictamen, por regla general, dentro de las dos semanas siguientes a la recepción oficial del resultado de la votación del Parlamento Europeo y, como muy tarde, antes del comienzo de los trabajos de conciliación.

5.Los copresidentes podrán presentar textos a la aprobación del Comité.

6.El detalle de las votaciones y, en su caso, las explicaciones de voto en el seno de cada delegación en el Comité de Conciliación serán transmitidos al Comité.

7.El acuerdo sobre el texto conjunto se hará constar en una reunión del Comité de Conciliación o, posteriormente, mediante un intercambio de correspondencia entre los copresidentes. Se transmitirá a la Comisión copia de esta correspondencia.

8.En caso de que el Comité alcanzare un acuerdo sobre un texto conjunto, el texto de éste, tras haber sido objeto de una puesta a punto jurídicolingüística por los juristas-lingüistas, será sometido a la aprobación de los copresidentes.

9.Los copresidentes transmitirán el texto conjunto así aprobado a los Presidentes del Parlamento Europeo y del Consejo mediante una carta firmada conjuntamente. Cuando el Comité de Conciliación no pudiere dar su acuerdo a un texto conjunto, los copresidentes informarán de ello a los Presidentes del Parlamento Europeo y del Consejo mediante una carta firmada conjuntamente. Estas cartas harán las veces de acta. Se transmitirá copia de ellas a la Comisión con carácter informativo.

10.Desempeñarán las funciones de secretaría del Comité de forma conjunta la Secretaría General del Consejo y la Secretaría General del Parlamento Europeo, en asociación con la Secretaría General de la Comisión.

## IV.  DISPOSICIONES GENERALES

1.Si el Parlamento Europeo o el Consejo consideraren absolutamente necesario prorrogar los plazos previstos en el artículo 251 del Tratado constitutivo de la Comunidad Europea, informarán de ello al Presidente de la otra institución y a la Comisión.

2.La puesta a punto de los textos será realizada en estrecha cooperación y de común acuerdo por los juristas-lingüistas del Consejo y del Parlamento Europeo.

3.Una vez adoptado el acto legislativo en codecisión por el Parlamento Europeo y el Consejo, el texto se presentará a la firma del Presidente del Parlamento Europeo, del Presidente del Consejo y de los Secretarios Generales de ambas instituciones.

El texto así firmado conjuntamente se transmitirá al Diario Oficial para su publicación, si es posible, en el plazo máximo de un mes, y, en cualquier caso, a la mayor brevedad.

4.Si una de las instituciones detectare un error material en un texto (o en una de las versiones lingüísticas), informará de ello inmediatamente a las otras instituciones. Si dicho error se refiere a un acto aún no adoptado, los servicios de juristas-lingüistas del Parlamento Europeo y del Consejo pondrán a punto, en estrecha cooperación, el necesario corrigendum. Si dicho error se refiere a un acto ya adoptado o, en su caso, ya publicado, el Parlamento Europeo y el Consejo adoptarán de común acuerdo una corrección de errores establecida con arreglo a sus procedimientos respectivos.

### ANEXO D. Artículo III- 396 del Tratado por el que se establece una Constitución para Europa

**Artículo III-396**

1. Cuando, en virtud de la Constitución, las leyes o leyes marco europeas se adopten por el procedimiento legislativo ordinario, se aplicarán las siguientes disposiciones.

2. La Comisión presentará una propuesta al Parlamento Europeo y al Consejo.

**Primera lectura**

3. El Parlamento Europeo aprobará su posición en primera lectura y la transmitirá al Consejo.

4. Si el Consejo aprueba la posición del Parlamento Europeo, se adoptará el acto de que se trate en la formulación correspondiente a la posición del Parlamento Europeo.

5. Si el Consejo no aprueba la posición del Parlamento Europeo, adoptará su posición en primera lectura y la transmitirá al Parlamento Europeo.

6. El Consejo informará cumplidamente al Parlamento Europeo de las razones que le hayan llevado a adoptar su posición en primera lectura. La Comisión informará cumplidamente de su posición al Parlamento Europeo.

**Segunda lectura**

7. Si, en un plazo de tres meses a partir de dicha transmisión, el Parlamento Europeo:

a) aprueba la posición del Consejo en primera lectura o no toma decisión alguna, el acto de que se trate se considerará adoptado en la formulación correspondiente a la posición del Consejo;

b) rechaza, por mayoría de los miembros que lo componen, la posición del Consejo en primera lectura, el acto propuesto se considerará no adoptado;

c) propone, por mayoría de los miembros que lo componen, enmiendas a la posición del Consejo en primera lectura, el texto así modificado se transmitirá al Consejo y a la Comisión, que dictaminará sobre dichas enmiendas.

8. Si, en un plazo de tres meses a partir de la recepción de las enmiendas del Parlamento Europeo, el Consejo, por mayoría cualificada,

a) aprueba todas estas enmiendas, el acto de que se trate se considerará adoptado;

b) no aprueba todas las enmiendas, el Presidente del Consejo, de acuerdo con el Presidente del Parlamento Europeo, convocará al Comité de Conciliación en un plazo de seis semanas.

9. El Consejo se pronunciará por unanimidad sobre las enmiendas que hayan sido objeto de un dictamen negativo de la Comisión.

**Conciliación**

10. El Comité de Conciliación, que estará compuesto por los miembros del Consejo o sus

representantes y por un número igual de miembros que representen al Parlamento Europeo, tendrá por misión alcanzar, en el plazo de seis semanas a partir de su convocatoria, un acuerdo por mayoría cualificada de los miembros del Consejo o sus representantes y por mayoría de los miembros que representen al Parlamento Europeo, sobre un texto conjunto basado en las posiciones del Parlamento Europeo y del Consejo en segunda lectura.

11. La Comisión participará en los trabajos del Comité de Conciliación y tomará todas las iniciativas necesarias para propiciar un acercamiento entre las posiciones del Parlamento Europeo y del Consejo.

12. Si, en un plazo de seis semanas a partir de su convocatoria, el Comité de Conciliación no aprueba un texto conjunto, el acto propuesto se considerará no adoptado.

**Tercera lectura**

13. Si, en este plazo, el Comité de Conciliación aprueba un texto conjunto, el Parlamento Europeo y el Consejo dispondrán cada uno de seis semanas a partir de dicha aprobación para adoptar el acto de que se trate conforme a dicho texto, pronunciándose el Parlamento Europeo por mayoría de los votos emitidos y el Consejo por mayoría cualificada. En su defecto, el acto propuesto se considerará no adoptado.

14. Los períodos de tres meses y de seis semanas contemplados en el presente artículo podrán ampliarse, como máximo, en un mes y dos semanas respectivamente, por iniciativa del Parlamento Europeo o del Consejo.

**Disposiciones particulares**

15. Cuando, en los casos previstos por la Constitución, una ley o ley marco europea se someta al procedimiento legislativo ordinario por iniciativa de un grupo de Estados miembros, por recomendación del Banco Central Europeo o a instancia del Tribunal de Justicia, no se aplicarán el apartado 2, la segunda frase del apartado 6 ni el apartado 9.

En estos casos, el Parlamento Europeo y el Consejo transmitirán a la Comisión el proyecto de acto, así como sus posiciones en primera y segunda lecturas. El Parlamento Europeo o el Consejo podrá pedir el dictamen de la Comisión a lo largo de todo el procedimiento y la Comisión podrá dictaminar asimismo por propia iniciativa. La Comisión también podrá, si lo considera necesario, participar en el Comité de Conciliación de conformidad con el apartado 11.

## ANEXO E. Reglamento del Parlamento Europeo sobre la Codecisión

### TÍTULO II.

### De la Legislación, Presupuesto y Otros Procedimientos

### CAPÍTULO 1.

*De los Procedimientos Legislativos. Disposiciones Generales*

**Artículo 33.-** *Programa legislativo y de trabajo de la Comisión*

1. El Parlamento, junto con la Comisión y el Consejo, participará en la definición de la programación legislativa de la Unión Europea.

El Parlamento y la Comisión cooperarán en la preparación del programa legislativo y de trabajo de la Comisión de acuerdo con el calendario y las modalidades acordados por las dos instituciones que figuran como anexo al Reglamento(1).

2. En circunstancias urgentes e imprevistas, una institución podrá proponer, por propia iniciativa y de acuerdo con los procedimientos establecidos en los Tratados, que se añada una medida legislativa a las propuestas en el programa legislativo.

3. El Presidente remitirá la resolución aprobada por el Parlamento a las demás instituciones que participen en el procedimiento legislativo de la Unión Europea y a los Parlamentos de los Estados miembros.

El Presidente pedirá al Consejo que se pronuncie sobre el programa legislativo anual de la Comisión así como sobre la resolución del Parlamento.

4. En caso de que una institución no pudiere cumplir el calendario establecido, notificará sus motivos a las otras instituciones y propondrá un nuevo calendario.

**Artículo 34.**- *Examen del respeto de los derechos fundamentales, de los principios de subsidiariedad y proporcionalidad, del Estado de Derecho y de las repercusiones financieras*

Durante el examen de una propuesta legislativa, el Parlamento deberá considerar especialmente si se respetan los derechos fundamentales y, en particular, si el acto legislativo es conforme a la Carta de los Derechos Fundamentales de la Unión Europea, así como a los principios de subsidiariedad y proporcionalidad y al Estado de Derecho. Por otra parte, si la propuesta tuviere repercusiones financieras, el Parlamento deberá comprobar que se han previsto suficientes recursos financieros.

**Artículo 35.**- *Verificación del fundamento jurídico*

1. Para todas las propuestas de la Comisión y demás documentos de índole legislativa, la comisión competente verificará en primer lugar el fundamento jurídico.

2. Si la comisión competente impugnare la validez o la procedencia del fundamento jurídico, incluido el examen de la conformidad con el artículo 5 del Tratado CE, solicitará la opinión de la comisión competente para asuntos jurídicos.

3. La comisión competente para asuntos jurídicos podrá intervenir por propia iniciativa en las cuestiones relativas al fundamento jurídico de las propuestas presentadas por la Comisión. En tal caso, informará debidamente a la comisión competente.

4. Si la comisión competente para asuntos jurídicos decidiere cuestionar la validez o la procedencia del fundamento jurídico, comunicará sus conclusiones al Parlamento. El Parlamento votará sobre el particular antes de proceder a la votación sobre el fondo de la propuesta.

5. No se admitirán las enmiendas presentadas en el Pleno con la finalidad de modificar el fundamento jurídico sin que la comisión competente para el fondo o la comisión competente para asuntos jurídicos hubieren cuestionado la validez o la procedencia del fundamento jurídico.

6. Si la Comisión no aceptare modificar su propuesta para adecuarla al fundamento jurídico aprobado por el Parlamento, el ponente o el presidente de la comisión competente para asuntos jurídicos o de la comisión competente para el fondo podrán proponer que se aplace a una sesión ulterior la votación sobre el contenido sustancial de la propuesta.

**Artículo 36.-** *Comprobación de la compatibilidad financiera*

1. Para cualquier propuesta de la Comisión o cualquier otro documento de carácter legislativo, sin perjuicio de lo dispuesto en el artículo 40, la comisión competente comprobará la compatibilidad financiera del acto en cuestión con las Perspectivas Financieras.

2. Cuando la comisión competente modifique la dotación financiera del acto examinado, solicitará la opinión de la comisión competente para los asuntos presupuestarios.

3. La comisión competente para los asuntos presupuestarios podrá asimismo, por propia iniciativa, entender de cuestiones relativas a la compatibilidad financiera de las propuestas presentadas por la Comisión. En ese caso, informará debidamente a la comisión competente.

4. Si la comisión competente para los asuntos presupuestarios decidiere impugnar la compatibilidad financiera de la propuesta, remitirá sus conclusiones al Parlamento, que las someterá a votación.

5. El Parlamento podrá adoptar un acto declarado incompatible sin perjuicio de la decisión de la autoridad presupuestaria.

**Artículo 37.-** *Información y acceso del Parlamento a los documentos*

1. A lo largo de todo el procedimiento legislativo, el Parlamento y sus comisiones podrán pedir que se les facilite el acceso a todos los documentos relacionados con las propuestas de la Comisión en igualdad de condiciones con el Consejo y con los grupos de trabajo de éste.

2. Durante el examen de una propuesta de la Comisión, la comisión competente pedirá a la Comisión y al Consejo que la mantengan informada del estado en que se encuentra la citada propuesta en el Consejo y en sus grupos de trabajo, en particular de cualquier posibilidad de compromiso que introdujere modificaciones sustanciales en la propuesta inicial de la Comisión, o bien de la intención de la Comisión de retirar su propuesta.

**Artículo 38.-** *Representación del Parlamento en las reuniones del Consejo*

Cuando el Consejo invite al Parlamento a participar en una reunión del Consejo en la que el primero actúe como legislador, el Presidente pedirá al presidente o al ponente de la comisión competente, o a otro diputado designado por esta comisión, que represente al Parlamento.

**Artículo 39.-** *Iniciativa de conformidad con el artículo 192 del Tratado CE*

1. El Parlamento podrá solicitar a la Comisión que presente, para la adopción de actos nuevos o la modificación de actos existentes, las propuestas oportunas, de conformidad con el segundo párrafo del artículo 192 del Tratado CE,

mediante resolución basada en un informe de propia iniciativa de la comisión competente. La resolución deberá ser aprobada por mayoría de los diputados que integran el Parlamento. Al mismo tiempo, el Parlamento podrá fijar un plazo para la presentación de la propuesta.

2. Antes de iniciar el procedimiento definido en el artículo 45, la comisión competente se asegurará de que ninguna propuesta de esta índole se halla en fase de elaboración

a) bien porque no figure en el programa legislativo anual,

b) bien porque los preparativos de la propuesta no se hayan iniciado o lleven injustificado retraso,

c) bien porque la Comisión no haya respondido positivamente a anteriores solicitudes, formuladas por la comisión competente o contenidas en resoluciones aprobadas por el Parlamento por mayoría de los votos emitidos.

3. La resolución del Parlamento indicará el fundamento jurídico procedente e irá acompañada de recomendaciones detalladas respecto al contenido de la propuesta solicitada, que deberá respetar los derechos fundamentales y el principio de subsidiariedad.

4. Si la propuesta solicitada tuviere repercusiones financieras, el Parlamento indicará la forma de proveer una cobertura financiera suficiente.

5. La comisión competente seguirá el desarrollo de toda propuesta legislativa elaborada en virtud de una solicitud específica del Parlamento.

**Artículo 40.-** *Examen de documentos legislativos*

1. Las propuestas de la Comisión y demás documentos de índole legislativa serán remitidos por el Presidente para examen a la comisión competente.

En caso de duda, el Presidente podrá aplicar el apartado 2 del artículo 179 antes de anunciar al Parlamento la remisión a la comisión competente.

Cuando una propuesta figurare en el programa legislativo anual, la comisión competente podrá decidir el nombramiento de un ponente encargado de seguir su elaboración.

Las consultas procedentes del Consejo o las solicitudes de dictamen presentadas por la Comisión serán remitidas por el Presidente a la comisión competente para examen de la propuesta de que se trate.

Se aplicarán a las propuestas legislativas las disposiciones relativas a la primera lectura establecidas en los artículos 34 a 37, 49 a 56 y 66, tanto si requieren una como dos o tres lecturas.

2. Las posiciones comunes del Consejo serán remitidas para examen a la comisión competente en primera lectura.

Se aplicarán a las posiciones comunes las disposiciones de los artículos 57 a 62 y 67 relativas a la segunda lectura.

3. No podrá haber devolución a comisión durante el procedimiento de conciliación entre el Parlamento y el Consejo que siga a la segunda lectura.

Se aplicarán al procedimiento de conciliación las disposiciones de los artículos 63, 64 y 65 relativas a la tercera lectura.

4. No se aplicarán a la segunda y tercera lecturas los artículos 42, 43, 46, los apartados 1 y 3 del artículo 51 ni los artículos 52, 53 y 168.

5. En caso de discrepancia entre una disposición del Reglamento sobre la segunda y tercera lecturas, y cualquier otra disposición del Reglamento, se aplicará prioritariamente la relativa a la segunda y tercera lecturas.

**Artículo 41.**- *Consulta sobre iniciativas procedentes de un Estado miembro*

1. Las iniciativas procedentes de un Estado miembro de conformidad con el apartado 1 del artículo 67 del Tratado CE o el apartado 2 del artículo 34 y el artículo 42 del Tratado UE se regirán por las disposiciones del presente artículo y de los artículos 34 a 37, 40 y 51 del Reglamento.

2. La comisión competente podrá invitar a un representante del Estado miembro del que proceda la iniciativa a presentar esta última a la comisión. El representante podrá estar acompañado por la Presidencia del Consejo.

3. Antes de proceder a la votación, la comisión competente preguntará a la Comisión si ha preparado una posición sobre la iniciativa y, en caso afirmativo, le pedirá que le comunique esta posición.

4. Cuando dos o más propuestas, procedentes de la Comisión y/o de los Estados miembros, con el mismo objetivo legislativo, se presenten al Parlamento simultáneamente o dentro de un plazo breve, el Parlamento las tramitará en un informe único. En este informe, la comisión competente indicará a qué texto propone enmiendas y en la resolución legislativa se referirá a todos los demás textos.

5. El plazo al que se refiere el apartado 1 del artículo 39 del Tratado UE comenzará a correr cuando se anuncie en el Pleno la recepción en el Parlamento, en las lenguas oficiales, de una iniciativa, junto con una exposición de motivos que confirme que la iniciativa respeta el Protocolo sobre la aplicación de los principios de subsidiariedad y proporcionalidad anejo al Tratado CE.

CAPÍTULO 2.

*De los procedimientos en comisión*

**Artículo 42.**- *Informes legislativos*

1. El presidente de la comisión a la que se hubiere remitido una propuesta de la Comisión propondrá a aquélla el procedimiento adecuado.

2. Adoptada la decisión sobre el procedimiento adecuado, y en el supuesto de que no se aplique el artículo 43, la comisión designará, entre sus miembros titulares o suplentes permanentes, ponente para la propuesta de la Comisión, si no lo hubiera hecho con anterioridad sobre la base del programa legislativo anual acordado de conformidad con el artículo 33.

3. El informe de la comisión constará de:

a) las enmiendas a la propuesta, si las hubiere, acompañadas, si procede, de una breve justificación que será responsabilidad del ponente y no se someterá a votación;

b) un proyecto de resolución legislativa de acuerdo con el apartado 2 del artículo 51; y

c) si fuere necesario, una exposición de motivos, que incluirá una ficha de financiación en la que se establezcan las repercusiones financieras del informe, cuando las haya, y su compatibilidad con las perspectivas financieras.

**Artículo 43.-** *Procedimiento simplificado*

1. Al término del primer debate de una propuesta legislativa, el presidente podrá proponer que se apruebe sin enmiendas. Salvo que se oponga la décima parte de los miembros de la comisión como mínimo, el presidente presentará al Parlamento un informe aprobatorio de la propuesta. Se aplicarán el párrafo segundo del apartado 1 y los apartados 2 y 4 del artículo 131.

2. Como alternativa a lo anterior, el presidente podrá proponer que el ponente o él mismo redacten una serie de enmiendas donde quede reflejado el debate habido en el seno de la comisión. Si la comisión así lo acordare, estas enmiendas se enviarán a los miembros de la comisión. Si en un plazo no inferior a veintiún días a partir de su remisión no hubiere formulado objeciones la décima parte de los miembros de la comisión como mínimo, se entenderá aprobado el informe. En este caso, se presentarán al Pleno el proyecto de resolución legislativa y las enmiendas, de conformidad con el párrafo segundo del apartado 1 y los apartados 2 y 4 del artículo 131.

3. Si se opusiere la décima parte de los miembros de la comisión como mínimo, las enmiendas se someterán a votación en la siguiente reunión de comisión.

4. Las frases primera y segunda del apartado 1, primera, segunda y tercera del apartado 2, y el apartado 3 se aplicarán mutatis mutandis a las opiniones de las comisiones contempladas en el artículo 46.

**Artículo 44.-** *Informes no legislativos*

1. Cuando una comisión elabore un informe no legislativo, designará ponente entre sus miembros titulares o suplentes permanentes.

2. El ponente será responsable de la elaboración del informe de la comisión y de su desarrollo ante el Pleno en nombre de la misma.

3. El informe de la comisión constará de:

a) una propuesta de resolución;

b) una exposición de motivos, que incluirá una ficha de financiación en la que se establecezcan las repercusiones financieras del informe, cuando las haya, y su compatibilidad con las perspectivas financieras; y

c) el texto de las propuestas de resolución que deban figurar en el mismo conforme al apartado 4 del artículo 113.

**Artículo 45.-** *Informes de propia iniciativa*

1. Si una comisión a la que no se le hubiere remitido una consulta o una solicitud de dictamen con arreglo al apartado 1 del artículo 179 se propusiere elaborar un informe sobre un asunto de su competencia y presentar al Parlamento una propuesta de resolución al respecto, recabará previamente la autorización de la Conferencia de Presidentes. La denegación de la autorización deberá estar motivada.

2. Las disposiciones del presente artículo se aplicarán mutatis mutandis en los casos en que los Tratados atribuyeren al Parlamento el derecho de iniciativa.

En dichos casos, la Conferencia de Presidentes adoptará una decisión en un plazo de dos meses.

**Artículo 46.-** *Opiniones de las comisiones*

1. Cuando la comisión a la que inicialmente se hubiere remitido un asunto considere procedente oír la opinión de otra, o cuando otra comisión juzgue oportuno emitir su opinión sobre el informe de la comisión a la que inicialmente se hubiere remitido el asunto, estas comisiones podrán pedir al Presidente del Parlamento que, conforme al apartado 3 del artículo 179, se designe a una de las comisiones competente para el fondo y a la otra para emitir opinión.

2. Cuando se trate de documentos de índole legislativa en el sentido del apartado 1 del artículo 40, la opinión consistirá en propuestas de modificación al texto remitido a la comisión, que podrán ir acompañadas, si procede, de una breve justificación que será responsabilidad del ponente de opinión y no se someterá a votación. Si fuere necesario, la comisión podrá presentar una breve justificación por escrito en relación con la totalidad de la opinión.

Cuando se trate de textos no legislativos, la opinión consistirá en sugerencias referidas a partes de la propuesta de resolución presentada por la comisión competente.

La comisión competente para el fondo someterá estas propuestas de modificación o sugerencias a votación.

Las opiniones sólo versarán sobre las materias que sean competencia de la comisión competente para emitir opinión.

3. Todas las opiniones adoptadas se adjuntarán al informe de la comisión competente para el fondo.

4. La comisión competente para el fondo fijará un plazo dentro del cual la comisión competente para emitir opinión deberá emitir dicha opinión si desea que pueda ser tenida en cuenta por la comisión competente para el fondo. Cualesquiera cambios en el calendario previsto se comunicarán inmediatamente a las comisiones competentes para emitir opinión. La comisión competente para el fondo no formulará sus conclusiones antes de la expiración del plazo.

5. La comisión competente para el fondo será la única que podrá presentar enmiendas en el Pleno.

6. El presidente y el ponente de la comisión competente para emitir opinión serán invitados a participar a título informativo en las reuniones de la comisión competente para el fondo, siempre que versen sobre el asunto de interés común.

**Artículo 47.-** *Cooperación reforzada entre comisiones*

Cuando, a juicio de la Conferencia de Presidentes, un asunto incidiere de modo casi igual en el ámbito de competencias de dos comisiones o cuando diferentes partes de un asunto incidieren en el ámbito de competencias de dos comisiones diferentes, se aplicará el artículo 46 con las disposiciones adicionales siguientes:

- las dos comisiones establecerán de común acuerdo el calendario;
- el ponente y el ponente de opinión tratarán de alcanzar un acuerdo sobre los textos que van a proponer a sus comisiones y sobre su posición en relación con las enmiendas;
- la comisión competente para el fondo aceptará, sin someterlas a votación, las enmiendas de la comisión competente para emitir opinión cuando éstas afecten a asuntos que el presidente de la comisión competente para el fondo, sobre la base del Anexo VI y previa consulta con el presidente de la comisión competente para emitir opinión, considere de la competencia de la comisión competente para emitir opinión y cuando no sean contradictorias con otros elementos del informe.

*El texto del presente artículo no prevé ninguna limitación de su ámbito de aplicación. Serán admisibles las solicitudes de cooperación reforzada entre las comisiones parlamentarias referentes a informes no legislativos basados en el apartado 1 del artículo 45 y en los apartados 1 y 2 del artículo 112.*

**Artículo 48.-** *Modalidades en la elaboración de un informe*

1. La exposición de motivos se redactará bajo la responsabilidad del ponente y no se someterá a votación. No obstante, deberá concordar tanto con el texto de la propuesta de resolución votada como con las posibles enmiendas que la

comisión proponga. De lo contrario, el presidente de la comisión podrá suprimir la exposición de motivos.

2. El resultado de la votación del conjunto del informe se recogerá en el mismo. Además, se especificará el voto de cada uno de los miembros si en el momento de la votación así lo pidiere una tercera parte como mínimo de los miembros presentes.

3. Si no fuere unánime la opinión de la comisión, constarán asimismo en el informe las opiniones minoritarias. Expresadas en el momento de la votación del conjunto del texto, las opiniones minoritarias podrán ser objeto, a solicitud de sus autores, de una declaración por escrito de una extensión máxima de doscientas palabras, adjunta a la exposición de motivos.

El Presidente arbitrará los litigios a que pudiera dar lugar la aplicación de estas disposiciones.

4. A propuesta de su mesa, la comisión podrá fijar el plazo en que su ponente deba someterle el proyecto de informe. El Presidente arbitrará los litigios a que pudiera dar lugar la aplicación de estas disposiciones.

5. Expirado el plazo, la comisión podrá encomendar a su presidente que pida la inclusión del asunto en el orden del día de una de las próximas sesiones del Parlamento. En este caso, el debate podrá basarse en un simple informe oral de la comisión interesada.

CAPÍTULO 3.

*De la primera lectura*

Fase de examen en comisión

**Artículo 49.-** *Modificación de una propuesta de la Comisión*

1. Si la Comisión informare al Parlamento de su intención de modificar su propuesta o si la comisión competente tuviere conocimiento de dicha intención por otros conductos, la comisión competente para el fondo aplazará el examen del asunto hasta que haya recibido la nueva propuesta o las modificaciones de la Comisión.

2. Si el Consejo modificare sustancialmente la propuesta de la Comisión, se aplicará el artículo 55.

**Artículo 50.-** *Posición de la Comisión y del Consejo respecto a las enmiendas*

1. Antes de proceder a la votación final de una propuesta de la Comisión, la comisión competente solicitará a la Comisión que dé a conocer su posición sobre

todas las enmiendas a la propuesta que hayan sido aprobadas en comisión y al Consejo que formule sus observaciones al respecto.

2. Si la Comisión no se encontrare en condiciones de hacerlo o declarare no estar dispuesta a aceptar todas las enmiendas aprobadas en comisión, ésta podrá aplazar la votación final.

3. Si procede, la posición de la Comisión se incluirá en el informe.

### Fase de Examen en el Pleno

**Artículo 51.-** *Conclusión de la primera lectura*

1. El Parlamento examinará la propuesta legislativa sobre la base del informe elaborado por la comisión competente, de conformidad con el artículo 42.

2. El Parlamento votará en primer lugar las enmiendas a la propuesta que sirve de base al informe de la comisión competente, a continuación la propuesta, en su caso modificada, después las enmiendas al proyecto de resolución legislativa y, por último, el conjunto del proyecto de resolución legislativa. Éste contendrá únicamente la declaración por la que el Parlamento aprueba, rechaza o propone enmiendas a la propuesta de la Comisión y, si las hubiere, solicitudes de procedimiento.

El procedimiento de consulta concluirá si se aprueba el proyecto de resolución legislativa. Si el Parlamento no aprobare la resolución legislativa, la propuesta se devolverá a la comisión competente.

Todo informe presentado en el marco del procedimiento legislativo debe ser conforme a lo dispuesto en los artículos 35, 40 y 42. La presentación de una propuesta de resolución no legislativa por una comisión debe hacerse en el marco de una consulta o iniciativa autorizada específica, tal como se prevé en los artículos 45 ó 179 del Reglamento.

3. El Presidente transmitirá al Consejo y a la Comisión, con carácter de dictamen del Parlamento, el texto de la propuesta en la versión aprobada por el Parlamento y la resolución correspondiente.

**Artículo 52.-** *Rechazo de una propuesta de la Comisión*

1. Cuando una propuesta de la Comisión no obtuviere la mayoría de los votos emitidos, el Presidente pedirá a la Comisión que retire su propuesta antes de que el Parlamento proceda a votar el proyecto de resolución legislativa.

2. Si la Comisión retirare su propuesta, el Presidente constatará que el procedimiento de consulta ha dejado de tener objeto e informará al Consejo.

3. Si la Comisión no retirare su propuesta, el Parlamento devolverá el asunto a la comisión competente, sin proceder a la votación del proyecto de resolución legislativa.

En este caso, la comisión competente informará al Parlamento oralmente o por escrito en el plazo que éste hubiere fijado, que no podrá exceder de dos meses.

4. Si la comisión competente no pudiere respetar este plazo, deberá solicitar la devolución a comisión en virtud del apartado 1 del artículo 168. Si fuere necesario, el Parlamento podrá fijar un nuevo plazo al amparo del apartado 5 del artículo 168. Si no se aceptare la solicitud de devolución, el Parlamento procederá a votar el proyecto de resolución legislativa.

**Artículo 53.-** *Aprobación de enmiendas a una propuesta de la Comisión*

1. Cuando la propuesta de la Comisión se apruebe en su conjunto, pero con introducción de enmiendas, se aplazará la votación sobre el proyecto de resolución legislativa hasta que la Comisión haya manifestado su posición sobre cada una de las enmiendas del Parlamento.

Si la Comisión no estuviere en condiciones de manifestar su posición al final de la votación del Parlamento sobre su propuesta, comunicará al Presidente o a la comisión competente el momento en que podrá hacerlo; en este caso, la propuesta se incluirá en el proyecto de orden del día del período parcial de sesiones siguiente a esa fecha.

2. Cuando la Comisión manifestare que no acepta todas las enmiendas del Parlamento, el ponente de la comisión competente o, en su defecto, el presidente de dicha comisión hará una propuesta formal al Parlamento sobre la oportunidad de votar el proyecto de resolución legislativa. Antes de hacer dicha propuesta formal, el ponente o el presidente de la comisión competente podrá pedir al Presidente que suspenda las deliberaciones.

Si el Parlamento decidiere aplazar la votación, el asunto se considerará devuelto para nuevo examen a la comisión competente.

En este caso, dicha comisión informará de nuevo al Parlamento oralmente o por escrito en el plazo que éste hubiere fijado, que no podrá exceder de dos meses.

Si la comisión competente no pudiere respetar este plazo, se aplicará el procedimiento previsto en el apartado 4 del artículo 52.

En esta fase solamente se admitirán las enmiendas de la comisión competente que tiendan a lograr un compromiso con la Comisión.

3. La aplicación del apartado 2 no excluye la facultad de cualquier otro diputado de solicitar la devolución a que se refiere el artículo 168.

Una comisión a la que se devuelva un asunto en virtud del apartado 2, deberá ante todo, según los términos del mandato que éste confiere, informar en

292 JOSÉ MANUEL MARTÍNEZ SIERRA

el plazo señalado y, en su caso, presentar enmiendas que tiendan a lograr un compromiso con la Comisión, sin que por ello deba examinar nuevamente la totalidad de las disposiciones aprobadas por el Parlamento.

No obstante y por razón del efecto suspensivo de la devolución, la comisión dispondrá de la mayor libertad y, cuando lo considere necesario para el logro de un compromiso, podrá proponer que se examinen nuevamente las disposiciones que hayan sido objeto de una votación favorable en el Pleno.

En este caso, habida cuenta de que sólo se admitirán las enmiendas de transacción de la comisión y con objeto de preservar la soberanía del Parlamento, el informe contemplado en el apartado 2 deberá mencionar claramente las disposiciones ya aprobadas que decaerían en caso de que se aprobara la enmienda o las enmiendas propuestas.


Fase de Seguimiento


**Artículo 54.-** *Seguimiento del dictamen del Parlamento*

1. Después de la aprobación por el Parlamento del dictamen sobre la propuesta de la Comisión, el presidente y el ponente de la comisión competente seguirán el curso de la propuesta hasta su adopción por el Consejo, especialmente para garantizar el cumplimiento efectivo del compromiso asumido por el Consejo o la Comisión con el Parlamento sobre las enmiendas de éste.

2. La comisión podrá pedir a la Comisión y al Consejo que examinen con ella el asunto.

3. La comisión competente, si lo estimare necesario, podrá presentar en cualquier momento del seguimiento una propuesta de resolución, conforme al presente artículo, para recomendar al Parlamento que:

– pida a la Comisión que retire su propuesta, o

– pida a la Comisión o al Consejo que consulten nuevamente al Parlamento, conforme al artículo 55, o a la Comisión que presente una nueva propuesta, o

– acuerde cualquier otra medida que estime conveniente.

La propuesta se incluirá en el proyecto de orden del día del período parcial de sesiones siguiente a la decisión de la comisión.


**Artículo 55.-** *Nueva remisión de la propuesta al Parlamento*

Procedimiento de codecisión

1. El Presidente, a propuesta de la comisión competente, pedirá a la Comisión que remita nuevamente su propuesta al Parlamento:

- cuando la Comisión retirare su propuesta inicial, para sustituirla por un nuevo texto después de que el Parlamento se hubiere pronunciado, salvo que se hiciere con objeto de incorporar las enmiendas del Parlamento, o

- cuando la Comisión modificare o se propusiere modificar sustancialmente la propuesta inicial sobre la que el Parlamento se hubiere pronunciado, salvo que se hiciere con objeto de incorporar las enmiendas del Parlamento, o

- cuando, por el transcurso del tiempo o el cambio de las circunstancias, hubiere variado sustancialmente la naturaleza del asunto a que se refiere la propuesta de la Comisión, o.

- cuando se hubieren celebrado nuevas elecciones desde que el Parlamento se hubiere pronunciado y la Conferencia de Presidentes lo considerare conveniente.

2. A petición de la comisión competente, el Parlamento pedirá al Consejo que le remita de nuevo una propuesta presentada por la Comisión de conformidad con el artículo 251 del Tratado CE cuando el Consejo se propusiere modificar el fundamento jurídico de la propuesta y de ello resultare que deja de ser aplicable el procedimiento establecido en el artículo 251 del Tratado CE.

Otros procedimientos

3. A petición de la comisión competente, el Presidente pedirá al Consejo que consulte de nuevo al Parlamento en las mismas circunstancias y condiciones que las previstas en el apartado 1, y también si el Consejo modificare o se propusiere modificar de forma sustancial la propuesta inicial sobre la que el Parlamento hubiere emitido dictamen, salvo cuando esta operación tuviere por objeto introducir las enmiendas del Parlamento.

4. El Presidente pedirá también que se consulte de nuevo al Parlamento, en los casos previstos por el presente artículo, si el Parlamento así lo decidiere a petición de un grupo político o de treinta y siete diputados como mínimo.

**Artículo 56.-** *Procedimiento de concertación previsto en la declaración común de 1975*

1. En caso de decisiones comunitarias importantes, el Parlamento podrá, al emitir dictamen, iniciar con la participación activa de la Comisión un procedimiento de concertación con el Consejo, cuando éste pretendiere apartarse del dictamen del Parlamento.

2. El Parlamento iniciará este procedimiento por propia iniciativa o por iniciativa del Consejo.

3. Se aplicarán a la composición y al procedimiento de la delegación en el Comité de Concertación, así como a la comunicación de los resultados al Parlamento, las disposiciones del artículo 64.

4. La comisión competente informará sobre los resultados de la concertación; este informe será debatido y votado por el Parlamento.

## CAPÍTULO 4.

### De la segunda lectura

### Fase de examen en comisión

**Artículo 57.-** *Comunicación de la posición común del Consejo*

1. La comunicación de la posición común del Consejo, conforme a los artículos 251 y 252 del Tratado CE, tendrá lugar cuando el Presidente la anuncie en el Pleno. El Presidente realizará el anuncio una vez en posesión de los documentos relativos a la posición común propiamente dicha, a todas las declaraciones en el acta del Consejo al adoptar la posición común, a los motivos del Consejo para adoptarla y a la posición de la Comisión, traducidos a las lenguas oficiales de la Unión Europea. El anuncio del Presidente se hará durante el período parcial de sesiones siguiente a la recepción de dichos documentos.

Antes de proceder al anuncio de la comunicación de la posición común, el Presidente comprobará, tras consultar al presidente de la comisión competente, que el texto que le ha sido enviado reviste efectivamente las características de una posición común y que no se da ninguno de los casos previstos en el artículo 55. En caso contrario, el Presidente, de acuerdo con la comisión competente y, a ser posible, de acuerdo con el Consejo, buscará la solución adecuada.

2. Se publicará en el acta de las sesiones la lista de dichas comunicaciones con indicación de la comisión competente.

**Artículo 58.-** *Prórroga de los plazos*

1. A solicitud de la Mesa de la comisión competente cuando se tratare de los plazos para la segunda lectura, o a solicitud de la delegación del Parlamento en el comité de conciliación cuando se tratare de los plazos para la conciliación, el Presidente prorrogará dichos plazos de conformidad con el apartado 7 del artículo 251 del Tratado CE.

Para cualquier prórroga de plazo de conformidad con la letra g) del artículo 252 del Tratado CE o el apartado 1 del artículo 39 del Tratado UE, el Presidente pedirá el acuerdo del Consejo.

2. El Presidente comunicará al Parlamento cualquier prórroga de plazo de conformidad con el apartado 7 del artículo 251 del Tratado CE, ya sea a solicitud del Parlamento o del Consejo.

3. El Presidente, previa consulta al presidente de la comisión competente para el fondo, podrá acordar con el Consejo prorrogar cualquier plazo de conformidad con la letra g) del artículo 252 del Tratado CE.

**Artículo 59.-** *Remisión a la comisión competente y procedimiento de examen aplicable en dicha comisión*

1. El día de su comunicación al Parlamento conforme al apartado 1 del artículo 57, la posición común se entenderá remitida de oficio a la comisión competente para el fondo y a las comisiones competentes para emitir opinión en primera lectura.

2. La posición común se incluirá como primer punto en el orden del día de la primera reunión de la comisión competente para el fondo posterior a la fecha de su comunicación. Se podrá invitar al Consejo a que presente su posición común.

3. Salvo decisión contraria, el ponente será el mismo durante la primera lectura y la segunda.

4. Se aplicarán a las deliberaciones de la comisión competente los apartados 2, 3 y 5 del artículo 62, que regulan la segunda lectura del Parlamento; sólo podrán presentar propuestas de rechazo o enmiendas los miembros titulares o suplentes permanentes de la comisión. La comisión resolverá por mayoría de los votos emitidos.

5. Antes de la votación, la comisión podrá solicitar al presidente y al ponente que las enmiendas presentadas en comisión sean debatidas con el Presidente del Consejo o su representante, así como con el miembro de la Comisión responsable presente. El ponente podrá presentar enmiendas de transacción a raíz de tal debate.

6. La comisión competente presentará una recomendación para la segunda lectura con vistas a aprobar, enmendar o rechazar la posición común adoptada por el Consejo. La recomendación incluirá una breve fundamentación de la decisión que proponga.

Fase de examen en el Pleno

**Artículo 60.-** *Conclusión de la segunda lectura*

1. La posición común del Consejo y, si estuviere disponible, la recomendación para la segunda lectura de la comisión competente se incluirán de oficio en el proyecto de orden del día del período parcial de sesiones cuyo miércoles preceda inmediatamente al día en que venza el plazo de tres meses, o de cuatro meses si se hubiere prorrogado conforme al artículo 58, salvo que el asunto se hubiere tratado en un período parcial de sesiones anterior.

Dado que las recomendaciones para la segunda lectura presentadas por las comisiones parlamentarias son textos asimilables a una exposición de motivos en la que la comisión parlamentaria justifica su actitud respecto de la posición común del Consejo, no se someten a votación dichos textos.

2. La segunda lectura quedará concluida cuando el Parlamento, dentro de los plazos previstos por los artículos 251 y 252 del Tratado CE y de acuerdo con sus disposiciones, apruebe, rechace o modifique la posición común.

**Artículo 61.-** *Rechazo de la posición común del Consejo*

1. La comisión competente, un grupo político o treinta y siete diputados como mínimo podrán presentar, por escrito y dentro del plazo fijado por el Presidente, una propuesta de rechazo de la posición común del Consejo. Para que la propuesta se apruebe, deberá obtener los votos de la mayoría de los diputados que integran el Parlamento. Toda propuesta de rechazo se someterá a votación antes que cualquier enmienda a la posición común.

2. No obstante la votación en contra de la propuesta de rechazo, el Parlamento podrá considerar, por recomendación del ponente, una nueva propuesta de rechazo tras haber votado las enmiendas y haber oído una declaración de la Comisión, de acuerdo con el apartado 5 del artículo 62.

3. Si se rechazare la posición común del Consejo, el Presidente anunciará en el Pleno la conclusión del procedimiento legislativo.

4. No obstante lo dispuesto en el apartado 3, si una decisión de rechazo del Parlamento correspondiere al ámbito de aplicación del artículo 252 del Tratado CE, el Presidente pedirá a la Comisión que retire su propuesta. Si la Comisión retirare su propuesta, el Presidente anunciará al Parlamento la conclusión del procedimiento legislativo.

**Artículo 62.-** *Enmiendas a la posición común del Consejo*

1. La comisión competente para el fondo, un grupo político o treinta y siete diputados como mínimo podrán presentar enmiendas a la posición común del Consejo para su consideración en el Pleno.

2. Sólo se admitirán enmiendas a la posición común si son conformes a los artículos 150 y 151 y si además proponen:

a) volver total o parcialmente a la posición aprobada por el Parlamento en primera lectura, o

b) lograr una transacción entre el Consejo y el Parlamento, o

c) modificar una parte del texto de la posición común no incluida en la propuesta presentada en primera lectura o cuyo contenido sea distinto al de la misma y que no suponga una modificación sustancial en el sentido del artículo 55, o

d) tener en cuenta un hecho o una situación jurídica nueva surgidos después de la primera lectura.

La decisión del Presidente sobre la admisibilidad de las enmiendas será inapelable.

3. Si se celebraren nuevas elecciones desde la primera lectura, pero no se hubiere invocado el artículo 55, el Presidente podrá decidir que no se apliquen las limitaciones de admisibilidad establecidas en el apartado 2.

4. Sólo se aprobarán las enmiendas que obtengan la mayoría de los votos de los miembros que integran el Parlamento.

5. Antes de someter a votación las enmiendas, el Presidente pedirá a la Comisión que dé a conocer su posición y al Consejo que formule sus comentarios.

## CAPÍTULO 5.

*De la tercera lectura*

Conciliación

**Artículo 63.-** *Convocatoria del Comité de Conciliación*

Si el Consejo no estuviere en condiciones de aceptar todas las enmiendas del Parlamento a la posición común, el Presidente acordará, junto con el Consejo, la fecha y el lugar de una primera reunión del Comité de Conciliación. El plazo de seis semanas, o de ocho semanas, en caso de que hubiere sido prorrogado, previsto en el apartado 5 del artículo 251 del Tratado CE, comenzará a correr a partir del momento en que se reúna por primera vez dicho comité.

**Artículo 64.-** *Delegación en el Comité de Conciliación*

1. La delegación del Parlamento en el Comité de Conciliación se compondrá del mismo número de miembros que la delegación del Consejo.

2. La composición política de la delegación se corresponderá con la división del Parlamento en grupos políticos. La Conferencia de Presidentes fijará el número exacto de miembros de cada grupo político que compondrán la delegación.

3. Los miembros de la delegación serán designados por los grupos políticos para cada caso particular de conciliación, preferiblemente entre los miembros de las comisiones interesadas, con excepción de tres miembros que serán designados en calidad de miembros permanentes de las delegaciones sucesivas por un período de doce meses. Los tres miembros permanentes serán designados por los grupos políticos entre los vicepresidentes y representarán al menos a dos grupos políticos diferentes. El presidente y el ponente de la comisión competente serán miembros de la delegación en cada caso concreto.

4. Los grupos políticos representados en la delegación designarán sustitutos.

5. Todo grupo político no representado en la delegación podrá enviar un representante a cualquiera de las reuniones preparatorias internas de la delegación.

6. La delegación estará encabezada por el Presidente o por uno de los tres miembros permanentes.

7. La delegación tomará las decisiones por mayoría de sus miembros. Sus deliberaciones no serán públicas.

La Conferencia de Presidentes establecerá directrices complementarias de procedimiento relativas al trabajo de la delegación en el Comité de Conciliación.

8. La delegación informará al Parlamento de los resultados de la conciliación.

Fase de examen en el Pleno

**Artículo 65.-** *Texto conjunto*

1. Si se alcanzare un acuerdo sobre un texto conjunto en el seno del Comité de Conciliación, el asunto se incluirá en el orden del día de un Pleno del Parlamento que se celebre dentro de un plazo de seis semanas, o de ocho semanas si hubiere habido ampliación, a partir de la fecha de aprobación del texto conjunto por el Comité de Conciliación.

2. El presidente, u otro miembro designado al efecto, de la delegación en el Comité de Conciliación formulará una declaración sobre el texto conjunto, que irá acompañada de un informe.

3. No podrán presentarse enmiendas al texto conjunto.

4. El texto conjunto, en su integridad, se someterá a votación única. Se aprobará si obtuviere la mayoría de los votos emitidos.

5. Si no se alcanzare un acuerdo sobre un texto conjunto en el seno del Comité de Conciliación, el presidente, u otro miembro designado al efecto, de la delegación en el Comité de Conciliación formulará una declaración. Esta declaración irá seguida de debate.

## CAPÍTULO 6.
*De la conclusión del procedimiento legislativo*

**Artículo 66.-** *Acuerdo en primera lectura*

1. Cuando, de conformidad con el apartado 2 del artículo 251 del Tratado CE, el Consejo hubiere informado al Parlamento de que ha aprobado sus enmiendas,

sin modificar de otro modo la propuesta de la Comisión o ninguna de las dos instituciones hubiere modificado la propuesta de la Comisión, el Presidente anunciará en el Pleno que la propuesta ha sido aprobada con carácter definitivo.

2. Antes de realizar este anuncio, el Presidente verificará que ninguna adaptación técnica introducida por el Consejo en la propuesta afecta a su contendido sustancial. En caso de duda, consultará a la comisión competente para el fondo. Si se considerare sustancial alguno de los cambios introducidos, el Presidente informará al Consejo de que el Parlamento procederá a la segunda lectura en cuanto se cumplan las condiciones establecidas en el artículo 57.

3. Tras haber formulado el anuncio previsto en el apartado 1, el Presidente, conjuntamente con el Presidente del Consejo, firmará el acto propuesto y dispondrá su publicación en el Diario Oficial de la Unión Europea de conformidad con el artículo 68.

**Artículo 67.-** *Acuerdo en segunda lectura*

Si, de acuerdo con los artículos 61 y 62 y dentro de los plazos establecidos para la presentación y votación de las propuestas de enmiendas o de rechazo, no se aprobare ninguna propuesta de rechazo de la posición común o ninguna enmienda a la misma, el Presidente anunciará en el Pleno que el acto propuesto ha sido aprobado con carácter definitivo, y, conjuntamente con el Presidente del Consejo, lo firmará y dispondrá su publicación en el Diario Oficial de la Unión Europea de conformidad con el artículo 68.

**Artículo 68.-** *Firma de actos adoptados*

1. El texto de los actos adoptados conjuntamente por el Parlamento y el Consejo será firmado por el Presidente y por el Secretario General, tras haber comprobado que se han cumplido en debida forma todos los procedimientos.

2. Los actos adoptados conjuntamente por el Parlamento y el Consejo en el marco del procedimiento establecido en el artículo 251 del Tratado CE indicarán la naturaleza del acto correspondiente, seguida del número de serie, de la fecha de su adopción y de una indicación del asunto que se regule.

3. Los actos adoptados por el Parlamento y el Consejo contendrán:

a) la fórmula "El Parlamento Europeo y el Consejo de la Unión Europea";

b) las referencias a las disposiciones sobre cuya base se haya adoptado el acto, precedidas por la palabra "Visto";

c) las referencias a las propuestas presentadas, dictámenes obtenidos y consultas celebradas;

d) los motivos en que se basa el acto, precedidos por la palabra "Considerando" o la fórmula "Considerando lo siguiente";

e) una fórmula del tipo "Han adoptado el presente Reglamento" o "Han adoptado la presente Directiva" o "Han adoptado la presente Decisión", seguida del cuerpo del acto.

4. Los actos se dividirán en artículos, agrupados si procediere en capítulos y secciones.

5. El último artículo de un acto fijará la fecha de entrada en vigor, en el caso de que ésta sea anterior o posterior al vigésimo día siguiente al de su publicación.

6. A continuación del último artículo de un acto se incluirá:

– la formulación adecuada, de conformidad con las disposiciones pertinentes del Tratado, en relación con su aplicabilidad;

– la fórmula "Hecho en ..." seguida de la fecha en que se hubiere adoptado el acto;

– las fórmulas "Por el Parlamento Europeo, el Presidente" y "Por el Consejo, el Presidente", seguidas de los nombres del Presidente del Parlamento y del Presidente en ejercicio del Consejo en el momento de la adopción del acto.

7. Los actos a los que se refiere el presente artículo serán publicados en el Diario Oficial de la Unión Europea por los Secretarios Generales del Parlamento y del Consejo.

# BIBLIOGRAFÍA

## ARTÍCULOS

- Alaez Corral, B.: "Comentario a la sentencia del Tribunal Constitucional Federal alemán de 12 de octubre de 1993", *Revista Española de Derecho Constitucional*, n° 45, 1995.
- Alguacil González-Aurioles, J.: "Las fuentes del Derecho en el Tratado por el que se establece una Constitución para Europa", *Teoría y Realidad Constitucional*, n° 15, 2005.
- Areilza de Carvajal, J.M.: "La reforma de Niza: ¿hacia qué Unión Europea?", *Política Exterior*, vol. XV, n° 79, 2001.
- Bacigalupo, M.: "La constitucionalidad del TUE en Alemania - La Sentencia del Tribunal Constitucional Federal alemán de 12 de octubre de 1993", *Gaceta Jurídica de la Comunidad Europea*, Serie D, n° 21, 1994.
- Balaguer Callejón, F.: "El sistema de fuentes en la Constitución Europea", *Revista de Derecho Constitucional Europeo*, n° 2, 2004.
- Beckedorf, I.: "Das Untersuchungsrecht des Europäischen Parlaments. Eine erste Bestandsaufnahme nach zwei parlamentarischen Untersuchungen", *Europa Recht*, n° 3, 1997.
- Bogdandy, A. von: "Supranationale Union als neuer Herrschaftstypus: Entstaatlichung und Vergemeinschaftung aus staatstheoretischcr Perspektive", *Integration*, n°4, 1993.
- Brok, E.: "Der Ámsterdamer Vertrag: Etappe auf dem Weg zur europäischen Einigung", *Integration*, n°4, 1997.
- Christiansen, T. y Jorgensen, K. E.: "The Ámsterdam Process: A Structurationist Perspective on EU Reform", *European Integration Online Papers*, n°1, 1999.
- Cortes, C.: "Codecision: the recent developments", *Integrace*, n° 3, 2000.
- Earnshaw, D. y Judge, D.: "Early days: the European Parliament, codecisión and the European Union legislative process post-Maastricht", *Journal of European Public Policy*, vol. 2, n° 4, 1995.
- Earnshaw, D y Wood, J.: "The European Parliament and biotechnology patenting: Harbinger of the future?", *Journal of Commercial Biotechnology*, vol. 5, n° 4, 1999.
- Elorza, J.: "La UE después de Niza", *Política Exterior*, vol. XV, n° 79, 2001.
- Garman, J., Hilditch, L.: "Behind the scenes: an examination of the importance of the informal processes at work in conciliation", *Journal of European Public Policy*, vol. 5, n° 2, 1998.
- Garrett, G.: "From the Luxembourg Compromise to Co-decision: Decision Making in the European Union", *Electoral Studies*, 1995.

- Gosalbo Bono, R.: "Co-decision: an Appraisal of the Experience of the European Parliament as Colegislator", *Yearbook of European Law*, vol. 14, Clarendon Press, Oxford, 1995.
- Hänsch, K.: "Europäische Integration und parlamentarische Demokratie", *Europa-Archiv*, n° 7, 1986.
- Hix, S.: "Parties at the European Level as an alternative source of Legitimacy", *Journal of Common Market Studies*, n° 4, 1995.
- Hix, S./Lord, C.: "The Making of a President: The European Parliament and the Confirmation of Jacques Santer as President of the Commission", *Government and Opposition*, n°31, 1996.
- Kreppel, A.: "What affects the European Parliament's Legislative Influence? An Analysis of the Success of EP Amendments", *Journal of Common Market Studies*, n° 3, 1999.
- Laprat, G.: "Reforme des Traités: Le Risque du double déficit démocratique", *Revue du Marché Commun*, n°351, 1991.
- López Pina, A.: "Las tareas públicas en la Unión Europea", *Revista de Derecho Comunitario Europeo*, n° 4, 1998.
- Marks, G., Hooghe, L., Blank, K.: "European Integration from the 1980's: State-Centric versus Multi-Level Governance", *Journal of Common Market Studies*, vol. 34, n° 3, 1996.
- Martínez Sierra, J.M.: Los Parlamentos nacionales y la Unión Europea", *Revista de la Facultad de Derecho de la Universidad Complutense*, anuario 90, 1999.
- Martínez Sierra, J.M.: "La reforma institucional de la Unión Europea: el Camino de la Legitimidad en Europa", *Revista Electrónica de Derecons*, n° 1, 1999.
- Martínez Sierra, J.M.: "El Tratado de Niza", *Revista Española de Derecho Constitucional*, n° 62, 2001.
- Martínez Sierra, J.M.: "La Cooperación Reforzada tras Niza", *Revista de las Cortes Generales*, n° 50, 2001.
- Martínez Sierra, J.M.: "El debate constitucional europeo", *Revista de Estudios Políticos*, n° 113, 2001.
- Martínez Sierra, J.M.: "La reforma constitucional y el referéndum en Irlanda: a propósito de Niza", *Teoría y Realidad Constitucional*, n° 7, 2001.
- Martínez Sierra, J.M.: "Del control y la responsabilidad en la Unión Europea", *Revista Universitaria Europea*, n° 3, 2002.
- Martínez Sierra, J.M.: "La Constitución Europea ¿Qué papel cumple en este momento? Una lectura crítica", *Documentación Social*, n° 134, 2004.
- Martínez Sierra, J.M.: "La gobernanza en la Constitución Europea", *Agora*, n° 12, 2005.
- Martínez Sierra, J. M. y Guamán Hernández, A.: "Fuentes del Derecho y acuerdos colectivos: entorno al contexto y texto del artículo II-88 del Tratado por el que se establece una Constitución para Europa", *Agora*, n° 12, 2005.
- Maurer, A.: "Demokratie in der Europäischen Union nach Ámsterdam", *Internationale Politik und Gesellschaft*, n° 4, 1997.

- Monar, J.: "Interinstitutional Agreements: The phenomenon and its new dynamics after Maastricht", *Common Market Law Review*, n°4, 1994.
- Moravcsik, A.: "Preferences and Power in the European Community: A Liberal Intergovernmentalist Approach", *Journal of Common Market Studies*, n°4, 1993.
- Moravcsik, A. y Nicolaidis. K.: "Explaining the Treaty of Ámsterdam: Interest, Influence, Institutions", *Journal of Common Market Studies*, n°1, 1999.
- Moreiro González, Carlos J.: "El principio de democracia participativa en el Proyecto de Tratado de la Constitución Europea" *Cuadernos Europeos de Deusto*, n° 30, 2004.
- Neunreither, K.: "The democratic deficit of the European Union: Towards closer co-operation between the European Parliament and the national Parliaments", *Government and Opposition*, vol. 29, n° 3, 1994.
- Nickel, D.: "Der Ámsterdamer Vertrag: Entstehung und erste Bewertung- ein Kommentar", *Integration*, n° 4, 1997.
- Padoa-Schioppa A.: "The Institutional Reforms of the Ámsterdam Treaty", *The Federalist*, No 1, 1998.
- Pernice, I.: "Multilevel Constitutionalism and the Treaty of Ámsterdam: European Constitution-making revised?", *Common Market Law Review*, n° 36, 1999.
- Pescatore, P.: "El ejecutivo comunitario: justificación del cuatripartismo instituido por los Tratados de Paris y Roma", *Derecho de la Integración*, n° 25-26, 1977.
- Pierson, P.: "The Path to European Integration: A Historical Institutionalist Analysis", *Comparative Political Studies*, n° 2, 1996.
- Pliakos, A.: "L'Union européenne et le Parlement européen - y a-t-il vraiment un déficit démocratique?", *Revue du droit public et de la science politique et France et á l'Étranger*, n° 3, 1995.
- Raunio, T.: "Parliamentary Questions in the European Parliament: Representation, Information and Control", *Journal of Legislative Studies*, n°4, 1996.
- Raworth, P.: "A Timid Step Forwards: Maastricht and the Democratisation of the European Community", *European Law Review*, n°1, 1994.
- Reich, C.: "Qu'est-ce que le déficit démocratique?", *Revue du Marché Commun*, n°343, 1991.
- Reich, C.: "Le Traité sur l'Union européenne et le Parlement européen", *Revue du Marché Commun*, n°357, 1992.
- Scharpf, F. W.: "Community and Autonomy: Multi-level Policy-Making in the European Union", *Journal of European Public Policy*, n°1, 1994.
- Shackleton, M.: "The politics of codecisión", *Journal of common market studies*, vol. 38, n° 2, 2000.
- Smith, M. y Kelemen, D. R.: "The Institutional Balance: Formal and Informal Change, Brussels", *CEPS Working Document*, n° 111, 1997.
- Smith, M.: "Democratic Legitimacy in the European Union: Fulfilling the Institutional Logic", *Journal of Legislative Studies*, n° 4, 1997.
- Tsebelis, G.: "The Power of the European Parliament as a conditional Agenda-Setter", *American Political Science Review*, 1994.

- Tsebelis, G., Garrett, G.: "Agenda Setting, Vetoes and the European Union's Co-Decision Procedure", *Journal of Legislative Studies*, 1997.
- Tsinisizelis, M. y Chryssochoou, D.: "From 'Gesellschaft' to 'Gemeinschaft'? Confederal Consociation and Democracy in the European Union", *Current Politics and Economics of Europe*, n° 4, 1996.
- Weber, A.: "El control del Tratado de Maastricht por la jurisdicción constitucional desde una perspectiva comparada", *Revista Española de Derecho Constitucional*, n° 45, 1995.
- Wessels, W.: "An Ever Closer Fusion? A Dynamic Macropolitical View on Integration Processes", *Journal of Common Market Studies*, n° 2, 1997.
- Wieland, J.: "Germany in the European Union - the Maastricht Decision of the Bundesverfassungsgericht", *European Journal of International Law*, vol. 5, n° 2, 1994.

## MONOGRAFÍAS Y PAPERS

- Alguacil González-Aurioles, J.: *La directiva comunitaria desde la perspectiva constitucional*, Centro de Estudios Constitucionales, Madrid, 2004.
- Andersen, S. S., Bums, T.: "The European Union and the Erosion of Parliamentary Democracy: A Study of Post-parliamentary Governance", en Andersen, S.S., Eliassen, K.A. (Eds.): *The European Union: How Democratic Is It?*, London: Sage Publications, 1996.
- Andersen, S.S. y Eliassen, K.A.: "Introduction: Dilemas, Contradictions and the future of the European Democracy", en Andersen, S.S., Eliassen, K.A. (Eds.): *The EU: How democratic is it?*, SAGE Publications, 1996.
- Andrés Sáenz de Santa María, P.: "El sistema institucional en la Constitución Europea" en *El Proyecto de nueva Constitución Europea. Balance de los trabajos de la Convención sobre el futuro de Europa*. Valencia: Tirant lo Blanch, 2004.
- Andretch, A.A.: *Supervision in European Community Law. Observance by the Member States of their Treaty Obligations*, North Holland, 1986.
- Archer, C.,Butler, F.: *The European Union. Szructure and Process*, Pinter, London, 1996.
- Balaguer Callejón, F.: *Fuentes del Derecho*, vol. II, Tecnos, Madrid, 1992.
- Balaguer Callejón, F.: "La Constitución Europea: forma y contenido, ciudadanos y Estados en la construcción del sistema de fuentes de la Unión Europea", en *Revista de Derecho Político*, n. 64, 2005.
- Banchoff, T., Smith, M. P.,(Eds.): *Legitimacy and the European Union. The contested polity*, London/New York, Routledge.
- Beetham, D., Lord, C.: *Legitimacy and the European Union*, London/New York, Longman, 1998.
- Bailleul, E. y Voss, H.: "The Belgian Presidency and the post-Nice process after Laeken", *ZEI Discussion Paper*, C 102, 2002.
- Bieber, R.: "The Role of the European Parliament in the Context of Article 177 of the EEC Treaty," en Schermers, H.G., Timmermans, G.W.A., Kellermann, A.E.

y Watson, J.S.: *Article 177: experiences and problems*, North - Holland, Ámsterdam, 1987.

- Bradley, K.: "Legal Developments in the European Parliament", *Yearbook of European Law*, Clarendon Press, Oxford, 1990.

- Carter, C., Scott, A.: "Legitimacy and Governance beyond the European Nation State: Conceptualising Governance in the European Union", *European Law Journal*, n°4, 1998.

- Cavero, I. y Zamora, T.: *Los Sistemas Políticos*, Universitas S.A., 1996.

- Coombes, D.: *Seven Theorems on the European Parliament*, London, Kogan Page, 1999.

- Corbett, R.: "Representing the People", en Duff, A., Pinder, J., Pryce R. (Eds.): *Maastricht and Beyond: Building the European Union*, Routhledge. London, 1996.

- Corbett, R.: *The European Parliament's Role, Closer EU Integration*, London, Macmillan, 1998.

- Corbett, R., Jacobs, F., Shackleton, M.: *The European Parliament*, ed. London, 1995.

- Cotarelo, R.: "La Legitimidad", dentro de la obra compilada por Pastor, M.: *Ciencia Política*, McGraw-Hill, 1989.

- Craig, P.: "The Nature of the Community: Integration, Democracy and Legitimacy", en Craig, P., De Búrca, C. (Eds.): *The Evolution of EU Law*, Oxford University Press, 1999.

- Crombez, C.: *The treaty of Ámsterdam and the Codecision Procedure*, Rijksuniversiteit Groningen, Onderzoeksrapport Nr 9827.

- de Cabo, A. Pisarello, G.: *Constiucionalismo, munidialización y crisis del concepto de soberanía: algunos efectos en America Latina y en Europa*, Monografías-Publicaciones de la Universidad de Alicante, 2000.

- de Cabo, C.: "Las fuentes del Derecho. Apunte sistemático", en *Contra el Consenso. Estudios sobre el Estado Constitucional y el constitucionalismo del Estado social*, UNAM, México, 1997.

- de Cabo, C.: "La reforma constitucional en la perspectiva de las fuentes del Derecho", Trotta, Madrid, 2003.

- de Cabo, C.: *Sobre el concepto de ley*, Trotta, Madrid, 2001.

- de Otto, I.: *Derecho Constitucional. Sistema de Fuentes*, Ariel, Barcelona, 1987.

- Dehousse, F.: *Ámsterdam: The Making of a Treaty*, Kogan Page, London, 1999.

- Dehousse, R.: "European Institutional Architecture after Ámsterdam: Parliamentary System or Regulatory Structure?", *EUI Working papers series*, RSC No 98/11, Florence, 1998.

- Dinan, D.: *Ever Closer Union? An Introduction to the European Community*, Houndmills etc, 1994.

- Dinan, D., (Ed.): *Encyclopedia of the European Union*, Lynne Rienner Publishers, Boulder, 1998.

- Duff, A.: "Building a Parliamentary Europe', en Télo, M. (Ed.): *Démocratie et Construction Européenne*, Edition de l'Université de Bruxelles, 1995.
- Duff, A.: *The Treaty of Ámsterdam*, Text and Commentary, London, 1997.
- Earnshaw, D. Judge, D.: "From co-operation to co-decision: The European Parliament's path to legislative power", en Richardson, J. (Ed): *Policy Making in the European Union*, Routhledge, London, 1996.
- Fligstein, N., McNichol, J. A.: "The institutional terrain of the European Union", en Sandholtz, W. Sweet, A.S. (Eds.): *European Integration and Supranational Governance*, Oxford University Press, 1998.
- Fukuyama, F.: *El final de la historia y el último hombre*, Planeta, 1992.
- Gormley, L.: *Introduction to the Law of the European Communities*, London/Den Haag, Kiuwer, 1998.
- Grabitz, E., Schmuck, O., Steppat, S., Wessels, W.: *Direktwahl und Demokratisierung. Eine Funktionsbilanz des Europäischen Parlaments nach der ersten Wahlperiode*, Europa Union Verlag, Bonn, 1988.
- Gustavsson, R.: "The European Union: 1996 and Beyond - a personal View from the side-line", en S. Andersen, S.S., Eliassen, K.A. (Eds.), *The European Union: How Democratic Is It?*, London:Sage Publications, 1996.
- Hix, S.: *The Political System of the European Union*, London, Macmillan, 1999.
- Holland, M.: *European Community Integration*, Printer Publishers, 1993.
- Jachtenfuchs, M.: "Democracy and Governance in the European Union", en Follesdal, A., Kosloswki, P. (Eds.): *Democracy and the European Union*, Springer, 1998.
- Jacobs, F.: *Legislative Co-Decision: A real Step Forward?*, Paper no publicado presentado en la quinta conferencia bienal de la ECSA celebrada en Seattle, del 29 de Mayo al 1 de junio de 1997.
- Jacobs, F.: *Legislative Co-Decision: A Real Step Forward?*, ponencia no publicada presentada en la quinta Conferencia bienal de la ECSA, Seattle, May 29-June 1, 1997.
- Jopp, M., Maurer, A., Schmuck, O., (Eds.): *Die Europäische Union nach Ámsterdam*, Bonn, Europa Union Verlag, 1998.
- Laprat, G.: "Parliamentary Scrutiny of Community Legislation: An Evolving Idea", en Laursen, F., Pappas, S.A. (Eds.): *The Changing Role of Parliaments in the European Union, Maastricht, European Institute of Public Administration*, 1995.
- Laursen, F.: "Parliamentary Bodies Specializing in European Union Affairs: Denmark and European Political Union", en Laursen, F. y Vanhoonacker, S.: *The Intergovernmental Conference on Political Union*, European Institute of Public Administration/Institut Européen d'Administración Publique, 1995.
- Lenaerts, K. y Van Nuffel, P.: *Constitucional Law of the European Union*, Thomson.
- Lodge, J.: "EC Policymaking: Institutional Dynamics", en Lodge, J. (Ed.): *The European Community and the Challenge of the Future*, New York, St. Martins Press, 1993.

- Lodge, J.: "The European Parliament", en Andersen, S.S., Eliassen, K.A. (Ed.): *The European Union. How democratic is it?*, Sage, London, 1996.
- Lord, C.: *Democracy in the European Union*, Sheffield Academic Press, 1998.
- Louis, J. V., Waelbroeck D.: *Le Parlement européen dons l'évolution institutionnelle*, Bruxelles, 1988.
- Lübbe, H.: *Abschied vom Superstaat. Die Vereinigten Staaten von Europa wird es nicht geben*, Siedler, Berlin, 1994.
- MacWillians, W.C. y Piotroski, H.: *The world since 1945: a history of international relations*, Linne Reiner Publisher (Boulder)-Adamantine Press Limited, London, 1993.
- Martínez Sierra, J.M.: *El sistema político de la Unión Europea: la problemática presente y futura*, UCM, Madrid, 2003.
- Martínez Sierra, J.M.: "La Carta de Derechos Fundamentales", en *La Constitución destituyente de Europa. Razones para otro debate constitucional*, Libros de la catarata, Madrid, 2005.
- Maurer, A.: "Die Demokratisierung der Europäischen Union: Perspektiven für das Europäische Parlament", en Maurer, A., Thiele, B. (Eds.): *Legitimationsprobleme und Demokratisierung der Europäischen Union*, Schüren, Marburg, 1996.
- Maurer, A.: "Die institutionellen Reformen: Entscheidungseffizienz und Demokratie", en Jopp, Maurer, Schmuck (Eds.): *Die Europäische Union nach Ámsterdam*, Bonn, Europa Union Verlag, 1998.
- Maurer, A.: "Democratic Governance in the European Union - The institutional terrain after Ámsterdam", en Monar, J., Wessels, W. (Eds.): *The Treaty of Ámsterdam: Challenges and Opportunities for the European Union*, London, Pinter, 1999.
- Mauer, A.: Co-Governing after Maastricht: the European Parliament's institutional performance 1994-1998", Political Series, Working Document POLI 104, Directorate-General for Research, European Parliament, Luxembourg, 1999.
- Maurer, A.: *(Co-)Governing after Maastricht: The European Parliament's institutional performance 1994-1999*, Political Series Poli 104/rev.EN, Directorate-General for Reserach-Working Paper 10/99.
- Molina del Pozo, C.: *Manual de Derecho de la Comunidad Europea*, Trivium, 1997.
- Montilla Martos, J.A.: *Las leyes singulares en el ordenamiento constitucional español*, Civitas, Madrid, 1994.
- Nickel, D.: "Le Traité de Maastricht et le Parlement européen: Le nouveau paysage politique et la procédure de l'article 189b", en Monar, J., Ungerer, Wessels, W. (Eds.): *The Maastricht Treaty on European Union*, Brussels, 1993.
- Nickel, D.: *The European Parliament's Impact on the IGC Process*, ponencia no publicada presentada en la quinta Conferencia bienal de la ECSA, Seattle, May 29-June 1, 1997.
- Nodat, N.: "Social progress holds the key to the EU's popularity", en *How much popular support is there for the EU?*, Phillip Morris Institute for Public Policy Research, Abril, 1997.
- Norton, P. (Ed.): *National Parliaments and the EU*, Frank Kass-London, 1996.

- Nugent, N.: The Government and Politics of the European Union, Durham, NC: Duke University Press, 1994.-Pedler, R., Schäfer, G., (Eds.): Shaping European Law and Policy: The Role of Committees and Comitology in the Political Process, Maastricht, EIPA, 1996.
- Schmitter, P.C.: "If the nation State were to wither away in Europe, what might replace it?", en The Future of the Nation-State, Uppsala University, 1995.
- Schmitter, P. C.: "Is it really possible to democratise the Euro-Polity", en Follesdal, A., Kosloswki, P. (Eds.): Democracy and the European Union, Berlin etc., Springer, 1998.
- Schmuck, O., Wessels, W.: Dos Europäische Parlament im dynamischen Integrationsprozeß. Auf der Suche nach einem zeitgemäßen Leitbild, Europa Union Verlag, Bonn, 1989.
- Scully, R.: Institutional Change in the European Union: Maastricht and the European Parliament, ponencia no publicada presentada en la quinta Conferencia bienal de la ECSA, Seattle, May 29-June 1, 1997.
- Seminario sobre "La procédure de codecisión post-Ámsterdam la dynamique interinstitutionnelle". Compte-rendu du séminaire du 18 octobre 1999 organisé par le Secrétariat général de la Commission au Centre Borchette.
- Shackleton, M.: The European Parliament's New Committees of Inquiry: Tiger or Paper Tiger?, ponencia no publicada presentada en la quinta Conferencia bienal de la ECSA, Seattle, May 29-June 1, 1997.
- Shackleton, M.: "The Democratic Deficit", en Dinan, D. (Ed.): The Encyclopedia of the European Union, Lynne Rienner Publishers, Boulder, 1998.
- Shackleton, M.: The politics of codecisión, Paper no publicado, presentado en la sexta conferencia bienal de la ECSA celebrada en Pittsburgh, celebrada del 2 al 6 de junio de 1999.
- Shackleton, M.: The Politics of Codecision, ponencia no publicada presentada en la sexta Conferencia bienal de la ECSA, Pittsburgh, 2-6 June, 1999.
- Smith, J.: Europe's Elected Parliament, Sheffield, Sheffield Academic Press, 1999.
- Smith, E.: "Introduction: Sovereignty-National and Popular", en Smith, E.: National Parliaments as cornerstone in European Integration, Kluwer Law International, 1996.
- Smith, E.: National Parliaments as cornerstones of European Integration, Kluwer Law International, 1996.
- Stoffel Vallotton, N.: "El Tribunal de Justicia," en Oreja Aguirre, M.: El Tratado de Ámsterdam de la Unión. Análisis y Comentarios. Volumen I," Mc Graw Hill, Madrid, 1998.
- Tsebelis, T., Money , S.: Bicameralism, Cambridge University Press, Cambridge, 1997.
- Usher, J.: Cases and materials on the Law of the European Communities, Butterworths, 1994.
- Varela, D.: The Co-decision Procedure for Adopting Legislation in the EC, conferencia MSc no publicada, European Institute, London School of Economics, 1988.

- Varela, D.: *Agenda setting through the appointment of independent conciliation committee delegations: The EP rules under Ámsterdam's co-decision*, conferencia MSc no publicada, European Institute, London School of Economics, 2000.
- Wallace, H.: "Politics and Policy in the EU: The Challenge of Governance", en Wallace, Wallace (Eds.): *Policy-Making in the European Union*, Oxford University Press, 1996.
- Weiler, J.H.H.: "Parlement européen, intégration européene et légitimite" en Louis, J.-V. y Waelbroeck, D.: *Le Parlement européen dans l'évollution institutionelle*, Bryges-Editions de l'Université de Bruxelles, 1988.
- Weiler, T.: *The European parliament and Condecision: the fourth research framework programme*, Energy and Reseach Series, European Parliament Working Papers, W-11, 1994.
- Wessels, W.: "Wird das Europäische Parlament zum Parlament? Ein dynamischer Funktionenansatz", en Randelzhofer et.al. (Eds.): *Gedächtnisschrift für Eberhard Grabitz*, Beck, München, 1995.
- Wessels, W.: "The Modern West European State and the European Union: Democratic Erosion or a New Kind of Polity?", en Andersen, S.S., Eliassen, K.A. (Eds.): *The European Union: How democratic is it?*, Sage, London, 1996.
- Wessels, W.: "Flexibility, differentiation and closer cooperation: the Ámsterdam provision in the light of the Tindemans Report", en Westlake, M.: *The European Union beyond Ámsterdam: New Concepts of European Integration*, Roudledge, 1998.
- Westlake, M.: *A Modern Guide to the European Parliament*, Pinter, London, 1994.
- Westlake, M.: *The Commission and the Parliament. Partners and Rivals in the European Policy-Making Process*, Butterworth, London, 1994.

## FUENTES ESTADÍSTICAS

- "Rapport d'activité du 1er novembre 1993 au 30 avril 1999 de l'entrée en vigueur du traité d'Ámsterdam des délégations au Comité de conciliation. La procédure de codécision sur la base de l'article 189 B du Traité de Maastricht". Présenté par les vice-présidents Nicloe Fontaine, Renzo Imbeni, y Josep Verde I Aldea, 6 mai 1999, DOC_FR/DV/377/377982, PE 230.998.
- "Activity Report-1 May 1999 to 31 July 2000" of the delegations to the Conciliation Committee presented by Vice-Presidents Renzo Imbeni, James Provan and Ingo Friedrich, 418584EN.doc.
- L'Observatoire législatif (OEIL) del Parlamento Europeo, diponible en su pagina de internent http://wwwdb.europarl.eu.int/dors/oeil/fr/default.htm.
- Rapport d'activité des délégations au Comité de conciliation du 1er mars 1995 au 31 juillet 1996". PE 216.743.
- Base de información de la codecisión del Consejo, DG F III, Intranet del Consejo: HTTP://DOMUS/CODEC/HTML/DEUX_PE.htm.
- Estadisticas del PE: DOC.ES/DV/321/321322; DOC_FR/DV/377/377982, PE 230.998.

- "Response a le question No 39/97 de M. Richard Corbett", DOC_FR/QB/330/330225, PE 295.385/BUR.

## DOCUMENTOS Y FUENTES INSTITUCIONALES BÁSICAS

- Acuerdo interinstitucional sobre las "Modalidades para el desarrollo de los trabajos del Comité de Conciliación previsto por el artículo 189 B", DOCE-C 329/141.
- Declaración común sobre las modalidades prácticas del nuevo procedimiento de codecisión", DOCE C, 1998, 148/01; o en SN 3631/99.
- Declaración sobre el respeto a de los plazos en el procedimiento de codecisión" Declaración número 34 aneja al Tratado de la Unión Europea por el Tratado de Ámsterdam.
- Decisión del Consejo de 22 de julio por la que se adopta su Reglamento interno (2002/682/CE, Euratom), DOCE L, nº 230 de 28-8-2002.
- Decisión del Consejo 2004/338/CE, Euratom, de 22 de marzo de 2004, por la que se aprueba su Reglamento interno.
- Decisión del Consejo 2004/701/CE, Euratom, de 11 de octubre de 2004, por la que se modifica su Reglamento interno.
- Resolución sobre el nuevo procedimiento de codecisión después de Ámsterdam, DOCE-C 292/140.
- "Efficient Institutions After Enlargement Options for the Intergovernmental", Conference, 7 December 1999, 13636/99, LIMITE POLGEN 4.
- "Conferencia Intergubernamental sobre la Reforma Institucional - informe de la Presidencia al Consejo Europeo de Feria", de 14 de junio de 2000, CONFER 4750/00.
- Comunicación a los miembros del PE de los representantes del Parlamento en la CIG (Elmar Brok y Dimitros Tsatsos) sobre la "Situación de la Conferencia Intergubernamental del 14 de febrero al 6 de julio del 2000 en la perspectiva del Consejo Europeo de Feria de los días 19 y 20 de junio", Bruselas, 7 de junio de 2000, CM\413752ES.doc, PE 286.924.
- Comunicación a los miembros del PE de los representantes del Parlamento en la CIG (Elmar Brok y Dimitros Tsatsos) sobre el "Estado de los trabajos de la Conferencia Intergubernamental antes de la sesión del Consejo Europeo de Feria de los días 7 a 9 de diciembre en Niza", Bruselas, 29 de noviembre de 2000, CM\423959.ES.doc, PE 294718.
- "Resolución del Parlamento sobre la preparación de la reforma de los Tratados y la próxima Conferencia Intergubernamental", C-5-0143/199-1999/2135 (COS); y el punto 30 de la "Resolución del Parlamento Europeo que contiene sus propuestas para la Conferencia Intergubernamental", (14094/1999-C5-0341/1999-1999/0825(CNS)).
- Proyecto Spinelli de 14 de febrero de 1984 sobre la Constitución Europea, DOCE C 77/34 de 19 de marzo de 1984.

- Proyecto de Tratado presentado a la CIG 1992 por la Presidencia luxemburguesa, Dic. CONF-UP 2008/91.
- "Informe de la Presidencia al Consejo Europeo de Feria sobre la Conferencia Intergubernamental sobre la Reforma Institucional", de 14 de junio de 2000, CONFER 4750/00.
- Conclusiones de la Presidencia del Consejo Europeo de Edimburgo, *Boletín de Derecho de las CE*, Cortes Generales, n° 42; y *Revista de Instituciones Europeas*, vol. 20, n°1, 1993.
- Conclusiones de la Presidencia del Consejo Europeo de Cardiff, 15 y 16 de junio de 1998. (las conclusiones de la Presidencia de los Consejos Europeos celebrados a partir de 1994:http://ue.eu.int/es/Info/eurocouncil/index.htm).
- Conclusiones de la Presidencia Consejo Europeo de Colonia de 3 y 4 de Junio de 1999.
- Conclusiones de la Presidencia del Consejo Europeo de Helsinki 10 y 11 de Diciembre de 1999.
- Conclusiones de la Presidencia del Consejo Europeo de Feria, 19 Y 20 de junio de 2000.
- Discurso de Romano Prodi sobre la CIG de Niza, Speech/00/352, Plenary Session of the European Parliament, Strasbourg, 3 October 2000.
- Discurso de la Presidenta Nicole Fontaine de 19 de junio de 2000 ante el Consejo Europeo de Feria. http://www.europarl.eu.int/president/speeches/en/default. htm.
- Ordenes del día de las sesiones: INTERNET, http://www. eu.int./agenda/es; INTRANET, http://www. ep.ec./agenda/es.
- Composición de las comisiones parlamentarias pueden consultarse en http://www. europarl.eu.int/committees/es/default.htm.
- Declaración de Laeken: el documento se puede encontrar en la página Europa: http://europa.eu.int/futurum/documents/offtext/doc151201 _es.htm.

## DOCUMENTOS VARIOS: INFORMES, PROPUESTAS, TEXTOS, DOC., COM, SEC

- "A Common Framework for Electronic Signatures", (COM (1998) 297 - C4-0376/98-98/195(COD)).
- "Comunicación de la Comisión al Parlamento Europeo con arreglo al párrafo segundo del apartado 2 del artículo 251 del Tratado CE acerca de la posición común del Consejo sobre la propuesta de la Directiva del Parlamento Europeo y del Consejo sobre el cumplimiento del horario de la gente de mara a bordo de los buques que utilicen puertos comunitarios". SEC (99) 1192 final.
- "Communication from the Commission to the European Parliament pursuant to the second subparagraph of Article 251(2) of the EC Treaty on the Common position of the Council on the proposal for a Directive of the European Parlia-

ment and of the Council on a Community framework for electronic signatures".
SEC (1999) 1154 final 98/0191 COD.

– "Comunicación de la Comisión al Parlamento Europeo con arreglo al párrafo
segundo del apartado 2 del artículo 251 del Tratado CE acerca de la posición
común del Consejo sobre la propuesta de la Directiva del Parlamento Europeo y
del Consejo por la que se modifica la Directiva 93/104/CE, de 23 de noviembre
de 1993, relativa a determinados aspectos de la ordenación del tiempo de trabajo
para incluir los sectores y actividades excluidos de dicha Directiva". SEC (99) 1190
final.

– "Communication from the Commission to the European parliament pursuant
to the second subparagraph of Article 251(2) of the EC Treaty concerning the
Common position of the Council on the proposal for a European Parliament
and of the Council Directive concerning the enforcement of the seafarers' hours
of work on board ships using community ports". SEC (1999) 1192 final.

– "Comunicación de la Comisión al Parlamento Europeo con arreglo al párrafo
segundo del apartado 2 del artículo 251 del Tratado CE acerca de la posición
común del Consejo sobre la propuesta de la Directiva del Parlamento Europeo y del
Consejo por la que se establece un marco comunitario para la firma electrónica".
SEC (1999) 1154 final 98/0191 COD.

– "Comunicación de la Comisión al Parlamento Europeo con arreglo al párrafo
segundo del apartado 2 del artículo 251 del Tratado CE acerca de la posición
común del Consejo sobre la propuesta de la Directiva del Parlamento Europeo
y del Consejo por la que se establece un único instrumento de financiación y
de programación en favor de la cooperación cultural. Primer programa marco
de la Comunidad en favor de la Cultura (2000-2004), SEC(99) 1227 final COD
98/0169.

– "Comunicación de la Comisión al Parlamento Europeo con arreglo al párrafo
segundo del apartado 2 del artículo 251 del Tratado CE acerca de la posición
común del Consejo sobre la propuesta de la Directiva del Parlamento Europeo
y del Consejo por la que se establecen medidas para luchar contra la morosidad
en las transacciones comerciales". SEC (99) 1398.

– Contribución del Servicio Jurídico del Consejo a los continuación de los trabajos
del Grupo medio ambiente de los días 26 y 27 de enero de 1999"., 5590/99.

– Carta del Servicio Jurídico del Consejo remitida el 23 de febrero de 1996 al Coreper
en relación con el "Seguimiento del procedimiento de codecisión", 4867/96.

– Contribución del Servicio Jurídico del Consejo a la continuación de los trabajos
del Grupo "Medio ambiente" de los días 26 y 27 de enero de 1999, sobre el asunto
de la "Fusión de la propuesta de Directiva del Consejo por la que se modifica
la Directiva 94/66/CE relativa a la incineración de los residuos peligrosos",
5590/99.

– "Directive on the secondment of workers Directive", cuya posición común se
adopto el 3 de junio de 1996.

- Directiva 98/43/CE del Parlamento Europeo y del Consejo, de 6 de julio de 1998, relativa a la aproximación de las disposiciones legales, reglamentarias y administrativas de los Estados miembros en materia de publicidad y de patrocinio de los productos del tabaco (DO L 213).

- Directiva 98/10/CE del Parlamento Europeo y del Consejo sobre la aplicación de la oferta de red abierta (ONP) a la telefonía vocal y sobre todo al servicio universal de telecomunicaciones en un entorno competitivo", de 22 de febrero de 1998.

- Doc. LEX 58-COD 0346.

- Doc. 7933/97 PE L 47 CODEC 296.

- Doc. UP/21/91.

- "Draft Statement of the Council's reasons" sobre la "Common position with a view to adopting a directive of the European Parliament and of the Council amending for the third time Directive 83/189/EEC laying down a procedure for the provision of the information in the field of technical standards and regulations", 12944/97 ADD 1.

- Informe de actividades de las delegaciones en el Comité de Conciliación, del 1 de mayo de 1999 al 30 de abril de 2004 (5ª Legislatura), DV\530227ES.doc, PE 287.644, p. 32.

- Estudio del Servicio Jurídico del Parlamento Europeo emitido el 14 de julio de 1994 sobre el "Article 189 B du Traité CE: Procédure et problèmes", COM (1999) 283 final.

- Informe presentado por la presidencia finlandesa al Grupo de Trabajo de medio ambiente el 16 de diciembre de 1999. "List of amendments presented at the EP ENVI Committee", sobre la "Proposal for a European Parliament and Council directive relating to limit values for benzene and carbon monoxide in ambient air".

- Informe de la DG FI sobre las "Resoluciones, Decisiones y Dictámenes adoptados por el Parlamento Europeo en su período de sesiones celebrado en Bruselas en los días 3 y 4 de noviembre de 1999". Bruselas, 9 de noviembre de 1999, 12476/99.

- Informes de la DG FIII en relación con la: "Propuesta de Reglamento del Consejo por el que se modifica el Reglamento (CEE) 2913/92 del Consejo, por el que se aprueba el código Común Aduanero Comunitario. Resultados de la primera lectura del Parlamento Europeo (Estrasburgo, 13-17 de septiembre de 1999)", 6563/99.

- Informe de la DG FIII en relación con la "Propuesta de recomendación del Consejo sobre criterios mínimos de la inspecciones medioambientales en los Estados Miembros. Resultado de la primera lectura del Parlamento Europeo (Estrasburgo, 13-17 de septiembre de 1999)", 11328/99, pp. 3-9.

- "Legislative Transparency: Statements which may be released to the public" (September 1996), 10497/96.

- NON-PAPER a la atención del Presidente y los Miembros del COREPER (1ª y 2ª Parte), Asunto: Procedimiento del artículo 189 B del Tratado CE, denominado de codecisión, SN 1404/94 ES.

- NON-PAPER a la atención del Presidente y los Miembros del COREPER (1 y 2 parte)" de 3 de febrero de 1994, SN 1404/94.
- NON-PAPER sobre el procedimiento del artículo 189 B del Tratado CE, denominado de codecisión", op.cit. punto 6 d).
- NON-PAPER del Servicio Jurídico del Consejo, SN 1404/94, punto 7.
- Speaking Note del 9 de diciembre de 1996 sobre el "Trilogue between the President of the Council, the President of the European Parliament and the President of the Commission".
- "Note a L'Attention de M.J. Trumpf, Secretarie General" sobre el "Trialogue politique informel entre les Présidents du Parlement européen et du Conseil et la Commission" del 1 de diciembre de 1996.
- "Note for the attention of the Chairman of the Permanent Representatives Committee", (1854th meeting - first part, 26 november 1999).
- Nota de reflexión de la Presidencia portuguesa a la atención del Grupo de Representantes de los Gobiernos de los Estados miembros sobre "El concepto de acto legislativo adoptado en codecisión en el marco de la jerarquía de los actos jurídicos comunitarios y en el contexto de la próxima ampliación de la Unión", Bruselas, 30 de mayo de 2000, SN 3068/00.
- Nota de reflexión de la Presidencia portuguesa sobre "Otras modificaciones que deberán efectuarse en las Tratados respecto de las instituciones europeas", Bruselas, 24 de febrero de 2000, CONFER 4713/00.
- Nota de reflexión de la Presidencia portuguesa sobre "Otras modificaciones que deberán efectuarse en las Tratados respecto de las instituciones europeas", Bruselas, 10 de mayo de 2000, CONFER 4740/00.
- Nota de la de la delegación italiana, Doc. 10356/90 ADD 2, Anexo IV.
- Nota del Servicio Jurídico de 16 de septiembre de 1997 sobre la "Consecuencias del Tratado de Ámsterdam para el procedimiento de codecisión".
- Outcome of the Proceedings from the Working Party on Environment, on 17 November 1999. Interinstitutional File 98/0333 (SYN), No. Cion prod: 5518/99 ENV 14 PRO-COOP 10 - COM(1998) 591 final, SN 13104/99.
- Programa DAPHNE "with a view to the adoption of a European Parliament and Council decision adopting a programme of Community action (the DAPHNE Programme) (2000-2003) on preventive measures to fight violence against children, young persons and women (9150/1/1999 - C5-0181/1999 - 1998/0192(COD)) Committee on Women's Rights and Equal Opportunities, Rapporteur: Maria Antonia Aviles Perea, OJ C 219, 30.7.1999.
- Programa Socrates, "Décision du Parlement européen et du Conseil établissant la deuxième phase du programme d'action communautaire en matière d'éducation SOCRATES (C5-0267/1999 - 1998/0195(COD)) Délégation du Parlement européen au comité de conciliation, 8 décembre 1999, Rapporteur: Doris Pack, JO C 359 du 23.11.1998.
- Propuesta de Directiva sin informe, el resultado de la primera lectura en Pleno de la propuesta de Directiva del Parlamento Europeo y del Consejo relativa a la